PLUS DE 350

BIÈRES
RÉPUTÉES

BIÈRES

DU MONDE

BIÈRES

DU MONDE

BIÈRES

DU MONDE

Plus de 350 bières réputées

DAVID KENNING ET ROBERT JACKSON

PaRragon

Bath • New York • Singapore • Hong Kong • Cologne • Delhi
Melbourne • Amsterdam • Johannesburg • Auckland • Shenzhen

Copyright © Parragon Books Ltd 2006

Queen Street House
4 Queen Street
Bath BA1 1HE, Royaume-Uni

Conception et réalisation
Amber Books Ltd.
Responsable éditorial : James Bennett
Conception graphique : Graham Curd, Tony Cohen
Iconographie : James Hollingworth, Kate Green, Terry Forshaw
Textes complémentaires : Chris McNab

Copyright © Parragon Books Ltd 2006 pour l'édition française
Cette édition publiée en 2011

Réalisation : InTexte, Toulouse
Traduction de l'anglais : Nicolas Blot, Thomas Guidicelli

ISBN : 978-1-4454-0145-4

Imprimé en Chine
Printed in China

Sommaire

ER'S LAGER
FOSTER'S
CARLTON & UNITED BREWERIES LTD
77 SOUTHBANK BOULEVARD SOUTHBANK VIC 3006
BEER · PRODUCT OF AUSTRALIA
ALIA'S CLASSIC
R SINCE 1888
355mL

Introduction

« La bière est la preuve que Dieu souhaite le bonheur des hommes. »
Benjamin Franklin

Il est difficile de dater avec précision l'invention de la bière, mais les spécialistes estiment que les premières bières furent brassées en Mésopotamie et en Égypte au cours de l'Antiquité. Divers écrits attestant la fabrication de cette boisson sont attribués au peuple de Sumer, établi voilà plus de 5 000 ans, au Moyen-Orient, sur un vaste territoire inscrit entre les fleuves Tigre et Euphrate. Les Sumériens confectionnaient environ vingt variétés de bière, chacune étant associée à un rite particulier de leur vie quotidienne. Les principales étaient consommées au cours des cérémonies religieuses ou utilisées comme remède. Elles étaient fabriquées par trempage dans l'eau d'un pain de blé poulard et d'orge. Le liquide obtenu était mis à fermenter pendant plusieurs jours dans des jarres en terre cuite, puis aromatisé au moyen de miels et de dattes. Les vertus nutritives de la bière ainsi que son caractère enivrant favorisèrent énormément son développement. À cette époque, elle était préférée à l'eau, souvent porteuse de germes, pour des raisons essentiellement sanitaires.

La bière à travers les âges

Après les Sumériens, les Égyptiens de l'Antiquité développèrent des techniques de brassage à grande échelle afin d'alimenter en rations quotidiennes les armées des pharaons. L'avènement de l'islam au Moyen-Orient durant les VIIe et VIIIe siècles provoqua un déclin important de la consommation de bière dans cette région, mais celle-ci se trouvait, à cette époque, déjà bien présente en Europe.

Dès le Ve siècle, un grand nombre de monastères du vieux continent avaient ajouté la fabrication de bière à leurs activités. Ces communautés cultivaient elles-mêmes l'orge nécessaire et s'enrichissaient par la vente de leurs excédents de production. Au fil des siècles, les moines furent responsables de nombreuses améliorations dans les techniques de brassage, au point d'établir des processus très proches, dans leurs principes, de ceux utilisés par les grandes brasseries modernes.

Jusqu'au début du XVIe siècle, les seules bières fabriquées étaient des bières de fermentation haute, semblables aux ales britanniques. Vers 1530, les moines d'une communauté bavaroise eurent l'idée de faire fermenter la bière au sein de caves profondes et

fraîches afin de pouvoir poursuivre le brassage durant l'été. Ce conditionnement à basse température eut pour effet de précipiter la levure au fond des cuves et de ralentir la fermentation, permettant ainsi un stockage beaucoup plus long de la bière. Aujourd'hui, les bières issues de ce processus, dit de fermentation basse, sont désignées sous le nom de lagers dans les pays anglo-saxons.

En dehors des monastères, la fabrication de bière demeura longtemps une activité domestique pratiquée à petite échelle. Bientôt pourtant, les artisans les plus habiles attirèrent des visiteurs, qui devinrent des consommateurs réguliers. Certaines familles développèrent une tradition de brassage et, au début du XIVe siècle, les premières brasseries commerciales virent le jour. En raison des difficultés de transport, la vente demeura locale longtemps, mais il était courant de faire venir d'autres régions les ingrédients nécessaires. Dans la dernière partie du XVIIIe siècle, la révolution industrielle et le développement des réseaux ferroviaires autorisèrent enfin le transport de la bière en quantités importantes. À cette même époque, certains progrès scientifiques et technologiques permirent de mécaniser nombre des opérations de fabrication et d'augmenter la production. Ces développements transformèrent le brassage en une véritable industrie, et les brasseries en sociétés de dimensions internationales.

La dernière révolution en matière de brassage intervint en 1842, lorsqu'un brasseur de Plzen (Pilzen), petite ville de Bohème, parvint à produire une lager de teinte or parfaitement translucide, radicalement différente des bières brunes ou ambrées, voilées dans leur apparence, qui était produites jusqu'alors. Il fit cette découverte de façon accidentelle, en mêlant malt et eau dans un environnement favorable. À cette époque, la Bohème était réputée pour son artisanat du verre, et les bouteilles et flacons locaux se révélèrent parfaits pour mettre en évidence la couleur et la clarté de cette bière de Bohème, qui rencontra rapidement un grand succès.

Les années 1870 virent l'invention de la réfrigération mécanique, qui permit à la fois de prolonger le stockage des bouteilles et de servir la bière très fraîche. Dès lors, la bière devint une boisson de choix pour se désaltérer lors des journées les plus chaudes de l'été.

Les ingrédients : l'eau

L'eau constitue environ 90 % du volume d'une bière et, le plus logiquement du monde, sa composition minérale influe très largement sur la saveur du produit final. L'eau peu dure de la ville de Plzen, en République tchèque, se révèle idéale pour la production des fameuses lagers de teinte or, tandis que l'eau dure et sulfureuse de la rivière Trent, en Angleterre, définit, pour une large part, le caractère des ales claires pour lesquelles la ville de Burton-on-Trent est aujourd'hui réputée.

Les ingrédients : le malt

Diverses céréales sont utilisées pour la fabrication de bière, dont blé, seigle, maïs et avoine, mais leurs grains ne peuvent engendrer une fermentation satisfaisante sans recours au maltage. L'orge est privilégié par les brasseurs, parce que ses grains supportent bien cette opération et produisent une grande quantité de sucres fermentescibles. Le premier stade du maltage consiste à faire tremper les grains dans l'eau pendant deux ou trois jours afin de déclencher la germination. Les grains sont ensuite étalés sur un tapis dans une pièce humide où l'on laisse la germination se poursuivre pendant plusieurs jours. C'est à ce stade que l'amidon se transforme en sucres fermentescibles. La germination est ensuite stoppée par séchage des grains dans un four, au cours d'un processus appelé « touraillage ».

La température et la durée du touraillage affectent la couleur et la saveur du malt, lesquelles influent à leur tour sur la couleur et la saveur de la bière produite. Le malt blond, idéal pour tous les types de bière, est le plus couramment utilisé. Les malts ambrés et bruns sont obtenus par chauffage des grains à haute température. Le malt chocolat, produit par allongement du temps de séchage, est gage d'une saveur complexe, tandis que le malt noir, le plus foncé de tous, est responsable d'une saveur à la fois riche et amère. À la différence de la plupart des malts, fabriqués par élévation progressive de la température, le malt cristal est obtenu par exposition immédiate des grains à une température élevée, ce qui confère aux bières produites une saveur ronde et sucrée.

Les ingrédients : le houblon

Les premières mentions de l'utilisation du houblon dans la fabrication de bière figurent dans des écrits monastiques datant du VIIIe siècle. Les moines de ces temps-là avaient parfaitement compris les vertus de conservation de cette plante, même si tous n'en appréciaient pas sa saveur amère. À cette époque, la plupart des brasseurs utilisaient un mélange aromatique d'herbes et d'épices, mais bientôt la plupart des consommateurs commencèrent à apprécier l'amertume du houblon, de sorte que son usage s'imposa malgré les efforts de certains personnages influents pour en interdire la culture. Les bières au houblon furent introduites en Angleterre au tout début du XVe siècle et soulevèrent, là aussi, des difficultés politiques, notamment à cause de la menace qu'elles faisaient peser sur les brasseurs locaux. Malgré tout, l'usage du houblon se généralisa en Europe dès le début du XVIIe siècle. Aujourd'hui, diverses variétés de cette plante sont utilisées, chacune offrant un arôme et une saveur propres.

Les ingrédients : la levure

Les premiers brasseurs ignoraient tout de la levure, et les moines du Moyen Âge n'avaient qu'une connaissance limitée de ses effets, interprétant la fermentation comme un intervention divine. Le levure de bière fut observée pour la première fois en 1685 par le naturaliste hollandais Antoni van Leeuwenhoek, mais son rôle ne fut compris qu'après son étude par le chercheur français Louis Pasteur en 1871.

Pasteur fut le premier à observer la transformation, par la levure, des sucres de malt en alcool et dioxyde de carbone. L'utilisation de la levure impose un parfait contrôle du processus de brassage, car toute altération dans son comportement peut ruiner la production. Pasteur parvint à identifier la plupart des difficultés rencontrés par les brasseurs de son époque. Son travail conduisit le Danois J.C. Jacobson à construire, au sein de sa brasserie Carlsberg de Copenhague, un laboratoire dédié à la culture de souches de levure pure. En plus d'être à l'origine de la fermentation, la levure affecte la saveur de la bière, c'est pourquoi nombre de brasseurs préfèrent utiliser un mélange de plusieurs souches. En Belgique, les brasseurs de lambics s'en remettent aux levures sauvages et à la fermentation spontanée.

Les autres ingrédients

Il existe de nombreuses variantes du processus de fabrication, dont un grand nombre fait appel à des ingrédients les plus divers. Certains de ces ingrédients sont des produits de remplacement du malt d'orge essentiellement employés dans la fabrication industrielle de lagers. Le sucre, le riz, le maïs, le sirop de maïs et les extraits de malt n'en sont que quelques exemples. Malgré tout, certaines céréales, dont le blé et l'avoine, trouvent leur place dans le brassage de bières traditionnelles, de même que d'autres ingrédients, tels que la coriandre, le genièvre, le gingembre et les zestes d'orange ou de citron, sont utilisés pour leurs qualités aromatiques. L'usage du miel existe depuis plusieurs siècles, tandis qu'une fameuse brasserie écossaise parfume, elle, ses bières par incorporation de bruyère.

Le brassage

Depuis les tout premiers jours de l'histoire de la bière, la clé du brassage réside dans la transformation des sucres en alcool durant la fermentation. Les Sumériens de l'Antiquité étaient bien incapables d'expliquer ce phénomène, mais leur processus de fabrication était peu éloigné de ceux que l'on emploie aujourd'hui dans les ateliers informatisés et aseptisés des grandes brasseries modernes.

Au cours de la première phase du brassage, le sucre est extrait par cuisson du malt dans l'eau bouillante jusqu'à obtention d'une préparation de consistance pâteuse appelée moût. Il existe deux types de brassage : le brassage par infusion, dans lequel le moût est porté progressivement à température, et le brassage par décoction, qui consiste à cuire séparément certaines parties du moût avant d'effectuer un mélange final.

Le brassage se poursuit par la filtration du moût et son transfert dans une cuve de cuisson, où il est mis à bouillir pendant plusieurs heures. On y ajoute alors le houblon et les autres éléments aromatiques. Les cônes de houblon sont ensuite ôtés à l'aide d'un filtre, puis le moût est placé à refroidir avant d'être transféré dans les cuves de fermentation. C'est à ce stade de la fabrication qu'est ajoutée la levure.

Une fois la fermentation primaire achevée, le brasseur obtient une bière dite verte. Elle doit faire l'objet d'une seconde période de fermentation (appelée fermentation secondaire), plus lente, à température plus basse et en cuves closes, qui donnera naissance au produit fini, c'est-à-dire à une bière de caractère.

À la fin de la fermentation secondaire, la plupart des bières sont filtrées et pasteurisées. Certaines ales britanniques sont conditionnées dans des fûts ou des bouteilles contenant de la levure active, de sorte qu'elles continuent à développer profondeur et complexité jusqu'au moment de leur consommation.

Si le processus de fabrication demeure sensiblement le même pour la plupart des bières, il existe d'innombrables variantes quant aux proportions des principaux ingrédients utilisés – eau, malt, levure, houblon – et à leurs types. De même, la grande diversité des ingrédients aromatiques et les conditions particulières de brassage donnent naissance à une production extrêmement riche et variée. Il est donc dommage, pour un amateur de bière, de s'en tenir à sa marque préférée : il existe en effet une bière pour toutes les occasions, qu'il s'agisse d'une lager bien fraîche pour l'été ou d'une bière brune fortement alcoolisée, servie à l'occasion d'un repas de fête hivernal.

CI-DESSUS

Forte d'unités de fabrication au Canada, aux États-Unis et au Brésil, la brasserie Molson est l'une des plus importantes au monde. La Molson Canadian, très désaltérante, compte parmi ses bières les plus populaires. La gamme Molson Canadian inclut également la Molson Canadian Light et la Molson Canadian Ice, bière glacée la plus vendue au Canada. La brasserie Molson fut fondée en 1786, ce qui fait d'elle la plus ancienne d'Amérique du Nord.

Canada

Si l'histoire de la fabrication de la bière au Canada et aux États-Unis présente des similitudes, elle comporte également des différences importantes, notamment au regard de la Prohibition. Celle-ci fut abolie au début des années 1930 dans les deux pays, mais elle fut suivie, au Canada, par des lois très strictes sur la production et la vente d'alcool qui, aujourd'hui encore, continuent de restreindre les productions locale et nationale.

AU CANADA, les taxes sur l'alcool figurent parmi les plus élevées au monde, ce qui rend les bières onéreuses, et certaines lois locales proscrivent la vente de bière d'une province canadienne à une autre.

De ce fait, la production canadienne a toujours été dominée par plusieurs grandes brasseries. Molson, la plus connue, fut fondée en 1786 par l'Anglais John Molson, tandis que Carling, deuxième en importance, fut établie dans l'Ontario par Thomas Carling en 1840. En 1862, les brasseries Carling et O'Keefe s'associèrent pour former le groupe Carling O'Keefe, absorbé par Molson en 1989. Labatt, autre grande brasserie canadienne, fut fondée en 1847 par l'Irlandais John Labatt. Molson et Labatt appartiennent aujourd'hui à des groupes étrangers : Labatt a été acquise par le groupe belge Interbrew en 1995, tandis que Molson s'est associée au groupe américain Coors au cours de l'été 2004.

Ces grandes et puissantes compagnies sont parvenues à contourner la loi en ouvrant des brasseries régionales dans l'ensemble du pays, souvent par le rachat de marques locales. Malgré tout, les réglementations ont permis le développement de nombreuses micro-brasseries, satisfaites d'opérer exclusivement dans leur province, et productrices, à petite échelle, de bières de caractère sur un marché dominé par des lagers légères. En dépit des lois contraignantes, les brasseries canadiennes ont toujours fait preuve d'innovation, à l'exemple de Labatt, créatrice en 1993 de la fameuse bière glacée.

STATISTIQUES

Production annuelle : 23 443 000 hectolitres
Consommation par an et par habitant : 60 litres
Principales brasseries : Big Rock, Brick Brewing Co., Budweiser Canada, Creemore Springs, Labatt Breweries, McAuslan Brewing, Molson Breweries of Canada, Moosehead Breweries, Unibroue
Bières réputées : Brick Premium, Creemore Springs Premium, Labatt's Ice Beer, Moosehead, Big Rock Grasshopper, Molson Canadian

Alexander Keith's IPA

Brassée à Halifax, en Nouvelle-Écosse, l'Alexander Keith's India Pale Ale vit le jour en 1820, lorsque la brasserie Oland décida de produire des lagers et ales de caractère pouvant convenir à tous les consommateurs.

Cette India pale ale translucide et de robe jaune pâle présente un col peu épais mais écumeux. Sa saveur à la fois sucrée et acidulée est riche de touches d'abricot, de miel et de caramel. Elle offre un arrière-goût de noisette très agréable et se révèle très rafraîchissante. Certains critiques prétendent qu'elle n'est pas une India pale ale traditionnelle en raison d'un caractère malté peu développé. D'autres recommandent de la consommer à la pression plutôt qu'en bouteille. Quoi qu'il en soit, l'Alexander Keith IPA compte de nombreux amateurs parmi les buveurs d'ale canadiens.

CARACTÉRISTIQUES

Brasserie : Oland (Labatt/Interbrew)
Situation : Halifax, Nouvelle-Écosse
Type : India pale ale
Robe : jaune pâle
Teneur en alcool : 5 % vol.
Température de service : 5-7 °C
Accompagnement : pain de campagne et fromage

Big Rock Grasshöpper

Cette bière blanche est à la fois facile à boire et très désaltérante. Le houblon est agréablement présent au palais et s'estompe en arrière-goût.

La Grasshöpper s'inspire de la Kristall Weizen bavaroise. Elle compte parmi les bières les plus appréciées de la Big Rock Brewery, fondée en 1984 par le Canadien d'origine irlandaise Ed McNally, lequel abandonna sa carrière d'avocat pour se consacrer à sa nouvelle passion. La Grasshöpper présente une belle robe dorée et conserve son col de mousse longtemps après sa mise en verre. Au palais, elle offre une saveur sèche et bien définie, teintée de notes de citron.

CARACTÉRISTIQUES

Brasserie : Big Rock
Situation : Calgary, Alberta
Type : bière blanche
Robe : jaune d'or
Teneur en alcool : 5 % vol.
Température de service : 5 °C
Accompagnement : mets épicés orientaux

Big Rock McNally's Extra Ale

La brasserie Big Rock, située à Calgary, tient son nom d'une curiosité géologique : un rocher de 18 000 tonnes déposé par un glacier à proximité de la cité. Elle fut fondée en 1984 par Ed McNally, amateur de bière canadien d'origine irlandaise qui entreprit de produire des bières de meilleure qualité que les bières industrielles dominant le marché local. Dépourvu lui-même d'expertise, McNally engagea le brasseur suisse Bernd Pieper pour la prise en charge des aspects techniques et bientôt la brasserie fut à même de produire trois bières distinctes : une bitter, une porter et une ale traditionnelle, cette dernière encore commercialisée aujourd'hui.

Pendant l'été 1986, une pale ale rafraîchissante fut ajoutée à la gamme. Par une heureuse coïncidence, plusieurs des grandes brasseries nationales étaient alors touchées par des grèves, et la Big Rock Pale Ale fut reçue avec enthousiaste par les consommateurs assoiffés. Six mois plus tard, la McNally's Extra Ale, seule bière Big Rock à porter le nom McNally, fut à son tour introduite. Cette red ale très parfumée, brassée dans le style irlandais traditionnel, délivre un arôme de malt grillé où percent des accents fruités. En arrière-goût, le palais est frappé par une riche saveur maltée, rehaussée de subtiles notes de caramel et de raisin.

CARACTÉRISTIQUES

Brasserie : Big Rock

Situation : Calgary, Alberta

Type : Irish red ale

Robe : brun ambré foncé

Teneur en alcool : 7 % vol.

Température de service :
10-13 °C

Accompagnement : rôti de porc
aux pommes

Brick Premium Lager

Depuis sa fondation par Jim Brickman en 1984, la Brick Brewery est devenue l'une des plus grandes brasseries canadiennes. Après des débuts en micro-brasserie et la production d'une sélection de bières inspirées par cinq ans de recherche dans vingt-neuf pays, Brick Brewery a pris ses quartiers dans une ancienne usine de meubles des années 1850.

La première bière produite, qui demeure aujourd'hui la plus réputée, fut la Brick Premium Lager, brassée à partir de malts canadiens et de deux variétés de houblons européens. Son arôme est dominé par un profil malté où percent des notes d'herbes et de houblon. Au palais, le houblon se fait plus présent, bien équilibré par les saveurs maltées. Agréablement pétillante, elle est à la fois bien définie et rafraîchissante, et ses qualités sont attestées par le fait qu'elle a, à cinq reprises, obtenu une médaille d'or au concours Monde Sélection.

Actuellement, Brick offre l'une des gammes de bières les plus riches d'Amérique du Nord, dont une lager douce et peu houblonnée et plusieurs lagers de prix compétitifs, commercialisées sous la marque Laker. Brick exploite une seconde brasserie dans le bourg de Formosa, réputé pour sa nappe aquifère et site de l'une des plus anciennes brasseries canadiennes. Elle y produit notamment la Formosa Springs Cold Filtered Draft. La plupart des bières Brick sont des lagers, mais la Conners Best Bitter est une ale ambré dans le style traditionnel anglais. Elle est caractérisée par un robuste arôme de houblon et une amertume marquée en bouche. La gamme inclut également l'Andechs Spezial Hell Lager, brassée selon la même recette que celle utilisée par les moines d'Andechs, dans le sud de la Bavière.

CARACTÉRISTIQUES

Brasserie : Brick Brewing Co.
Situation : Waterloo, Ontario
Type : lager
Robe : jaune paille clair

Teneur en alcool : 5 % vol.
Température de service : 8 °C
Accompagnement : poissons
    fumés ou grillés

Creemore Springs Premium Lager

Cette bière proposée à la pression et en bouteilles se montre agréablement houblonnée et offre une saveur maltée rehaussée de miel.

Elle offre une qualité rustique marquée par un léger arôme citronné et un goût frais et bien défini rappelant celui d'une pilsner. En verre, elle présente une belle robe orangée et un col peu épais et fugace. La brasserie, située dans le village de Creemore, bénéficie d'une eau de source de qualité qu'elle utilise dans ses processus de fabrication. Dans ses publicités, l'entreprise indique : « Notre lager ambrée est brassée à la flamme en petites quantités et livrée aux revendeurs chaque semaine. » Les amateurs de bières Creemore peuvent devenir membres du Frothquaffers Club (Club des buveurs de mousse), association officielle de sympathisants gérée par la brasserie.

CARACTÉRISTIQUES

Brasserie : Creemore Springs
Situation : Creemore, Ontario
Type : lager
Robe : brun orangé
Teneur en alcool : 5 % vol.
Température de service : 5 °C
Accompagnement : viande
de bœuf ou de porc

Labatt Ice

Au moment de sa commercialisation, en 1993, la Labatt Ice était la première bière glacée du marché. Durant son processus de fabrication, elle est refroidie de façon à permettre la formation de cristaux de glace.

Les cristaux de glace sont ensuite retirés pour laisser place à une bière douce et légère. L'alcool ayant un point de congélation plus bas que celui de l'eau, la teneur en alcool augmente durant l'opération. La longue maturation et l'emploi de houblons nord-américains et européens sélectionnés avec soin sont pour beaucoup dans la saveur à la fois pleine et délicate. Aujourd'hui, la gamme Labatt inclut des bières de types très divers.

CARACTÉRISTIQUES

Brasserie : Labatt
Situation : Toronto, Ontario
Type : bière glacée
Robe : jaune d'or pâle

Teneur en alcool : 5,6 % vol.
Température de service : 6 °C
Accompagnement : plats
de poulet épicés

McAuslan Griffon Extra Pale Ale

En 1989, convaincu de pouvoir fabriquer une bière meilleure que celles que l'on servait dans les pubs locaux, le Canadien de Toronto Peter McAuslan établit sa propre brasserie.

Quatre des bières McAuslan sont commercialisées sous les marques St-Ambroise et Griffon. Les deux bières Griffon sont la Griffon Red Ale, confectionnée à partir d'orge torréfié et de malt cristal, et la Griffon Extra Pale Ale, ale dorée à la saveur dominée de malt et de houblon. Toutes deux ont remporté de nombreux prix, dont une médaille d'or à la World Beer Cup 1996 pour l'Extra Pale Ale. McAuslan recommande l'utilisation de ses bières Griffon à des fins culinaires, notamment pour la préparation d'une soupe aux carottes et aux patates douces et d'un pilaf de poulet aux amandes et aux abricots.

CARACTÉRISTIQUES

Brasserie : McAuslan Brewing
Situation : Montréal, Québec
Type : pale ale
Robe : jaune d'or, brillante et translucide
Teneur en alcool : 5 % vol.
Température de service : 8-10 °C
Accompagnement : soupe de légumes rustique

McAuslan St-Ambroise Oatmeal Stout

Parmi les multiples récompenses remportées par la brasserie McAuslan figure une médaille de platine au World Beer Championship 1994 pour sa St-Ambroise Oatmeal Stout.

Une forte proportion de malts bruns et d'orge torréfié confère à cette ale noire un puissant arôme de café et de chocolat, et l'utilisation d'avoine lui donne son corps riche et onctueux. La légère amertume du houblon et l'arrière-goût sec et bien défini font de la McAuslan St-Ambroise Oatmeal Stout une bière très ronde, surprenante de légèreté et facile à boire.

CARACTÉRISTIQUES

Brasserie : McAuslan Brewing
Situation : Montréal, Québec
Type : oatmeal stout
Robe : noir opaque

Teneur en alcool : 5 % vol.
Température de service : 12 °C
Accompagnement : gâteau au chocolat

Molson Canadian Lager

Pour produire cette lager, Molson, plus ancienne brasserie d'Amérique du Nord, utilise les meilleurs houblons, une eau très pure et un malt d'orge de haute qualité.

La brasserie Molson fut établie en 1786 par l'Anglais John Molson à proximité de Montréal. Elle produit de nombreuses bières, dont la Canadian, lager onctueuse et légèrement amère. Facile à boire, c'est une bière de choix pour les soirées entre amis, et sa saveur gagne en modernité lorsqu'elle est servie fraîche.

CARACTÉRISTIQUES

Brasserie : Molson Breweries of Canada
Situation : Toronto, Ontario
Type : lager
Robe : jaune d'or

Teneur en alcool : 5 % vol.
Température de service : 5-7 °C
Accompagnement : salade de poulet

Molson Rickard's Red

La Rickard's Red, autre production de Molson, est la red ale la plus vendue au Canada depuis plus de dix ans.

Les premières Rickard's Red furent brassées à Vancouver au début des années 1980, sur le site de la brasserie Capilano. Cette red ale est fabriquée à partir d'un mélange de trois malts d'orge qui fait d'elle une bière délicieuse et facile à boire. À la fois onctueuse et maltée, elle offre un équilibre rare, renforcé par une gazéification agréable. Dans la gamme Molson, la Rickard's Red affiche une teneur en alcool à peu près médiane. En bas de cette échelle figurent l'A Marca Bavaria (4,5 % alc./vol.) et la Molson Ultra (4,5 % alc./vol.), tandis qu'à l'opposé trônent la Molson Dry (5,5 % alc./vol.) et le puissant alcomalt Tornade (6 % alc./vol.), proposé en plusieurs saveurs).

CARACTÉRISTIQUES

Brasserie : Molson Breweries of Canada
Situation : Toronto, Ontario
Type : red ale
Robe : brun-rouge
Teneur en alcool : 5,2 % vol.
Température de service : 5,6 °C
Accompagnement : rôti de porc ou de bœuf en salade

Moosehead Lager

L'histoire des Moosehead Breweries, aujourd'hui situées à Saint John (Nouveau-Brunswick), commença en 1867 lorsque l'Anglaise Susannah Oland entreprit de brasser une ale d'octobre dans sa maison de Nouvelle-Écosse.

Encouragés par leurs amis, Susannah et son mari John James Dunn Oland commencèrent à vendre leur bière. Depuis, la brasserie a survécu à plusieurs catastrophes, dont l'explosion qui dévasta Halifax en 1917, pour produire l'une des meilleures lagers de caractère d'Amérique du Nord. La Moosehead Lager offre une saveur bien définie, calée entre la douceur du malt et l'amertume du houblon. Le mélange de malts d'orge canadiens, les deux types de houblons et l'eau douce du lac Spruce, situé à proximité, optimisent son brassage, et sa fermentation dure vingt-huit jours.

CARACTÉRISTIQUES

Brasserie : Moosehead Breweries Limited
Situation : Saint John, Nouveau-Brunswick
Type : lager nord-américaine
Robe : jaune d'or
Teneur en alcool : 5 % vol.
Température de service : 5 °C
Accompagnement : cuisine indienne

Unibroue Blanche de Chambly

La Blanche de Chambly est une bière de blé de style belge. Elle est non filtrée et naturellement trouble.

La Blanche de Chambly est brassée à Chambly, Québec, par la société Unibroue. Orange, citron et malts fruités définissent son arôme et sa saveur, où se glissent des notes aromatiques de gingembre et de coriandre. La riche gazéification lui confère l'apparence du champagne et occupe agréablement la bouche, tandis que la faible teneur en houblon est garante d'un fini sec et rafraîchissant. Le caractère franco-belge des bières produites par la brasserie Unibroue n'est pas fortuit, puisqu'elle fut fondée en 1991 par le Belge André Dion, avec le soutien, dans un premier temps, de la brasserie belge Liefmans/Riva. Unibroue est aujourd'hui la micro-brasserie la plus réputée de la province et produit une gamme étendue de bières de caractère.

CARACTÉRISTIQUES

Brasserie : Unibroue
Situation : Chambly, Québec
Type : witbier/bière de blé de style belge
Robe : or pâle
Teneur en alcool : 5 % vol.
Température de service : 8-10 °C
Accompagnement : volailles et produits de la mer

Unibroue La Fin du Monde

Cette bière de caractère s'inspire des ales triples belges brassées par les moines trappistes.

Autrefois, ces riches bières étaient destinées à être dégustées à l'occasion d'événements particuliers. Celle-ci, brassée à partir de malt blond Pilsen et de houblons belges et allemands, offre un arôme typique de houblon et d'épices bien contrebalancé par un caractère citrique et des accents de malt fruité. Au palais, houblons et malt prennent le dessus, mais la saveur est agréablement complétée par des notes subtiles d'épices sauvages. La texture est onctueuse, le fini sec et amer.

CARACTÉRISTIQUES

Brasserie : Unibroue
Situation : Chambly, Québec
Type : bière d'abbaye
Robe : jaune doré
Teneur en alcool : 9 % vol.
Température de service :
  14 °C
Accompagnement : fromages et desserts

Wellington Iron Duke Strong Ale

L'Iron Duke, produite par la Wellington County Brewery, est une ale forte de style anglais.

Une belle couleur rubis et un col foncé à la fois écumeux et fugace définissent cette ale à l'arôme de cerise et de caramel et à la saveur teintée de prune et de raisin. Sa texture est riche mais elle est sèche et pétillante au palais, avec un fini suave et malté en arrière-bouche. Depuis son origine, Wellington County utilise des ingrédients naturels nord-américains en même temps que des malts britanniques et des houblons anglais, dont les variétés Fuggles et Goldings. Cette ale fut nommée ainsi en l'honneur du duc de Wellington, général et homme politique britannique qui défit l'armée de Napoléon à Waterloo.

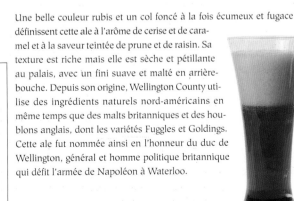

CARACTÉRISTIQUES

Brasserie : Wellington County
Situation : Guelph, Ontario
Type : ale forte de style anglais
Robe : rubis foncé
Teneur en alcool : 6,5 % vol.
Température de service : 6 °C
Accompagnement : rôti de bœuf, bifteck, fromages forts

CI-DESSUS

Aux États-Unis, une nouvelle génération de brasseurs artisanaux a revigoré l'activité des pubs traditionnels. Les établissements tels que celui-ci, à Seattle, proposent une très large gamme de bières originales, issues de l'importation ou de la production locale. Parmi les micro-brasseries américaines réputées citées dans cet ouvrage figurent Bert Grant's Ales, dans l'État de Washington, et BridgePort, dans l'Oregon.

États-Unis

Les États-Unis sont les plus grands producteurs de bière au monde. La plus ancienne brasserie américaine fut établie en 1612 par les premiers colons européens, imités par divers immigrants britanniques, irlandais, hollandais et allemands, soucieux de déguster leur breuvage favori. En 1900, plus de quatre mille brasseries étaient opérationnelles sur le territoire américain.

L'IMPORTANCE DE LA BIÈRE dans l'histoire des États-Unis ne peut être ignorée : plusieurs des grands personnages de ce pays furent des brasseurs, dont George Washington et Thomas Jefferson, et la guerre d'Indépendance fut en partie provoquée par les taxes imposées par les Anglais sur les brasseries du Nouveau Monde.

Dans les années 1850, le mouvement puritain contribua à l'institution d'une première Prohibition dans plusieurs États américains. Plus tard, durant la Première Guerre mondiale, les prohibitionnistes demandèrent l'arrêt de la production d'alcool afin de réserver les céréales à l'alimentation. En 1919, la Prohibition fut instituée sur tout le territoire, ruinant la plupart des brasseries et induisant une production clandestine. En 1933, Franklin Roosevelt fut élu président en partie grâce à sa promesse de mettre un terme à la Prohibition.

Après la Prohibition, l'industrie de la bière se trouva dominée par quelques brasseries établies de longue date, dont Anheuser-Busch (Budweiser) et Miller, qui établirent alors une domination qu'elles ont conservée jusqu'à aujourd'hui. La grande majorité des bières produites par ces grands groupes sont des lagers légères, souvent peu discernables les unes des autres. Pendant les années 1970, une nouvelle génération de brasseurs permit de rétablir une fabrication semi-artisanale à l'intérieur du pays. Aujourd'hui, certains de ces brasseurs reproduisent les bières européennes chères à leurs ancêtres, tandis que d'autres privilégient une approche plus innovante, avec la production de bières à partir de nouvelles variétés de houblon. Aux presque cent brasseries existant aux États-Unis en 1980 répondent aujourd'hui plus de mille micro-brasseries, de la modeste brasserie-taverne à l'établissement capable de distribuer ses produits dans l'ensemble du pays. Plusieurs de ces brasseries, à l'exemple d'Anchor et Sierra-Nevada en Californie, et de Sam Adams à New York, proposent même leurs bières à l'étranger.

CI-DESSUS
MacTarnahan fut l'une des premières brasseries à remettre au goût du jour la fabrication artisanale aux États-Unis.

STATISTIQUES

Production annuelle : 232 216 000 hectolitres
Consommation par an et par habitant : 84 litres
Principales brasseries : Anheuser-Busch, August Schell Brewing Co., Boston Beer Co., Brooklyn Brewery, Coors Brewing Co., Latrobe Brewing Co., SAB Miller, Stoudt's Brewing Co.
Bières réputées : Budweiser, Coors Original, Miller Genuine Draft, Michelob, Milwaukee's Best, Pabst Old Style, Rolling Rock, Samuel Adams Boston Lager

Anchor Steam Beer

L'Anchor Brewery fut fondée en 1896. Elle échappa de peu à la faillite dans les années 1960, lorsque les bières artisanales de caractère se heurtèrent aux produits industriels et furent toutes menacées de disparition.

La bière phare de la société demeure la Steam Beer, produite pour la première fois en 1896 dans un style cher aux prospecteurs d'or californiens de la fin du XIXe siècle. Les premières steam beers étaient brassées à l'aide de levures de lagers, et du fait de la fermentation à haute température, la bière obtenue produisait, à la fermeture des fûts, un nuage de dioxyde de carbone. L'arôme de l'Anchor Steam Beer est dominé par un caractère malté. Au palais, la pointe initiale d'amertume citrique est contrebalancée par les saveurs acidulées du malt caramel. Son fruité très désaltérant en fait une bière idéale pour étancher sa soif.

CARACTÉRISTIQUES
Brasserie : Anchor Brewing
Situation : San Francisco, Californie
Type : steam beer
Robe : or ambré brillant
Teneur en alcool : 4,9 % vol.
Température de service : 8-10 °C
Accompagnement : poissons grillés

Anchor Liberty Ale

Anchor Brewing produit une gamme de sept ales annuelles ou saisonnières. L'une des plus réputées est la Liberty Ale, introduite en 1975 à l'occasion du bicentenaire du périple de Paul Revere, qui, en 1775, marqua le début de la guerre d'Indépendance américaine.

En 1983, la Liberty Ale prit une place définitive dans la gamme Anchor. Le style pale ale américaine, dont elle constitue un exemple de choix, s'inspire des bitters britanniques, caractérisées par une robe cuivrée ou bronze clair et une saveur sèche dominée de houblon. Son arôme riche et complexe délivre des accents floraux, citriques et résineux, bien complétés par une agréable douceur maltée. Au palais, le caractère houblonné dominant est atténué par des notes de malt et de fruits qui laissent place, en arrière-bouche, à un fini sec, rafraîchissant et légèrement citronné.

CARACTÉRISTIQUES
Brasserie : Anchor Brewing Co.
Situation : San Francisco, Californie
Type : pale ale américaine
Robe : brun ambré clair
Teneur en alcool : 6,1 % vol.
Température de service : 10 °C
Accompagnement : bifteck et tourte à la bière

Budweiser

Autoproclamée « reine des bières », la Budweiser est la bière la plus vendue au monde depuis 1957 !

Elle est l'exemple même des lagers américaines légères et faciles à boire. Brassée à partir de malts de riz et d'orge et peu houblonnée, elle offre une saveur fraîche et bien définie, en partie obtenue par un affinage de quatre semaines sur copeaux de hêtre. Sa teneur en alcool – 4,9 % alc./vol. – est étonnamment élevée au regard de sa saveur. La bière Budweiser, introduite sur le marché américain en 1876, tient son nom d'une bourgade tchèque réputée pour ses bières, et cet emprunt est au centre d'une guerre juridique entre le géant américain et la brasserie tchèque Budvar, également productrice d'une bière Budweiser. Ajoutant encore au litige, la Budweiser tchèque revendique le titre de « bière des rois ».

CARACTÉRISTIQUES

Brasserie : Anheuser-Busch
Situation : Saint Louis, Missouri
Type : lager
Robe : jaune paille clair
Teneur en alcool : 4,9 % vol.
Température de service : 6-8 °C
Accompagnement : hamburger et frites

August Schell Doppel Bock

Un grand nombre d'habitants de New Ulm, dans l'État du Minnesota, revendiquent des origines allemandes. Il n'est donc pas étonnant qu'on y brasse une bière de style résolument germanique.

La Doppel Bock, reconnaissable aux deux béliers qui ornent son étiquette, est une bière saisonnière proposée chaque année de janvier à mars. Brassée à partir de cinq malts et de trois variétés de houblon, et affinée à froid pendant douze semaines, elle présente une riche saveur maltée contrebalancée par les accents secs et citriques du houblon. Sa robe est d'une belle teinte ambrée et sa teneur en alcool – 6,8 % alc./vol. – la place parmi les bières relativement fortes.

CARACTÉRISTIQUES

Brasserie : August Schell Brewing Co.
Situation : New Ulm, Minnesota
Type : doppelbock
Robe : brun ambré foncé
Teneur en alcool : 6,8 % vol.
Température de service : 9 °C
Accompagnement : frites bien salées

August Schell FireBrick

La brasserie August Schell, fondée en 1860, est la deuxième plus ancienne brasserie des États-Unis. Elle est restée aux mains de la famille Schell jusqu'à ce jour.

Les bières Schell sont fabriquées de façon artisanale et selon des méthodes traditionnelles, incluant l'usage d'équipements vieux de plus d'un siècle. La recette de la lager Schell Original est demeurée inchangée depuis 140 ans, tandis que la plus récente Schell FireBrick, introduite en 1999, est une lager ambrée de style viennois. Sa saveur maltée et son fini légèrement houblonné en font une bière très agréable à boire. Elle est produite à partir de quatre malts de qualité supérieure et de houblons de variétés Vanguard, Chinook et Hallertau.

CARACTÉRISTIQUES

Brasserie : August Schell Brewing Co.
Situation : New Ulm, Minnesota
Type : lager ambrée viennoise
Robe : brun ambré
Teneur en alcool : 5 % vol.
Température de service : 8-10 °C
Accompagnement : fromages doux

Bert Grant's Lazy Days

Autre bière saisonnière de la brasserie Bert Grant's Ales, la Lazy Days est une pale ale légère et rafraîchissante destinée aux soifs d'été, comme le suggère la scène de plage figurant sur l'étiquette.

Son arôme associe une douceur maltée et des notes résineuses de houblon. Au palais, la saveur maltée est contrebalancée par le caractère citronné et l'agréable amertume du houblon Amarillo. Pour l'hiver, Grant produit la Deep Powder Winter Ale, ale riche et robuste caractérisée par une saveur à la fois épicée et chocolatée.

CARACTÉRISTIQUES

Brasserie : Bert Grant's Ales/Yakima Brewing Co.
Situation : Yakima, Washington
Type : pale ale américaine

Robe : brun ambré doré
Teneur en alcool : 5 % vol.
Température de service : 8 °C
Accompagnement : salade de volailles

Bert Grant's Fresh Hop Ale

Le Grant's Brewery Pub, fondé par l'Écossais Bert Grant, fut la première brasserie-taverne ouverte aux États-Unis au lendemain de la Prohibition. Elle a permis la renaissance de styles de bière depuis longtemps disparus et se trouve à l'origine du brassage artisanal moderne dans ce pays.

La brasserie Bert Grant's Ales est située à Yakima, dans l'État de Washington, qui produit plus de 80 % du houblon à bière cultivé aux États-Unis. Bert Grant lui-même est l'un des grands spécialistes américains de cette plante, et ses immenses connaissances et savoir-faire ont permis la création de la Fresh Hop Ale, fabriquée à partir de cônes de houblon Cascade incorporés au moût vingt minutes seulement après leur cueillette. Ce processus très original confère à la bière un agréable arôme floral et une saveur végétale où pointent des notes d'herbe coupée et de menthe fraîche.

Samuel Adams Boston Lager

En 1984, l'Américain Jim Koch établit la Boston Beer Company, rétablissant à cette occasion une longue tradition familiale : Koch représente la cinquième génération de brasseurs dans sa famille.

Au début des années 1980, Jim décida de suivre les traces de son père et de faire revivre une bière brassée pour la première fois par son arrière arrière-grand-père Louis Koch, en 1870. Il lui donna le nom de Samuel Adams Boston Lager en référence au célèbre révolutionnaire de la ville de Nouvelle-Angleterre. Adams appartenait lui aussi à une famille de brasseurs. La Samuel Adams offre une saveur riche et complexe, obtenue par l'emploi de malts soigneusement sélectionnés et l'usage d'une technique de brassage par décoction. Au palais, des notes de caramel et de malt grillé sont présentes tandis que les houblons Tettnang et Hallertau apportent une amertume citrique et résineuse qui persiste en arrière-goût.

BridgePort India Pale Ale

Fondée en 1984 sous le nom de Columbia River Brewing, BridgePort est la plus ancienne des micro-brasseries de Portland, en Oregon, ville qui forme l'un des centres américains du brassage artisanal.

Cinq variétés de houblon – Cascade, Chinook, Golding, Crystal et Northwest Ultra – sont utilisées pour la fabrication de cette India pale ale riche et crémeuse, aux arômes de résine et de pamplemousse enrichis par le conditionnement en bouteille. Au palais, elle dévoile des accents de vanille et d'orange dans une structure houblonnée qui offre son amertume en arrière-bouche.

CARACTÉRISTIQUES

Brasserie : BridgePort Brewing Company
Situation : Portland, Oregon
Type : India pale ale

Robe : brun ambré doré
Teneur en alcool : 5,5 % vol.
Température de service : 12 °C
Accompagnement : canard à l'orange

Brooklyn Black Chocolate Stout

Tout au long du XIXᵉ siècle, l'aire urbaine de Brooklyn, à New York, a abrité un grand nombre de brasseries, la plupart créées par des immigrants germaniques soucieux de conserver leurs traditions. Dans les années 1920, la Prohibition eut un effet dévastateur sur cette industrie, et la dernière brasserie de Brooklyn ferma ses portes en 1976.

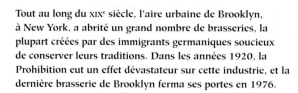

Un peu plus de dix ans plus tard, Steve Hindy, ancien journaliste, et Tom Potter, ancien banquier, s'associèrent pour fonder la Brooklyn Brewery. En 1996, l'entreprise s'installa dans une ancienne aciérie du quartier de Williamsburg, et symbolise, depuis, la renaissance du micro-brassage new-yorkais. La Black Chocolate Stout est une bière d'hiver fortement alcoolisée et d'un noir parfaitement opaque. Les arômes de café torréfié et de chocolat amer sont suivis au palais par une riche saveur de malt et d'épices complétée de notes de caramel. Le fini sec et subtil laisse transparaître le houblon. Malgré sa forte teneur en alcool (8,3 % alc./vol.), la Black Chocolate Stout est très facile à boire.

CARACTÉRISTIQUES

Brasserie : Brooklyn Brewery
Situation : Brooklyn, New York
Type : imperial stout
Robe : noire opaque
Teneur en alcool : 8,3 % vol.
Température de service : 13 °C
Accompagnement : desserts au chocolat

Coors Original

La société Coors exploite, à Golden, Colorado, la plus grande brasserie du monde. Elle fut fondée en 1873 par l'immigrant allemand Adolph Coors, qui sélectionna ce site pour bénéficier de l'eau de source des Rocheuses qui coulait à proximité.

L'arôme malté et la douce saveur de la Coors Original lui ont permis de remporter la médaille d'or au Great American Beer Festival en 1996 et 2004. La Coors Extra Gold, brassée à partir de malts légèrement grillés, offre une grande richesse de corps, tandis que l'Aspen Edge est une bière peu pétillante au goût très frais. Autre bière de la gamme, la Blue Moon est définie comme une bière blanche aromatisée dans la tradition belge. En 2002, Coors a fait l'acquisition d'une grande partie de Bass, alors propriété d'Interbrew pour devenir la deuxième brasserie des États-Unis et l'une de dix premières au monde. En 2005, Coors a fusionné avec le groupe Molson.

CARACTÉRISTIQUES

Brasserie : Coors Brewing Company
Situation : Golden, Colorado
Type : lager
Robe : brun or clair
Teneur en alcool : 5 % vol.
Température de service : 8 °C
Accompagnement : risotto et pâtes

Full Sail Ale

Comme en témoigne les sept médailles d'or remportées aux World Beer Championships, la Full Sail Ale, une pale ale ambrée, offre un équilibre superbe.

Son agréable arôme malté teinté de notes houblonnées donne, au palais, une saveur maltée dominante. Celle-ci persiste en arrière-goût, malgré un caractère sec, épicé et floral. La Full Sail Ale est produite par l'une des micro-brasseries les plus réputées des États-Unis, fondée en 1987 au confluent des rivières Hood et Columbia. Depuis ses débuts dans une ancienne usine de conserves de fruits, Full Sail est devenue l'une des entreprises les plus florissantes de la région. Outre ses trois bières annuelles – Full Sail Ale, Full Sail Pale Ale et Full Sail Rip Curl –, la brasserie produit plusieurs bières saisonnières, dont l'intéressante Full Sail Wassail Ale. En 2003, en accord avec la société Miller, Full Sail a pris en charge la fabrication des bières de marque Henry Weinhard's.

CARACTÉRISTIQUES

Brasserie : Full Sail Brewing Co.
Situation : Hood River, Oregon
Type : ale ambrée américaine
Robe : brun-rouge
Teneur en alcool : 5,5 % vol.
Température de service : 10 °C
Accompagnement : pâtés de viande et fritures

Great Lakes Dortmunder Gold

Cette lager bien équilibrée est représentative des lagers « export » qui devinrent populaires à Dortmund (Allemagne) vers le milieu du XIXᵉ siècle. À cette époque, sept brasseries locales produisaient au moins une bière de ce style.

Les dortmunders tendent à être moins sèches au palais que les pilsners et plus houblonnées que les Munich helles tout en étant les plus alcoolisées des trois. Cette version maintes fois primée est l'œuvre de la brasserie-taverne Great Lakes Brewing Co., établie dans le centre de Cleveland, Ohio, en 1988, à la place d'un pub dont on dit qu'il eut pour habitué l'un des plus célèbres habitants de la ville, l'incorruptible Eliot Ness. En son honneur, Great Lakes a créé l'Eliot Ness Amber Lager, lager ambrée à la saveur agréablement maltée. Plusieurs autres bières Great Lakes ont été primées lors de compétitions nationales et internationales. L'Edmund Fitzgerald Porter, du nom d'un navire dont le naufrage, en 1975, causa la mort de plusieurs habitants de Cleveland, a remporté à deux reprises une médaille d'or au Great American Beer Festival. Son arôme complexe de malt grillé est complété par une saveur sèche où pointent des accents de chocolat et de café. Parmi les bières saisonnières de l'entreprise figurent une Christmas Ale très populaire, aromatisée à la cannelle, au gingembre et au miel.

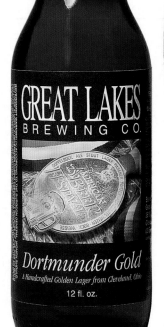

CARACTÉRISTIQUES
Brasserie : Great Lakes Brewing Co.
Situation : Cleveland, Ohio
Type : dortmunder export
Robe : brun-or
Teneur en alcool : 5,6 % vol.
Température de service : 9 °C
Accompagnement : salades, poissons et volailles

Rolling Rock

Depuis son lancement en 1939, la Rolling Rock est associée au nombre 33, pour des raisons qui demeurent aujourd'hui obscures. Nul ne semble connaître le fin mot de cette histoire, mais elle donne matière à réflexion lorsqu'on déguste cette bière à la saveur ronde et désaltérante.

CARACTÉRISTIQUES

Brasserie : Latrobe Brewing Co.
Situation : Latrobe, Pennsylvanie
Type : lager
Robe : brun or clair
Teneur en alcool : 4,6 % vol.
Température de service : 6-8 °C
Accompagnement : tourte à la viande

La Latrobe Brewing Company fut établie en 1893 à Latrobe, Pennsylvanie, au pied des Allegheny Mountains. Ses premières bières étaient d'authentiques pilsners germaniques. Après une courte cessation d'activité durant la Prohibition, la brasserie fut rachetée par les frères Frank, Joseph, Robert, Ralph et Anthony Tito, qui entreprirent de concocter une nouvelle recette afin de répondre à l'attente des consommateurs. Ils créèrent la Rolling Rock, ainsi nommée en référence aux torrents caillouteux qui apportaient l'eau utilisée dans le processus de fabrication.

Leinenkugel's Red Lager

En 1867, Jacob Leinenkugel, fils d'un brasseur allemand immigré aux États-Unis, établit la Spring Brewery afin d'étancher la soif des bûcherons buveurs de bière de Chippewa Falls, dans le Wisconsin.

CARACTÉRISTIQUES

Brasserie : Jacob Leinenkugel Brewing Company
Situation : Chippewa Falls, Wisconsin
Type : lager foncée de style munichois
Robe : rubis
Teneur en alcool : 4,9 % vol.
Température de service : 6-8 °C
Accompagnement : crêpes

Bien qu'appartenant aujourd'hui au groupe Miller, la brasserie est toujours liée à la famille Leinenkugel et ses bières sont parmi les plus appréciées dans la région. La plus réputée est une lager de style munichois brassée à partir de cinq malts d'orge et de deux variétés de houblon. Une agréable amertume s'oppose de façon bienvenue à sa saveur maltée.

MacTarnahan's Mac's Amber Ale

Fondée en 1986, la micro-brasserie MacTarnahan contribua au renouveau du brassage artisanal aux États-Unis. Aujourd'hui âgé de plus de 80 ans, « Mac » MacTarnahan, qui donna son nom à l'entreprise, est toujours impliqué dans son fonctionnement.

La bière MacTarnahan la plus réputée est une ale ambrée très riche de corps. Sa saveur sucrée et grillée de malt caramel est équilibrée par les accents citriques et floraux du houblon Cascade. Elle contient, en outre, un ingrédient secret qui lui confère un caractère écossais distinctif. S'agit-il du whisky single malt également produit par la brasserie ?

CARACTÉRISTIQUES

Brasserie : MacTarnahan's Brewing Company/Portland Brewing Co
Situation : Portland, Oregon
Type : ale ambrée de style écossais
Robe : brun ambré
Teneur en alcool : 4,2 % vol.
Température de service : 10-13 °C
Accompagnement : pièces de bœuf, d'agneau ou de gibier grillées

Michelob

À son lancement par Anheuser-Busch en 1896, la Michelob était décrite comme une bière en fûts pour connaisseurs, alternative de choix pour la populaire Budweiser.

De même que la Budweiser, la Michelob tient son nom d'une ville de Bohême – aujourd'hui en République tchèque – réputée pour ses bières. Brassée à partir de malts d'orge à deux rangs et de houblons importés, elle offre une grande richesse de corps et une belle générosité en bouche. Son arôme légèrement malté se prolonge sur le palais, agréablement complété par l'acidité dénuée d'amertume du houblon. L'arrière-goût, bien défini, est très rafraîchissant.

CARACTÉRISTIQUES

Brasserie : Anheuser-Busch
Situation : Saint Louis, Missouri
Type : lager
Robe : jaune paille
Teneur en alcool : 5 % vol.
Température de service : 6-9 °C
Accompagnement : viandes et saucisses à cuire

Celis White

Peu de brasseurs peuvent se vanter d'avoir marqué leur domaine d'activité dans deux pays distincts, encore moins dans deux pays aussi réputés pour leurs bières que le sont la Belgique et les États-Unis. C'est pourtant ce qu'a réalisé le Belge Pierre Celis. Après avoir appris divers secrets de fabrication durant son enfance passée à proximité de la brasserie Tomsin, Celis s'établit à Hoegaarden et y produisit, dès 1966, la fameuse bière de blé éponyme, parfumée aux herbes et aux épices.

Après le rachat de la brasserie Hoegaarden par le groupe Interbrew (aujourd'hui InBev), Celis s'installa aux États-Unis et prit part au mouvement visant à introduire davantage de bières de caractère dans un pays essentiellement consommateur de lagers. La Celis White, aromatisée à l'aide de grains de coriandre et de zestes d'orange, est proche de la bière Hoegaarden originale et offre une saveur légère et rafraîchissante. Comme il se doit pour une bière de blé belge, elle est naturellement trouble et présente un épais collet de mousse. Après une interruption de quelques années, la Celis White est aujourd'hui fabriquée, avec l'accord de Pierre Celis, par la Michigan Brewing Company. Elle a remporté une médaille d'or au Great American Beer Festival 2003. La Michigan Brewing Company, fondée en 1995 à Webberville, s'est constituée une solide réputation par sa gamme de bières artisanales, dont la Mackinac Pale Ale, rafraîchissante bitter de style anglais.

CARACTÉRISTIQUES

Brasserie : Michigan Brewing Company

Situation : Webberville, Michigan

Type : bière blanche de style belge

Robe : brun-orangé trouble

Teneur en alcool : 4,9 % vol.

Température de service : 8-10 °C

Accompagnement : pizza épicée

Miller Genuine Draft

En 1855, le brasseur allemand Frederick John Miller, nouvellement installé aux États-Unis, fit l'acquisition de la Plank Road Brewery à Milwaukee. Il commença alors à y fabriquer diverses bières en utilisant une souche de levure allemande.

Depuis cette époque, la brasserie Miller est devenue la deuxième des États-Unis. La Miller Genuine Draft est produite à Eden, Caroline-du-Nord, avec l'aide d'un système unique de filtration à froid. Elle offre un arôme malté peu prononcé, une saveur légèrement sucrée et un arrière-goût sec où perce l'amertume du houblon.

CARACTÉRISTIQUES

Brasserie : SAB Miller
Situation : Milwaukee, Wisconsin
Type : lager
Robe : jaune d'or brillant
Teneur en alcool : 4,6 % vol.
Température de service : 6-8 °C
Accompagnement : viandes au barbecue

New Glarus Wisconsin Belgian Red

À la différence de nombre de bières aux fruits, parfumées à l'aide de fruits en boîte ou de sirops, cette bière blanche de style belge est aromatisée à l'aide de cerises Montmorency cultivées localement, ce qui lui confère une saveur et une couleur très authentiques.

Cette information n'a rien de surprenant, car la brasserie New Glarus ne néglige aucun détail dans ses processus de fabrication. Après le brassage, la Belgian Red est placée en fûts de chêne, pour y fermenter, puis elle subit une dernière aromatisation par l'ajout de cônes de houblon Hallertau. En raison de sa forte gazéification et de ses saveurs complexes et fruitées, elle est parfaite servie en apéritif dans des flûtes à champagne à la place d'un vin mousseux.

CARACTÉRISTIQUES

Brasserie : New Glarus Brewing Company
Situation : New Glarus, Wisconsin
Type : bière aux fruits
Robe : rubis
Teneur en alcool : 5,1 % vol.
Température de service : 10-12 °C
Accompagnement : fraises

North Coast Ruedrich's Red Seal Ale

En tant que maître-brasseur de la North Coast Brewing Company, Mark Ruedrich compose les recettes des plus fameuses bières de la brasserie.

L'ale cuivrée qui porte le nom du maître-brasseur témoigne du savoir-faire de celui-ci. Au palais, elle s'équilibre entre les saveurs fruitées du malt et l'amertume du houblon, puis le caractère houblonné se renforce dans un fini sec et épicé. Le succès de cette bière est l'une des raisons pour lesquelles North Coast a été incluse dans les dix meilleures brasseries du monde par le Beverage Testing Institute of Chicago.

CARACTÉRISTIQUES

Brasserie : North Coast Brewing Co.

Situation : Fort Bragg, Californie

Type : pale ale

Robe : brun ambré

Teneur en alcool : 5,5 % vol.

Température de service : 10 °C

Accompagnement : tourte au poisson

North Coast Old Rasputin Russian Imperial Stout

En dépit de son nom, la Russian imperial stout est une bière de style anglais. Elle fut développée au XIXᵉ siècle en tant que bière d'hiver et devint rapidement populaire auprès des dignitaires russes qui l'importèrent en grandes quantités. Le sinistre Raspoutine comptait, dit-on, parmi ses supporters, c'est pourquoi la North Coast Brewing Company décida de donner le nom du moine russe à sa version.

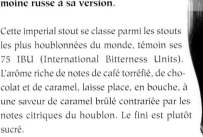

Cette imperial stout se classe parmi les stouts les plus houblonnées du monde, témoin ses 75 IBU (International Bitterness Units). L'arôme riche de notes de café torréfié, de chocolat et de caramel, laisse place, en bouche, à une saveur de caramel brûlé contrariée par les notes citriques du houblon. Le fini est plutôt sucré.

CARACTÉRISTIQUES

Brasserie : North Coast Brewing Co.

Situation : Fort Bragg, Californie

Type : imperial stout

Robe : brun-noir

Teneur en alcool : 8,9 % vol.

Température de service : 13 °C

Accompagnement : gâteau au chocolat

Tupper's Hop Pocket Ale

De même que la Tupper's Hop Pocket Pils, lager au caractère fruité très marqué, cette bière généreusement houblonnée tient son nom des sacs dans lesquels sont emballés les cônes de houblon après séchage. Elle offre de fortes notes florales de houblon dans une solide structure maltée.

Les deux bières font également référence à Bob Tupper, auteur des recettes et organisateur de conférences et séances de dégustation au fameux Brickskeller Bar, à Washington. Elles sont brassées par la Old Dominion Brewing Company, qui produit, depuis 1989, une large gamme d'ales, lagers et stouts artisanales, certaines de saison. Les techniques de fabrication s'inspirent de la loi de pureté allemande (*Reinheitsgebot*) et font appel à une eau de faible dureté trouvée localement.

CARACTÉRISTIQUES

Brasserie : Old Dominion Brewing Company
Situation : Ashburn, Virginie
Type : pale ale
Robe : brun ambré doré
Teneur en alcool : 6 % vol.
Température de service : 10 °C
Accompagnement : salade de volaille

Pabst (Heileman's) Old Style

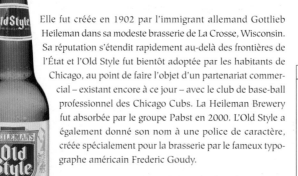

L'Old Style, rafraîchissante et maltée, est une bière Pabst historiquement rattachée à la ville de Chicago.

Elle fut créée en 1902 par l'immigrant allemand Gottlieb Heileman dans sa modeste brasserie de La Crosse, Wisconsin. Sa réputation s'étendit rapidement au-delà des frontières de l'État et l'Old Style fut bientôt adoptée par les habitants de Chicago, au point de faire l'objet d'un partenariat commercial – existant encore à ce jour – avec le club de base-ball professionnel des Chicago Cubs. La Heileman Brewery fut absorbée par le groupe Pabst en 2000. L'Old Style a également donné son nom à une police de caractère, créée spécialement pour la brasserie par le fameux typographe américain Frederic Goudy.

CARACTÉRISTIQUES

Brasserie : Pabst Brewing Company
Situation : San Antonio, Texas
Type : lager
Robe : brun doré
Teneur en alcool : 4,5 % vol.
Température de service : 6-8 °C
Accompagnement : pizza

Penn Gold Lager

Depuis sa création, en 1986, la Pennsylvania Brewing Company brasse d'authentiques bières germaniques.

Tous les équipements et ingrédients utilisés dans les processus de fabrication ont été ou sont importés d'Allemagne, et les techniques de brassage respectent bien entendu la loi de pureté allemande (*Reinheitsgebot*). Le lien avec l'Allemagne va encore plus loin puisque l'actuel maître-brasseur Tom Pastorius est un descendant direct de Francis Daniel Pastorius, immigrant germanique proche de William Penn, qui donna son nom à l'État de Pennsylvanie. La Penn Gold est une lager de style munichois offrant un délicat arôme de houblon et une saveur maltée prononcée. Il existe également une lager foncée, brassée elle aussi dans le style munichois, et elle aussi riche d'un bon équilibre entre les saveurs maltées teintées de notes fruitées et la présence subtile du houblon.

CARACTÉRISTIQUES

Brasserie : Pennsylvania Brewing Company
Situation : Pittsburgh, Pennsylvanie
Type : lager de style munichois
Robe : brun doré clair
Teneur en alcool : 5 % vol.
Température de service : 8-10 °C
Accompagnement : poissons panés et rondelles de citron

Pete's Wicked Ale

Dès 1979, Pete Slosberg entreprit de fabriquer de la bière dans le cadre de ses loisirs, préférant cette activité à la viniculture. Après quelque temps, il fut complètement gagné par cette passion, au point d'établir, en 1986, la Pete's Brewing Company, devenue aujourd'hui l'une des toutes premières brasseries artisanales des États-Unis.

La Wicked Ale est une ale onctueuse offrant des arômes de malt grillé teintés d'accents floraux. Sa saveur dominée de malt est bien tempérée par l'agréable sécheresse du houblon. Il y a en fait peu d'amertume dans cette bière, car le houblon Brewers Gold est essentiellement utilisé pour son arôme floral.

CARACTÉRISTIQUES

Brasserie : Pete's Brewing Company
Situation : San Antonio, Texas
Type : brown ale
Robe : rubis
Teneur en alcool : 5,3 % vol.
Température de service : 12-14 °C
Accompagnement : tourte au gibier

Pike Pale Ale

Cette pale ale facile à boire offre un bel équilibre de saveurs, avec les accents fruités du malt bien contrastés par le caractère frais et floral du houblon.

Elle est le produit phare de la brasserie-taverne Pike, qui commença modestement son activité en 1989 dans une échoppe du marché de Pike Place, à Seattle. En 1996, devant le succès rencontré par ses bières, la brasserie s'établit dans de nouveaux locaux et élargit sa gamme. Aujourd'hui, la Naughty Nellie's Ale, ale de style anglais, et la Kilt Lifter Scotch Ale, bière de style écossais à la riche saveur de malt grillé, figurent parmi les bières Pike les plus réputées.

CARACTÉRISTIQUES

Brasserie : Pike Pub and Brewery
Situation : Seattle, État de Washington
Type : pale ale
Robe : brun ambré foncé
Teneur en alcool : 5,3 % vol.
Température de service : 13 °C
Accompagnement : saumon grillé ou moules marinières

Redhook ESB

Le Nord-Ouest américain abrite les principales aires de culture du houblon des États-Unis et nombre de ses micro-brasseries les plus réputées. Redhook, créé en 1981 afin de produire des bières locales capables de rivaliser avec les bières européennes, est l'une des plus anciennes.

Sa création marqua le début d'une nouvelle ère du brassage artisanal aux États-Unis. La première bière Redhook, inspirée par les bières d'abbaye belges sombres et épicées, reçut un accueil mitigé. Elle fut suivie par la Ballard Bitter, beaucoup mieux acceptée. Aujourd'hui, la plus réputée des bières Redhook est sans aucun doute l'ESB, première bière américaine qualifiée d'extra special bitter, appellation empruntée à la brasserie londonienne Fuller. L'arôme est dominé par le houblon mais les saveurs de malts grillés reprennent le dessus au palais et confèrent un arrière-goût riche et prolongé, tempéré par des notes florales. Redhook exploite aujourd'hui trois sites de brassage dans le Nord-Ouest des États-Unis, et plusieurs bières de la marque, dont l'ESB, sont distribuées à l'échelle nationale par Anheuser-Busch.

CARACTÉRISTIQUES

Brasserie : Redhook Ale Brewery
Situation : Woodinville, État de Washington
Type : extra special bitter (ESB)
Robe : brun cuivré
Teneur en alcool : 5,8 % vol.
Température de service : 10-13 °C
Accompagnement : gibier rôti

Rogue Hazelnut Brown Nectar

La Rogue Brewery fut fondée en 1988 par trois Américains, amateurs de bière – Jack Joyce, Rob Strasser et Bob Woodell –, qui abandonnèrent leur travail pour ouvrir une brasserie-taverne à Ashland, dans l'Oregon. La brasserie tient son nom de la Rogue River, qui traverse la ville de Newport, Oregon, mais l'appellation Rogue (rebelle, marginal) fait également référence à la volonté des propriétaires de faire les choses à leur façon, comme en témoignent les bières produites par l'entreprise.

L'Hazelnut Brown Nectar est une déclinaison intéressante sur le thème de la brown ale anglaise. Elle est brassée à partir de sept types de malt et de deux variétés de houblon et tient son arôme et sa saveur – de même qu'une apparence légèrement trouble – de l'extrait de noisette avec lequel elle est aromatisée. Au palais, le malt est dominant avec, en arrière-plan, des notes de chocolat, de caramel et de noisette grillée. Une pointe d'amertume est apportée par les houblons Perle et Saaz. Outre son conditionnement ordinaire, l'Hazelnut Brown Nectar est commercialisée en bouteilles de 75 cl, fermées à l'aide d'un bouchon amovible en céramique.

CARACTÉRISTIQUES

Brasserie : Rogue Ales
Situation : Newport, Oregon
Type : brown ale
Robe : brun acajou foncé
Teneur en alcool : 6,2 % vol.
Température de service : 12 °C
Accompagnement : gâteau
au café

Rogue Shakespeare Stout

À la différence de la stout irlandaise, à l'amertume affirmée, l'oatmeal stout offre une saveur presque sucrée.

Cette stout maintes fois primée est brassée à partir de plusieurs types de malt, notamment de malts cristal et chocolat, de grains d'orge torréfiés et de flocons d'avoine, ce qui lui confère une robe ébène et un col riche et crémeux. L'arôme est dominé par des notes de prune et de figue que complète une nuance chocolatée. Le caractère malté aux accents de café torréfié, très présent au palais, laisse place, en arrière-goût, à une agréable amertume de houblon. En 1994, la Shakespeare Stout a obtenu un total de 99 points au World Beer Championships, meilleur score parmi les 309 bières des 44 catégories représentées. En outre, dans son numéro de juin/juillet 1998, le magazine *Men's Journal* a placé cette stout parmi les cent meilleurs produits à déguster aux États-Unis.

CARACTÉRISTIQUES

Brasserie : Rogue Ales
Situation : Newport, Oregon
Type : oatmeal stout
Robe : noir ébène
Teneur en alcool : 6 % vol.
Température de service : 13 °C
Accompagnement : pizza
et salade verte

Sierra Nevada Bigfoot

L'entreprise Sierra Nevada est sans doute la plus réputée des micro-brasseries actives aujourd'hui aux États-Unis.

Elle fut établie en 1979 par l'Américain Ken Grossman et les bières produites connurent un succès immédiat. Dix ans plus tard, afin de répondre à une demande toujours plus forte, l'entreprise emménagea dans une nouvelle unité de brassage, assemblée à l'aide d'équipements importés d'Allemagne, dont plusieurs cuves traditionnelles en cuivre. Les bières Sierra Nevada sont réputées pour leur forte teneur en houblon, et la Bigfoot ne fait pas exception à cette règle. Cette bière primée à plusieurs reprises est un parfait exemple de barley wine traditionnel. Son arôme fruité laisse place à une saveur complexe au sein de laquelle s'équilibrent le caractère malté, teinté de notes de prune, de chocolat et de noix, et l'amertume de houblon renforcée d'accents citriques et résineux. Les barley wines sont des bières festives, traditionnellement bues au moment des fêtes de fin d'année.

CARACTÉRISTIQUES

Brasserie : Sierra Nevada Brewing Co.
Situation : Chico, Californie
Type : barley wine
Robe : brun-rouge foncé
Teneur en alcool : 9,6 % vol.
Température de service : 14-16 °C
Accompagnement : dinde de Noël

Stone Ruination IPA

L'étiquette de la Ruination IPA définit cette bière comme un poème liquide à la gloire du houblon, et la figure vampirique dont elle est ornée annonce sa puissante saveur.

Cette bière montre un caractère houblonné peu ordinaire (100 IBU à l'indice international d'amertume), même au regard des autres bières produites par cette brasserie réputée pour son amour du houblon. Sa puissante saveur, censée provoquer la ruine du palais (d'où son nom), est accompagnée d'une forte teneur en alcool (7 % alc./vol.) qui la place nettement au-dessus de la teneur habituelle des India pale ales. Plus modérée que la Stone Ruination, la Stone Smoked Porter est une bière brune onctueuse offrant de robustes saveurs de chocolat et de café. Une légère nuance fumée évoquant le whisky est conférée par l'usage de malts grillés au feu de bois.

CARACTÉRISTIQUES

Brasserie : Stone Brewing Company
Situation : San Marcos, Californie
Type : India pale ale
Robe : brun orangé clair
Teneur en alcool : 7,7 % vol.
Température de service : 10-12 °C
Accompagnement : poissons et fruits de mer grillés

Stoudt's Pils

Carol et Ed Stoudt établirent leur brasserie avec le projet de fabriquer des bières traditionnelles en petites quantités et de façon artisanale. En dépit du succès croissant de leurs bières, ils se refusent à produire à plus grande échelle, soucieux de rester impliqués dans toutes les étapes du processus de brassage.

CARACTÉRISTIQUES

Brasserie : Stoudt's Brewing Co.

Situation : Adamstown, Pennsylvanie

Type : pilsner

Robe : jaune paille clair

Teneur en alcool : 4,8 % vol.

Température de service : 8 °C

Accompagnement : à servir en apéritif

Le récent ajout d'une chaîne d'embouteillage leur permet aujourd'hui de réaliser cette opération au sein de leur entreprise plutôt que la sous-traiter. Parmi les bières produites figurent la Stoudt's Pils, authentique pilsner de style européen offrant, au nez et au palais, un profil houblonné teinté de notes florales et enrichi par d'agréables saveurs maltées, et la Gold Lager, lager fruitée et onctueuse de style munichois. Les bières en bouteille incluent les très épicées Abbey Double et Abbey Triple, d'un style belge affirmé, une ale de style écossais au riche caractère houblonné, la Double Mai Bock, bière de style germanique produite chaque année à l'occasion de l'anniversaire de la brasserie, et la Fat Dog, imperial stout brassée à partir d'avoine et forte d'une étonnante saveur chocolatée.

Victory Hopdevil Ale

La brasserie Victory vit le jour en 1996, mais l'histoire menant à la création de cette entreprise commença en 1976, lorsque les deux fondateurs, alors âgés d'une dizaine d'années, se lièrent d'amitié sur les bancs de l'école.

CARACTÉRISTIQUES

Brasserie : Victory Brewing Company

Situation : Downington, Pennsylvanie

Type : India pale ale

Robe : brun cuivré clair

Teneur en alcool : 6,7 % vol.

Température de service : 10-12 °C

Accompagnement : sandwichs au pain de campagne

Un voyage d'exploration au cœur des abbayes trappistes belges en 1987, puis la dégustation, au cours des années suivantes, de quelques-unes des bières produites par les micro-brasseries américaines les plus réputées, amenèrent les deux compères à quitter leur travail pour embrasser une carrière de brasseur. La Victory Brewing Company produit aujourd'hui plus de vingt bières différentes, dont plusieurs bières de saison et diverses ales à édition limitée. La Hopdevil Ale, l'une des bières annuelles de l'entreprise, est une India pale ale forte et très parfumée, de texture onctueuse et d'un caractère houblonné très marqué.

Les habitants de l'Amérique latine et des Antilles aiment la bière autant qu'ils aiment la vie. En plus de brasser des bières originales et de haute qualité pour les marchés domestiques, cette région est aujourd'hui l'une des premières au monde pour l'exportation de ces boissons, avec des marques telles que Sol, Corona Extra et Red Stripe.

Amérique latine et Antilles

La bière fut introduite dans cette partie du monde par les premiers colons européens au début du XVIᵉ siècle. Avant cette époque, Aztèques, Mayas et Incas consommaient des boissons au blé fermentées, tandis que les habitants des Antilles confectionnaient des breuvages au maïs selon des recettes qui variaient d'une île à une autre.

L ES AZTÈQUES préparaient également diverses boissons à partir des feuilles et de la sève de l'agave, dont le *pulque*, utilisé à des fins médicinales ou religieuses. Les premiers conquistadors dévoilèrent aux autochtones le processus de distillation, qui permit la confection du mezcal. Cet alcool tiré du jus d'agave fermenté devint rapidement le breuvage le plus consommé en Amérique latine.

Les premiers colons européens établirent des brasseries sur le continent sud-américain, mais seules l'invention de la réfrigération à la fin du XIXᵉ siècle et l'introduction des lagers par les immigrants suisses, allemands et autrichiens permirent à la bière d'être largement diffusée à travers l'Amérique latine. Un peu plus tard, alors que la Prohibition était instaurée aux États-Unis, la petite ville frontalière de Tijuana, au Mexique, devint un lieu d'asile pour les Américains peu désireux de renoncer à la boisson. Cette tendance profita durablement aux brasseries mexicaines, à tel point que le Mexique reste aujourd'hui le plus gros producteur de bières d'Amérique latine.

Il est suivi par le Brésil, où la gamme des lagers légères de style bavarois est complétée par une bière noire très originale, brassée à partir d'un mélange d'orge torréfié et de céréales locales, et aromatisée à l'aide de graines de lupin. De ces bières noires créées aux premiers temps du colonialisme il existe encore plusieurs exemples, dont la Xingu, brassée par les Cervejarías Kaiser.

Les Antillais d'aujourd'hui boivent surtout des lagers, mais les stouts sont également appréciées et la Guinness est brassée à la Jamaïque depuis environ 150 ans.

STATISTIQUES

Production annuelle : 223 990 000 hectolitres
Consommation par an et par habitant : 55 litres
Principales brasseries : Bucanero Cervecería, Cervecería Cuauhtémoc, Cervecería Modelo, Cervecería y Maltería Quilme, Desnoes & Geddes, Especialidad Cerveceras
Bières réputées : Corona Extra, Dos Equis, Igúazu, Mayabe Calidad Extra, Quilmes, Red Stripe, Sol

Casta Bruna

Cette pale ale de style anglais offre un agréable arôme floral chargé de notes de caramel.

Brassée à partir de quatre types de malts torréfiés et aromatisée à l'aide de houblons anglais, elle offre, au palais, un large éventail de saveurs dominé par des accents de chocolat et de pêche. L'amertume florale du houblon est également présente. L'excellente gamme de la brasserie mexicaine Especialidades Cerveceras inclut également la très aromatique Casta Dorada, brassée dans le style d'une golden ale belge et riche d'une amertume épicée, et la Casta Milenia, enrichie par une fermentation en bouteilles dans la pure tradition des bières d'abbaye belges.

CARACTÉRISTIQUES

Brasserie : Especialidad Cerveceras

Situation : Apodaca, Mexique

Type : pale ale de style anglais

Robe : brun cuivré

Teneur en alcool : 5,4 % vol.

Température de service : 10-12 °C

Accompagnement : pâtes à la sauce tomate

Casta Morena

En espagnol, *casta* signifie chaste, et cette appellation fait référence au respect, par la brasserie Especialidades Cerveceras, de la loi de pureté allemande *(Reinheitsgebot)* édictée en 1516, établissant le malt d'orge, l'eau, le houblon et la levure comme les seuls ingrédients autorisés pour la confection de la bière (le malt de froment fut ajouté par amendement).

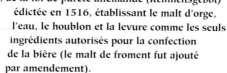

Especilidades Cerveceras ne produit que des bières à fermentation haute et fut la première brasserie du Mexique à adopter ce processus de fabrication. Les malts et houblons utilisés sont importés d'Angleterre, des États-Unis et de la République tchèque, et chaque bière de la gamme fait usage d'une souche de levure particulière. La Casta Morena est brassée à partir de six types de malts, ce qui lui confère une richesse de corps similaire à celle d'une scotch ale écossaise. Les deux variétés de houblon confèrent une subtile pointe d'amertume au palais.

CARACTÉRISTIQUES

Brasserie : Especialidad Cerveceras

Situation : Apodaca, Mexique

Type : scotch ale

Robe : brun ambré foncé

Teneur en alcool : 6 % vol.

Température de service : 9 °C

Accompagnement : viandes rouges et gibiers en sauce

Dos Equis

L'appellation Dos Equis renvoie aux deux croix figurant sur l'étiquette de la bouteille. La Dos Equis existe en deux variétés, et cette pilsner est de loin la plus populaire.

L'autre variété est une lager ambrée aux saveurs fruitées, mâtinées d'accents de chocolat. Dos Equis est aujourd'hui l'une des principales marques de la Cervecería Cuauhtémoc, première brasserie mexicaine, fondée en 1890 par les Espagnols Isaac Garza et José Calderón. La première bière produite par l'entreprise fut la Carta Blanca, conditionnée en bouteilles à bouchon de liège.

CARACTÉRISTIQUES

Brasserie : Cervecería Cuauhtémoc Moctezuma (Femsa)
Situation : Monterrey, Mexique
Type : lager
Robe : brun ambré clair
Teneur en alcool : 4,8 % vol.
Température de service : 6-8 °C
Accompagnement : poissons blancs grillés

Sol

La Sol, bière mexicaine parmi les plus réputées, est une lager légère et désaltérante de texture onctueuse.

Son arôme fruité laisse place, en bouche, à une agréable et vivifiante amertume de houblon. Son conditionnement en bouteilles de verre non teinté permet d'apprécier sa robe d'un beau jaune doré brillant, à laquelle elle doit son nom. Durant les années 1980, la Sol devint la plus populaire des bières mexicaines, non seulement au Mexique mais également en Europe et aux États-Unis.

Les autres bières de la Cervecería Cuauhtémoc Moctézuma incluent la Tecate, lager faiblement alcoolisée et très désaltérante lancée dans la ville éponyme en 1944. Elle fut créée par un ambitieux propriétaire terrien mexicain nommé Alberto Aldrete et était servie, à l'origine, accompagnée de sel et d'un quartier de citron. De cette coutume est né l'usage moderne de servir la Sol et les autres bières mexicaines avec un quartier de citron inséré dans le goulot de la bouteille.

CARACTÉRISTIQUES

Brasserie : Cervecería Cuauhtémoc Moctezuma (Femsa)
Situation : Monterrey, Mexique
Type : lager
Robe : jaune doré brillant
Teneur en alcool : 4,6 % vol.
Température de service : 5-7 °C
Accompagnement : viande grillée et pommes de terre sautées

Bohemia

L'archiduc d'Autriche Maximilien Ier de Habsbourg régna sur le Mexique de 1864 à 1867. Cette brève période fut riche d'influence pour les brasseries mexicaines, au point qu'aujourd'hui les pilsners sont plus populaires au Mexique que sur le territoire autrichien.

À l'origine, ces lagers de style viennois étaient caractérisées par une robe brun ambré résultant d'une cuisson particulière des malts de brassage, mais aujourd'hui, la plupart offrent une même teinte jaune doré. À la fois forte et très parfumée, la Bohemia illustre parfaitement ce style, et son caractère malté et fruité est bien contrebalancé par l'amertume du houblon Saaz.

CARACTÉRISTIQUES

Brasserie : Cervecería Cuauhtémoc Moctezuma (Femsa)
Situation : Monterrey, Mexique
Type : lager viennoise
Robe : jaune doré
Teneur en alcool : 5,4 % vol.
Température de service : 8 °C
Accompagnement : viandes rôties parfumées aux herbes

Corona Pacifico Clara

La Pacifico Clara est produite par le groupe Modelo, basé à Mexico, mais elle est essentiellement fabriquée à Mazatlán, ville du nord du Mexique où se situe la Cervecería Pacifico, propriété du groupe.

La Pacifico Clara est très pétillante et offre une saveur à la fois légère et bien équilibrée qui fait d'elle une bière subtile et raffinée. En plus des fameuses gammes Modelo et Corona, le groupe Modelo produit diverses autres bières, dont la Victoria, lager de style viennois et fleuron de la Compañía Toluca y México. Cette brasserie fondée en 1865 fut acquise par Modelo en 1935.

CARACTÉRISTIQUES

Brasserie : Cervecería Modelo
Situation : Mexico, Mexique
Type : pilsner
Robe : jaune doré
Teneur en alcool : 4,5 % vol.
Température de service : 7 °C
Accompagnement : mets épicés

Corona Extra

La Corona Extra est la bière la plus vendue au Mexique, comme la plus exportée : elle est aujourd'hui distribuée dans plus de cent cinquante pays.

Elle est née au sein de la Cervecería Modelo à Mexico en 1925. La première bière produite par l'entreprise fut nommée Modelo, et la Corona fut introduite un mois plus tard. En 1935, Modelo célébra son dixième anniversaire par l'introduction d'une lager ambrée appelée Moravia. Aujourd'hui, la brasserie produit dix bières différentes, dont la Corona Light, version basses calories de la Corona Extra. La Modelo, quant à elle, est déclinée en trois versions : la Modelo Especial, pilsner au profil très houblonné, la Modelo Light, version allégée, et la Negra Modelo, lager ambrée douce et maltée à la saveur teintée de notes de chocolat et de fruits rouges et au fini très rafraîchissant.

CARACTÉRISTIQUES

Brasserie : Cervecería Modelo
Situation : Mexico, Mexique
Type : lager
Robe : jaune paille

Teneur en alcool : 4,6 % vol.
Température de service : 5-7 °C
Accompagnement : jambons cuits et salades

Mayabe Calidad Extra

Holguin, l'une des plus grandes villes de l'île de Cuba, se situe non loin du site visité par Christophe Colomb en 1492. La cité abrite la brasserie Bucanero, qui produit la Cristal, bière la plus vendue à Cuba.

La brasserie Bucanero fabrique essentiellement des lagers désaltérantes et faciles à boire, à l'exemple de la Mayabe Calidad Extra, légèrement plus riche que la Cristal. Elle offre une saveur bien définie où pointent des notes de céréales. La gamme Bucanero inclut également la Bucanero Fuerte, plus alcoolisée que l'Extra, et la Mayabe Clara, savoureuse pilsner à la belle robe claire.

CARACTÉRISTIQUES

Brasserie : Bucanero Cervecería
Situation : Holguin, Cuba
Type : lager
Robe : jaune paille
Teneur en alcool : 5 % vol.
Température de service : 5-7 °C
Accompagnement : poissons frits et coquillages

Red Stripe

La Red Stripe est une savoureuse lager dont la saveur maltée est bien contrebalancée par une agréable amertume de houblon. Elle est l'œuvre de la brasserie Desnoes & Geddes, établie à Kingston, Jamaïque, depuis 1918. L'entreprise tient son nom de ses deux fondateurs : Eugène Desnoes et Thomas Hargreaves Geddes.

Après avoir produit durant plusieurs années des sodas et limonades, l'entreprise se consacra, à partir de 1927, à la fabrication de bière. La première Red Stripe était une ale riche et très parfumée qui fut remplacée, en 1938, par la lager dorée que les Jamaïcains apprécient aujourd'hui. En vertu d'un accord passé avec la brasserie hollandaise Heineken, les bières Desnoes & Geddes furent exportées en Europe, ce qui leur conféra une large notoriété. En dehors de la Jamaïque, elles sont particulièrement appréciées au Royaume-Uni, notamment par les membres de la nombreuse communauté antillaise. De fait, la Red Stripe est brassée sous licence en Grande-Bretagne depuis 1976.

La Red Stripe était l'une des bières favorites des soldats américains et canadiens stationnés aux Antilles durant la Deuxième Guerre mondiale, et elle connaît un succès sans cesse grandissant aux États-Unis. La brasserie Desnoes & Geddes demeura une entreprise familiale jusqu'à son acquisition par le groupe Guinness (futur Diageo) en 1993. Parmi les autres bières de sa gamme figurent la Dragon Stout, stout riche et maltée offrant des accents de réglisse.

CARACTÉRISTIQUES

Brasserie : Desnoes & Geddes
Situation : Kingston, Jamaïque
Type : lager
Robe : jaune pâle
Teneur en alcool : 4,7 % vol.
Température de service :
   6-7 °C
Accompagnement : poissons
   frits et riz au safran

Igúazu

L'Igúazu est l'une des nombreuses bières produites par la brasserie argentine Quilmes, à Buenos Aires.

Elle tient son nom d'une spectaculaire cataracte de près de 80 m de hauteur et 3 km de largeur, en forme de fer à cheval, passée à la postérité pour avoir servi de toile de fond au film *Mission*, du réalisateur britannique Roland Joffé. Dans le dialecte local, le mot *igúazu* désigne – ce qui n'est pas surprenant – une cascade. L'Igúazu est une lager dorée offrant une saveur bien équilibrée et un subtile arôme de houblon. Parmi les autres bières Quilmes figurent la Liberty, bière sans alcool, la Quilmes Bock, qui témoigne des origines allemandes de l'entreprise, et l'Andes, bière blanche également de style germanique.

CARACTÉRISTIQUES

Brasserie : Cervecería y Maltería Quilmes

Situation : Buenos Aires, Argentine

Type : lager

Robe : jaune doré clair

Teneur en alcool : 4,9 % vol.

Température de service : 6-8 °C

Accompagnement : salades et fromages

Quilmes

La brasserie et malterie Quilmes fut établie dans le faubourg éponyme de Buenos Aires en 1890 par un immigrant allemand nommé Otto Bemberg. Aujourd'hui, le nom Quilmes est devenu, en Argentine, synonyme de bière.

Une forte expansion au début du XXe siècle permit à la brasserie de s'établir comme l'une des entreprises les plus prospères de Buenos Aires. Aujourd'hui, les bières Quilmes sont exportées dans le monde entier, y compris en Europe, et l'entreprise est devenue l'un des sponsors officiels de la Fédération argentine de football. Son fleuron demeure cette lager légère à la saveur légèrement maltée.

CARACTÉRISTIQUES

Brasserie : Cervecería y Maltería Quilmes

Situation : Buenos Aires, Argentine

Type : lager

Robe : jaune doré

Teneur en alcool : 4,9 % vol.

Température de service : 6-8 °C

Accompagnement : chips

La Viking est la bière la plus vendue en Islande, et les Islandais sont particulièrement fiers de la pureté de l'eau utilisée pour son brassage. Elle est produite à Akureyri, dans le nord du pays, et continue aujourd'hui de gagner des parts de marché. Hélas, du fait des taxes locales appliquées aux boissons alcoolisées, il est très onéreux de goûter les bières islandaises dans les bars du pays.

Islande

De tous les pays nordiques, l'Islande est celui qui présente la tradition de brassage la plus récente, au moins au sens légal. Durant longtemps en effet, les brasseries locales durent respecter l'interdiction de produire des bières d'une teneur en alcool supérieure à 2,2 % alc./vol. Aujourd'hui, les deux principales bières du marché sont la Thule et la Viking, pilsner qui doit sa pointe d'amertume à la pureté de l'eau et à un mélange original de malts, de houblons et de maïs.

CHAQUE ANNÉE, le 1er mars, les Islandais célèbrent la journée nationale de la bière, selon une tradition inaugurée le 1er mars 1989, date à laquelle il fut mis fin à 75 ans d'interdiction de cette boisson. Cette fête est l'occasion, à Reykjavik, de grandes libations, généralement suivies de mémorables migraines. Voilà plusieurs siècles, les Islandais réservaient leur démesure alcoolique aux fêtes populaires, notamment à celle du Thorrablot, ayant lieu chaque année en février. À cette occasion, ils consommaient des délices tels que tête d'agneau (svid), chair de requin fermentée (hakarl) et testicules de bélier (hrutspungar), de sorte qu'il n'est pas étonnant que de grandes quantités d'ale aient été nécessaires pour les accompagner.

Durant la Deuxième Guerre mondiale, les forces britanniques et américaines occupèrent le territoire islandais, ce qui permit aux habitants d'oublier pour quelque temps la Prohibition et de goûter aux bières étrangères. En 1944, l'Islande acquit sa pleine indépendance par référendum et vit le départ de la plupart des soldats alliés – une force américaine demeura stationnée sur le territoire durant la guerre froide. De nouveau, les Islandais se trouvèrent plongés dans une abstinence forcée qui dura jusqu'à la fin de la Prohibition. Hélas, la bière est une denrée très onéreuse en Islande, même si les Islandais vantent les mérites de leur production locale, arguant de la pureté de l'eau utilisée.

STATISTIQUES

Production annuelle : 120 000 hectolitres
Consommation par an et par habitant : 56 litres
Principales brasseries : Egil, Viking
Bières réputées : Egils Pilsner, Viking Thule

Egils Pilsner

Jusqu'en 1989, la consommation de bière fut interdite sur le territoire islandais, en vertu d'une loi promulguée en 1915.

Durant cette longue période, les petites brasseries locales, telle Egils à Reykjavik, se consacrèrent à la production de sodas et de bières légères, dont l'Egils Malt, à la teneur en alcool de seulement 1 % alc./vol. L'Egils Pilsner n'est guère plus forte, mais la qualité de l'eau locale utilisée lui confère une saveur agréable et désaltérante. La brasserie et ses bières tiennent leurs appellations de la saga du scalde Egill Skallagrímsson, qui conte les aventures d'un légendaire poète et guerrier islandais.

CARACTÉRISTIQUES
Brasserie : Egill
Situation : Reykjavik
Type : lager
Robe : jaune paille
Teneur en alcool : 2,2 % vol.
Température de service : 6-7 °C
Accompagnement : salades

Egils Maltbjør

L'Egils Maltbjor est une bière sombre et maltée d'une saveur plutôt agréable au palais. Elle se distingue de façon bienvenue des autres lagers produites par la brasserie Egils.

Son arôme légèrement âcre est sans doute dû à l'excellente qualité des houblons utilisés pour le brassage. La robe est plaisante, surmontée d'un col peu épais. Dans l'ensemble, cette bière se rapproche de la Maltøl danoise, par laquelle elle a peut-être été inspirée. Certains spécialistes considèrent la Maltbjor comme la meilleure bière islandaise : ce qui est sûr, c'est qu'elle diffère agréablement des pilsners sans âme proposées dans les supermarchés.

CARACTÉRISTIQUES
Brasserie : Egill
Situation : Reykjavik
Type : bock
Robe : brun ambré
Teneur en alcool : 5,6 % vol.
Température de service : 10 °C
Accompagnement : viandes rôties, tourtes

Viking Lager

**La Viking est une pilsner au caractère malté agréable.
Le col est peu épais, léger et crémeux.**

À la mise en verre, l'arôme est plaisant mais fugace. Cette pilsner est légèrement sirupeuse, sans doute à cause des extraits de maïs incorporés durant le brassage. Malgré tout, la pureté de l'eau utilisée et l'alliance heureuse des malts, houblons et sucres assurent une pointe d'amertume bienvenue dans une saveur globale évoquant celle d'une Carlsberg. En raison des taxes élevées qui leur sont appliquées, les bières proposées en Islande sont très onéreuses, les marques importées plus encore que celles produites localement.

CARACTÉRISTIQUES

Brasserie : Sól-Viking

Situation : Akureyri

Type : pilsner

Robe : jaune pâle

Teneur en alcool : 4,6 % vol.

Température de service :
6-8 °C

Accompagnement : poissons,
viandes froides

Viking Thule

**La Viking Thule, deuxième bière la plus vendue de la
brasserie Sól-Viking, est une lager islandaise typique,
riche d'une robe jaune paille et d'un col blanc peu épais.**

L'une de ses principales vertus est son agréable arôme de houblon. Sa texture est très légère, et la présence des malts et des houblons est peu affirmée. Loin d'être une autre de ces pilsners nordiques plutôt fades, elle présente un caractère frais et désaltérant. Son relatif manque d'amertume déplaira à certains, de même que sa robe quelque peu trouble. Thulé fut le nom donné à la terre découverte par le Grec Pythéas, en 325 av. J.-C., après six jours de navigation depuis la côte britannique. De fait, la Thulé de Pythéas n'était sans doute par l'Islande, mais plutôt l'une des îles Shetland ou Féroé.

CARACTÉRISTIQUES

Brasserie : Sól-Viking

Situation : Akureyri

Type : lager

Robe : jaune pâle

Teneur en alcool : 5 % vol.

Température de service :
6-7 °C

Accompagnement : poissons
et fruits de mer

Des buveurs sont attablés à la terrasse ensoleillée d'une taverne du quai de Bryggen, à Bergen. En Norvège, la consommation de bière est régie par de strictes réglementations gouvernementales, qui définissent à la fois le prix (par l'application de taxes) et la teneur en alcool de chaque produit. Malgré tout, les brasseries norvégiennes ont quelques excellentes bières à leur actif.

Norvège

*La Norvège est volontiers associée à l'agriculture,
à l'exploitation forestière et à la pêche, mais beaucoup
plus rarement à la production de bière. Pourtant, après une période
difficile, l'industrie de la bière norvégienne connaît aujourd'hui
un réveil spectaculaire.*

E N NORVÈGE, la production de bière est une affaire essentiellement régionale. De fait, le pays s'enorgueillit d'inclure la bras-
erie la plus septentrionale du monde, située à Tromsø, à l'intérieur
du cercle polaire arctique. L'industrie de la bière norvégienne souffre
de taxes élevées et de réglementations très strictes qui illustrent la
puissance du lobby antialcoolique local. Au cour des dernières années,
elle a subi diverses mutations, au point de s'articuler aujourd'hui
autour d'un groupe multinational, d'un groupe national et de plusieurs brasseries indépendantes. La quasi-totalité de la production
est destinée au marché domestique et l'exportation est purement anec-
dotique.

Jusque dans les années 1990, la production de bière fut dominée
par l'entreprise Ringnes, qui parvint à imposer ses marques en rachetant et fermant plusieurs brasseries régionales. Ringnes passa des
alliances avec le groupe danois Carlsberg et, à la fin des années 1990,
les groupes Carlsberg-Ringnes et Hansa-Borg représentaient 85 % de
la production nationale.

Pour compliquer la tâche des brasseurs, une loi norvégienne réserve la distribution des bières d'une teneur en alcool supérieure à
4,75 % vol. aux magasins d'État Vinmonopol.

La majorité des bières norvégiennes sont des bières de fermentation basse apparentées aux lagers germaniques, et seules quelques
micro-brasseries produisent des bières de fermentation haute. Malgré
tout, l'intérêt pour la bière s'est accru ces dernières années. Les bières
sombres et aromatiques traditionnelles font leur réapparition, et la
demande pour les bières étrangères de caractère ne cesse de croître.
Après la création, en 1993, de la NØROL (fédération des buveurs de
bière norvégiens), le secteur d'activité connut, en 2004, des grèves
qui paralysèrent la production. Aujourd'hui, l'industrie de la bière
norvégienne a pleinement surmonté cette crise.

CI-DESSUS

*Établie en 1891, la
brasserie Hansa est
aujourd'hui la plus
ancienne des brasseries
norvégiennes. Elle fut
la première du pays
à exporter ses bières
vers les États-Unis.*

STATISTIQUES

Production annuelle : 2 230 000 hectolitres
Consommation par an et par habitant : 55 litres
Principales brasseries : Aass; Hansa, Mack's
Bières réputées : Aass Lettøl, Hansa Juleøl til Akkavit

Aass Lettøl

**La Lettøl est l'une des bières Aass les plus vendues.
Sa faible teneur en alcool fait son succès dans un pays
où la conduite en état d'ébriété est sévèrement punie.**

Aass, plus ancienne des brasseries norvégiennes, commença son activité en 1834 par l'association d'une boulangerie et d'une petite brasserie artisanale. Après un incendie dévastateur, en 1866, l'entreprise
fut reconstruite et placée sur des bases financières solides. En raison
de sa légèreté, cette lager ne plaira sans doute pas à tous les amateurs,
mais elle possède l'atout majeur d'être très désaltérante. La Lettøl est
modestement exportée dans les autres pays scandinaves.

CARACTÉRISTIQUES
Brasserie : Aass Bryggeri
Situation : Drammen
Type : lager
Robe : brun-jaune
Teneur en alcool : 2,5 % vol.
Température de service : 6-8 °C
Accompagnement : fromages, salade verte et pain de seigle

Aass Bayer

**Cette bière sombre à saveur de noix est souvent bien notée dans
les guides spécialisés. La Bayer offre un caractère houblonné
bien marqué où percent des notes de caramel et de chocolat.**

En dépit de sa riche apparence, elle révèle une texture très fluide qui
surprend souvent les connaisseurs. L'Aass Bayer peut être dégustée
seule, mais elle dévoile sa plénitude lorsqu'elle accompagne des mets
substantiels tels que charcuteries et gibiers. Elle est probablement la
meilleure des bières norvégiennes de grande consommation et se trouve
largement distribuée dans les supermarchés. Au premier abord, l'Aass
Bayer est déroutante, mais de nombreux buveurs admettent qu'il est
difficile de se passer, après un certain temps, de son originale saveur.

CARACTÉRISTIQUES
Brasserie : Aass Bryggeri
Situation : Drammen
Type : lager foncée
Robe : brun ambré
Teneur en alcool : 4,5 % vol.
Température de service : 15 °C
Accompagnement : charcuteries

Aass Bock

L'Aass Bock et une bière ambrée brassée selon les lois de pureté norvégiennes à partir de malts d'orge originaires de Scandinavie. Elle s'affiche comme l'une des meilleures bocks produites hors du territoire allemand.

La brasserie utilise les fameux houblons Saaz et Hallertau. L'Aass Bock, lager norvégienne parmi les plus alcoolisées, est brassée à basse température puis mise à fermenter pendant trois mois avant d'être conditionnée. Elle est distribuée en bouteilles de 33 cl et en boîtes. Sa texture onctueuse, très agréable au palais, et sa saveur caractéristique lui donnent une place à part dans la catégorie des lagers ambrées.

CARACTÉRISTIQUES

Brasserie : Aass Bryggeri

Situation : Drammen

Type : lager ambrée

Robe : brun foncé

Teneur en alcool : 5,9 % vol.

Température de service :
10-12 °C

Accompagnement : poissons, fromages, viandes cuites, pains complets

Lundetangen Sommerøl

La Sommerøl, autre production de la brasserie Aass, est une désaltérante lager d'été. Elle présente une belle robe brun or surmontée d'un col riche et crémeux. Sa saveur délivre une pointe de sel étonnante dans un ensemble plutôt sucré.

CARACTÉRISTIQUES

Brasserie : Aass Bryggeri

Situation : Drammen

Type : lager

Robe : brun or

Teneur en alcool : 4,7 % vol.

Température de service :
6-8 °C

Accompagnement : poulet froid

Les bières d'été norvégiennes, pour la plupart des pilsners très légères, ne font pas toujours l'unanimité, mais la Sommerøl fait exception à cette règle. Elle est très désaltérante et ne souffre pas de l'amertume finale développée par la plupart de ses concurrentes. De fait, la Sommerøl est une bière idéale pour découvrir les fjords locaux à la faveur d'une croisière estivale. Elle fut créée par la brasserie Lundetangen, créée en 1854 et adjointe au groupe Aass en 1965.

Baatbryggeriet Styrbord

En norvégien, *styrbord* signifie tribord, et de façon prévisible, l'autre bière produite par cette micro-brasserie très réputée est la Baatbryggeriet Babord, élégante brown ale de style anglais.

La Styrbord présente une robe brun or et un col blanc, mieux appréciés dans une pinte traditionnelle. Son caractère houblonné est marqué, et ses notes fraîches et fruitées, présentes en arôme et en saveur, développent un fini globalement sucré. Elle suscite des jugements variés : certains spécialistes la trouvent trop légère, d'autres vantent son accent acidulé où perce l'ananas. De fait, son principal défaut est qu'elle se veut une pale ale de style anglais mais souffre beaucoup de la comparaison avec ses concurrentes britanniques.

CARACTÉRISTIQUES

Brasserie : Baatbryggeriet AS
Situation : Vestnes
Type : pale ale de style anglais
Robe : brun or
Teneur en alcool : 4,7 % vol.
Température de service :
9-10 °C
Accompagnement : à servir
en apéritif

Hansa Juleøl

La particularité de cette bière est qu'elle est présentée comme un complément de l'aquavit, eau-de-vie consommée en grandes quantités par les Norvégiens lors du Julebord (point de départ des fêtes de Noël). Elle peut cependant être consommée seule, par exemple en apéritif.

La Hansa Juleøl présente une robe brun clair et offre un arôme sec et bien défini. Elle est légèrement maltée au palais, et son caractère houblonné tend à persister en arrière-goût. D'autres brasseries norvégiennes produisent une Juleøl, et celle de la brasserie Aass est réputée. Le Gulatingslov, code de lois norvégien écrit au VIIIe siècle, comporte un chapitre sur le brassage de la bière pour les célébrations du solstice d'hiver. Durant les Xe et XIe siècles, tout fermier norvégien qui refusait de consacrer une partie de sa récolte à la confection de bière pouvait voir ses terres confisquées par l'Église.

CARACTÉRISTIQUES

Brasserie : Hansa Bryggeri
Situation : Bergen
Type : lager
Robe : brun-jaune
Teneur en alcool : 4,7 % vol.
Température de service :
6-7 °C
Accompagnement : viandes
froides, poissons

Hansa Premium

La Premium est une bière à robe brun or qui brille par son arôme. En bouche, elle est légèrement maltée et laisse paraître distinctement le houblon. La texture est agréable, le col blanc élégant et durable.

La saveur comporte des notes de froment, ce qui est plutôt inhabituel pour une bière de ce type. Dans l'ensemble, c'est une agréable et désaltérante lager d'été. La brasserie Hansa fut acquise en 1989 par le groupe suédois Procordia. Six années plus tard, elle fut reprise par un groupe d'investisseurs norvégiens puis adjointe au groupe Borg pour former la Hansa Borg Bryggerier, première des brasseries norvégiennes indépendantes.

CARACTÉRISTIQUES

Brasserie : Hansa Bryggeri

Situation : Bergen

Type : lager

Robe : brun or clair

Teneur en alcool : 4,5 % vol.

Température de service :
6-7 °C

Accompagnement : viandes
froides, poisson

Mack's Bok-Øl

La plus riche des bières Mack présente une robe légèrement trouble surmontée d'un col brun clair. Son arôme malté peu marqué révèle des accents de caramel.

Elle tend à être sucrée au palais – peut-être un peu trop pour les buveurs exigeants –, mais laisse graduellement paraître des notes de pain et de fruits élégamment associées et persistantes en arrière-goût. Pour certains, cette bock sombre présente un agréable caractère fumé. Il est préférable de la boire en larges rasades plutôt qu'à petites gorgées. De cette façon, la saveur s'exprime entièrement sur le palais sans jamais prendre un caractère écœurant.

CARACTÉRISTIQUES

Brasserie : Mack's Ølbryggeri

Situation : Tromsø

Type : bock

Robe : brun foncé

Teneur en alcool : 6,5 % vol.

Température de service :
6-8 °C

Accompagnement : mets en
sauce, desserts, chèvre chaud

Terrasse de café dans le quartier de Stortorget, à Stockholm. En Suède, l'industrie de la bière a connu un nouvel essor après une longue période de vaches maigres. Aujourd'hui, elle produit une grande variété de bières, parmi lesquelles pilsners désaltérantes et riches et sombres porters.

Suède

Du Moyen Âge à la fin du XVIIᵉ siècle, la bière fut la boisson nationale suédoise, mais elle perdit ensuite cette place au profit des alcools forts. Au XIXᵉ siècle, les brasseries suédoises tirèrent de grands profits de la distillerie et se soucièrent peu de développer la production de bière.

De façon peu surprenante, l'industrie de la bière suédoise connut son plus fort déclin pendant la seconde moitié du XIXᵉ siècle. Avant cette époque, la production était encore d'une grande diversité et déclinée selon trois types, tous fruits d'une fermentation haute. L'élan qui permit à la bière suédoise de retrouver sa noblesse vint de l'étranger. Les porters anglaises furent importées en Suède dès le début du XVIIIᵉ siècle et, en 1791, le Britannique William Knox établit, à Göteborg, la première unité suédoise de production de porter.

Au XIXᵉ siècle, le développement le plus important fut la création de bières de fermentation basse par Fredrik Rosenquist à Åkershult. Après avoir séjourné dans plusieurs régions d'Allemagne afin d'y étudier les techniques locales, ce brasseur suédois entreprit d'établir sa propre entreprise. En 1843, il loua une petite brasserie sur l'île de Södermalm, à Stockholm, et y fabriqua la première lager suédoise dans un style munichois.

D'autres brasseurs locaux emboîtèrent le pas de ce précurseur, et cette production donna bientôt naissance à une lager spécifique, plus claire de robe que le modèle allemand et d'une teneur en alcool voisine de 5,5 % alc./vol. Nombre de brasseries suédoises continuent de produire aujourd'hui une bayerskt se rapprochant de ce style. Durant la seconde moitié du XIXᵉ siècle, lager et porter furent les deux principaux types de bière bus par les Suédois.

Le type pilsner fut introduit dans les années 1870. Dans un premier temps, la forte amertume déconcerta les consommateurs, mais cette résistance initiale s'estompa rapidement. Bientôt, d'autres brasseries de Stockholm, puis du reste de la Suède, commencèrent la production de pilsners et, à la fin de la Première Guerre mondiale, ce style était devenu dominant.

De même qu'en Norvège, le lobby antialcoolique exerce ici une grande influence, au point qu'une réglementation récente interdit la production de bières d'une teneur en alcool supérieure à 5,6 % alc./vol.

Ci-dessus

Les bières de la micro-brasserie Jämtlands ont remporté de nombreux prix et trophées. En Suède, l'industrie de la bière prospère en dépit de réglementations très strictes.

STATISTIQUES

Production annuelle : 3 788 000 hectolitres
Consommation par an et par habitant : 51,5 litres
Principales brasseries : Carlsberg Sverige, Jämtlands, Slottskällans, Spendrups
Bières réputées : Jämtlands Hell, Slottskällans Kloster, Spendrups Old Gold

Carnegie Porter

David Carnegie appartenait à une famille d'immigrants écossais qui établit un négoce prospère à Göteborg. En 1836, il créa la recette de la Carnegie Porter, bière suédoise parmi les plus réputées, puis ouvrit un peu plus tard la première brasserie industrielle de Suède.

L'étiquette de la Carnegie Porter n'a pas été modifiée depuis cette lointaine époque. Cette bière de fermentation haute affiche une robe noire et une teneur en alcool de 5,5 % alc./vol. Au palais, elle offre des notes de malt grillé et de chocolat alliées à une nette amertume de houblon. Il existe malgré tout une impression sucrée. La riche texture s'associe de façon agréable au mélange complexe de saveurs. La Carnegie Porter est une bière de garde : elle se bonifie en vieillissant.

CARACTÉRISTIQUES

Brasserie : Carlsberg Sverige
Situation : Falkenberg
Type : porter
Robe : noire
Teneur en alcool : 5,5 % vol.
Température de service : 5 °C
Accompagnement : fromages et pain de campagne, huîtres

Falcon Bayerskt

La Falcon Bayerskt est une bière légère brassée dans le style des lagers viennoises. Sa robe brun ambré est surmontée d'un col blanc épais et compact. À la mise en verre, elle délivre un arôme légèrement acide où pointent des notes de foin, de caramel et de houblon.

De même que les autres bières légères, elle pèche par sa texture. La saveur plutôt agréable inclut des accents de caramel, de malt grillé et de pain de seigle. Il existe une légère amertume en arrière-goût, mâtinée de notes d'épices. Cette bayerskt est idéale pour accompagner des poissons grillés, mais elle peut être dégustée avec la plupart des mets, y compris les desserts. De fait, il s'agit d'une lager de consommation courante plutôt que d'une bière pour connaisseurs.

CARACTÉRISTIQUES

Brasserie : Carlsberg Sverige
Situation : Falkenberg
Type : lager
Robe : brun ambré
Teneur en alcool : 2,8 % vol.
Température de service : 6 °C
Accompagnement : fruits de mer, pain noir

Jämtlands Heaven

À la mise en verre, la robe est presque noire, surmontée d'un col brun peu épais. La saveur à la fois sèche et amère, dépourvue de notes sucrées, exprime la force du houblon. Celui-ci est également présent en arôme, associé à des notes de caramel et de malt grillé.

La Heaven est proposée en bouteille ou à la pression, et elle présente, dans cette dernière version, une robe plutôt rubis foncé que noire. La micro-brasserie Jämtlands est située à Pilgrimstad, à proximité d'Östersund, dans le centre-nord de la Suède.

CARACTÉRISTIQUES

Brasserie : Jämtlands Bryggeri
Situation : Pilgrimstad
Type : schwarzbier
Robe : noire
Teneur en alcool : 5 % vol.
Température de service : 10 °C
Accompagnement : viandes froides

Jämtlands Hell

Un col peu épais surmonte l'élégante robe brun or. Des notes fruitées et maltées sont incluses dans l'arôme, où percent également la levure et le houblon, lequel induit, au palais, une amertume prédominante. L'ensemble donne une lager agréable et bien équilibrée.

La Jämtlands Bryggeri est l'une des plus petites brasseries suédoises. Elle fut établie en 1996 et a produit, ces dernières années, environ 350 000 litres de bière par an. En moins de dix ans, elle a également élargi sa gamme afin de satisfaire davantage de consommateurs. Les malts utilisés dans les processus de brassage sont de très haute qualité. Ils proviennent d'Angleterre et de Suède.

CARACTÉRISTIQUES

Brasserie : Jämtlands Bryggeri
Situation : Pilgrimstad
Type : lager
Robe : brun or
Teneur en alcool : 5,1 % vol.
Température de service : 6-8 °C
Accompagnement : produits de la mer

Jämtlands Oatmeal Porter

Cette porter très agréable accroche tout de suite l'œil par sa robe noir velours et son col crémeux. L'arôme riche et puissant délivre des accents de pain grillé, d'orange et de réglisse.

Au palais, le caractère fruité précède une agréable amertume et des notes boisées, pour un ensemble bien défini. Le fini est très sec avec un accent grillé durable. Cette bière d'avoine est classée parmi les porters, car elle est trop riche pour être définie comme une brown ale tout en n'égalant jamais la richesse caractéristique des stouts. Parmi les autres bières produites par la micro-brasserie Jämtlands figure la Pilgrim, excellente pale ale de style anglais.

CARACTÉRISTIQUES
Brasserie : Jämtlands Bryggeri
Situation : Pilgrimstad
Type : porter
Robe : noire
Teneur en alcool : 4,8 % vol.
Température de service : 5 °C
Accompagnement : fromages, pains complets et coquillages

Pripps Julöl

La robe est brun-rouge, le col peu épais, l'arôme légèrement épicé, mâtiné de notes fruitées. La saveur, qui évoque le caramel, les épices et le malt grillé, s'estompe en légère amertume en arrière-goût. Son nom l'indique, la Pripps Julöl est une bière de Noël. Elle est particulièrement délicieuse en conclusion d'un riche repas de fêtes.

La brasserie Pripps fait aujourd'hui partie du groupe Carlsberg. Elle naquit en 1828 lorsque le Suédois Johan Albrecht Pripp, après s'être formé au métier de brasseur en Allemagne, entreprit de reprendre une petite brasserie de Göteborg. Il lui donna son nom et la développa si bien qu'elle devint, près d'un siècle et demi plus tard, la première brasserie suédoise.

CARACTÉRISTIQUES
Brasserie : Pripps Bryggeri (Carlsberg)
Situation : Bromma
Type : viennoise
Robe : brun-rouge
Teneur en alcool : 5,6 % vol.
Température de service : 10 °C
Accompagnement : fruits secs, hors-d'œuvre épicés

Slottskällans Imperial Stout

Cette délicieuse stout présente, à la lumière, une brillante robe brun rubis que rehausse un col fauve élégant et durable. L'arôme délivre des accents de chocolat, de levure et de raisins.

L'accent chocolaté est également présent au palais, accompagné de notes complémentaires de réglisse, de poivre et de pomme. La texture est moyennement riche. Nombre des bières produites par cette micro-brasserie, dont cette imperial stout, ont remporté des trophées lors de festivals nationaux et internationaux.

CARACTÉRISTIQUES

Brasserie : Slottskällans Bryggeri

Situation : Uppsala

Type : stout

Robe : rubis foncé

Teneur en alcool : 9 % vol.

Température de service : 10 °C

Accompagnement : coquillages, pain complet, viandes en sauce

Slottskällans Kloster

La Slottskällans Kloster est considérée comme l'une des meilleures bières suédoises, à la fois pour sa saveur et sa complexité.

L'arôme est globalement fruité avec des notes d'épices, de malt brun, d'orange, de sucre caramélisé et de prune. Les mêmes nuances apparaissent au palais, bien portées par un caractère alcoolisé très perceptible. L'arrière-goût particulièrement riche réussit un parfait équilibre entre les accents de fruits et la légère amertume du houblon. À l'origine la Slottskällans Kloster était une bière de Noël, mais elle est aujourd'hui brassée toute l'année, sur le modèle des bières d'abbaye confectionnées autrefois par les moines trappistes belges et hollandais.

CARACTÉRISTIQUES

Brasserie : Slottskällans Bryggeri

Situation : Uppsala

Type : bière d'abbaye

Robe : brun cuivré foncé

Teneur en alcool : 9 % vol.

Température de service : 16 °C

Accompagnement : viandes rouges, gibiers, fromages (bleus)

Slottskällans Pale Ale

La Slottskällans Pale Ale est une bière de fermentation haute non pasteurisée à robe ambrée.

L'arôme complexe fait rivaliser la douceur du malt, le caractère épicé du houblon et les accents fruités de la levure anglaise. Les caractéristiques des ingrédients sont également perceptibles au palais : le malt apporte des notes de noix et de caramel, le houblon contribue par une amertume chargée d'épices et d'herbe coupée, la levure accentue la complexité générale par des pointes citriques. L'ensemble donne une saveur relativement ronde où prédomine, en arrière-goût, une agréable amertume. Ces contrastes bien maîtrisés font de cette pale ale une excellente bière de table.

CARACTÉRISTIQUES

Brasserie : Slottskällans Bryggeri
Situation : Uppsala
Type : pale ale
Robe : brun ambré
Teneur en alcool : 5 % vol.
Température de service : 14 °C
Accompagnement : ragoûts, gibiers en sauce et autres mets substantiels

Norrlands Guld Export

Le Norrland est la partie la plus septentrionale de la Suède. Avant le traçage de l'actuelle frontière suédo-finnoise, ce territoire s'étendait sur les deux pays.

Les habitants de cette région rurale sont réputés pour leur approche directe et décontractée de la vie, et cette image a été exploitée par la brasserie Spendrups pour promouvoir la Norrlands Guld en une série de spots télévisuels restés fameux en Suède. La bière est une lager facile à boire, riche d'une saveur maltée bien contrebalancée par une légère amertume de houblon. La Norrlands Guld Dynamit, version plus corsée, affiche une teneur en alcool de 7,2 % alc./vol.

CARACTÉRISTIQUES

Brasserie : Spendrups Bryggeri
Situation : Grangesberg, Sweden
Type : lager
Robe : brun or
Teneur en alcool : 5,3 % vol.
Température de service : 6-8 °C
Accompagnement : lapin ou poulet rôtis

Spendrups Old Gold

Lorsqu'elle fut introduite dans les années 1980, l'Old Gold était l'une des premières véritables pilsners brassées en Suède.

Cette bière pur malt offre un arôme floral peu marqué qui laisse place à une saveur agréable et bien équilibrée. Spendrups, deuxième brasserie suédoise, fut fondée en 1923 sous le nom de Grängesbergs Bryggeri au sein de la ville de Grängesberg, à 240 km au nord-est de Stockholm, mais elle occupe aujourd'hui des locaux dans la capitale suédoise. Au lendemain de la Deuxième Guerre mondiale, les propriétaires de la brasserie entreprirent de dynamiser l'entreprise afin de stimuler l'économie locale et de gommer les effets de la présence nazie.

CARACTÉRISTIQUES

Brasserie : Spendrups Bryggeri
Situation : Grangesberg, Suède
Type : pilsner
Robe : brun or foncé
Teneur en alcool : 5 % vol.
Température de service :
  6-8 °C
Accompagnement : poissons
  à chair blanche et coquillages

Mariestads Export

Cette pilsner à robe dorée présente un col très peu développé. La texture est riche, et l'arrière-goût agréablement houblonné suit, au palais, une saveur maltée plaisante et bien définie.

Spendrups Bryggeri détient environ 20 % du marché de la bière en Suède. Le groupe produit d'autres lagers sous la marque Mariestads, dont la Mariestads Extra Stark, d'une teneur en alcool de 7,2 % alc./vol., et la Mariestads Julebrygd, lager ambrée proposée au moment de Noël.

CARACTÉRISTIQUES

Brasserie : Spendrups Bryggeri
Situation : Mariestad
Type : pilsner
Robe : brun or

Teneur en alcool : 5,3 % vol.
Température de service : 6-7 °C
Accompagnement : poissons
  et volailles

Ces semi-remorques attendent leur chargement de bières Koff, les plus populaires de la brasserie finlandaise Sinebrychoff. Ensemble, les trois cents camions affrétés par la brasserie pour ses livraisons parcourent environ 60 000 km par jour.

Finlande

En Finlande, le brassage de bière est une activité ancestrale, mais le style finlandais traditionnel qui a donné naissance à la sahti n'a presque plus cours aujourd'hui. Il n'existe pas d'équivalent de cette bière dans le reste du monde, même si l'île suédoise de Gotland et l'île estonienne de Saaremaa possèdent des versions locales, respectivement appelées gotlandsricka et koduölu. En Finlande, l'émergence des micro-brasseries est récente et leur développement peu rapide. L'une des plus représentatives est la micro-brasserie Palvasalmi, dans le centre du pays.

DE MÊME QUE SON HOMOLOGUE islandaise, l'industrie de la bière finlandaise a connu, au cours de son histoire, une période de prohibition – entre 1919 et 1932. Deux grandes brasseries dominent aujourd'hui le marché intérieur : Hartwall, qui en détient environ 50 %, et Sinebrychoff. La brasserie Hartwall a connu un grand succès avec la Lapin Kulta, originaire du Lapland, et plus particulièrement avec la Lapin Kulta Talviolut IVB, lager ambrée proposée de novembre à janvier. Elle présente une belle robe brun cuivré et offre une saveur ronde et légèrement sucrée qui convient bien à l'accompagnement de viandes et de poissons en sauce.

L'histoire de la brasserie Sinebrychoff est étonnante : le 13 octobre 1819, un comité de reconstruction impérial fut chargé de créer une nouvelle capitale pour le Grand-Duché de Finlande, nouvellement rattaché à la Russie tsariste. Dans ce cadre, cette institution attribua au marchand Nikolai Sinebrychoff une parcelle de terrain vierge dans le quartier de Hietalahti à Helsinki, afin qu'il puisse y établir une brasserie apte à alimenter la nouvelle cité. La première action de Sinebrychoff consista à employer deux chevaux pour tirer, sur la mer gelée, depuis l'île de Suomenlinna, située à quelques kilomètres d'Helsinki, les éléments d'une bâtisse en bois et de reconstruire celle-ci sur la parcelle nouvellement attribuée, où elle se dresse toujours aujourd'hui.

L'année 1990 marqua un tournant pour l'industrie de la bière finlandaise, avec la création de la Perinteisen Oluen Seura, organisation visant à favoriser le développement de bières de caractère en Finlande.

STATISTIQUES

Production annuelle : 4 617 000 hectolitres
Consommation par an et par habitant : 84 litres
Principales brasseries : Hartwall, Sinebrychoff, Lammin
Bières réputées : Lapin Kulta, Koff, Lammin Sahti

Finlandia Sahti

La sahti est une bière brassée selon un style rustique, spécifique à la Finlande et né aux alentours du Xᵉ siècle. Le mot sahti est dérivé d'un terme de l'allemand ancien qui signifiait « jus d'orge ».

Gingembre et houblon figurent au nombre des ingrédients de cette bière proposée à la pression ou en bouteilles. L'arôme est puissant avec une présence marquée d'épices, plus particulièrement de clou de girofle. Au palais, le caractère épicé persiste et un caractère quelque peu sirupeux risque d'en dérouter certains. La robe est ambrée, surmontée d'un col crème peu marqué. L'une des curiosités de cette bière est qu'il est rare que deux goûteurs s'accordent sur sa saveur.

CARACTÉRISTIQUES
Brasserie : Finlandia Sahti Oy
Situation : Matku
Type : ale traditionnelle
Robe : brun ambré
Teneur en alcool : 8 % vol.
Température de service : 10 °C
Accompagnement : viandes rôties

Hollolan Hirvi Kivisahti

Le secret de la kivisahti, bière finnoise traditionnelle, réside dans l'ajout de pierres chaudes au moût durant la cuisson, ce qui confère au breuvage un arôme légèrement fumé. Elle est d'une belle teinte brun ambré

À la mise en verre, la robe voilée évoque celle d'un cidre. Elle est surmontée d'un col de teinte crème qui s'estompe en dentelle. L'arôme mêle de façon complexe des notes de banane, de clou de girofle, de viande fumée, de malt caramel et d'agrume. L'accent citrique est également présent au palais, accompagné de traces de pastèque et de caramel. La saveur globale, très agréable, conjugue douceur et âpreté. L'ensemble constitue une bière à la fois légère et désaltérante, qui a été accueillie avec enthousiasme par les connaisseurs.

CARACTÉRISTIQUES
Brasserie : Hollolan Hirvi
Situation : Hollola
Type : ale traditionnelle
Robe : brun ambré
Teneur en alcool : 6,5 % vol.
Température de service : 10 °C
Accompagnement : rôti de bœuf ou de veau

Lapin Kulta

La Lapin Kulta est une lager corsée et onctueuse, riche d'une agréable saveur maltée.

En finnois, son nom signifie « or de Laponie » et fait référence aux origines de la brasserie, qui fut fondée en 1873 dans la ville de Tornio, à proximité de la frontière suédoise, avec pour objectif d'étancher la soif de plusieurs centaines de prospecteurs venus s'établir dans la région. La décision bénéficia aux deux partis : les prospecteurs mirent au jour 130 kg d'or et la brasserie continua de prospérer en dépit de la Prohibition. À partir des années 1960, en vertu d'un accord passé avec Hartwall, les bières Lapin Kulta furent distribuées sur tout le territoire finlandais ainsi qu'à l'étranger. Dans la gamme de la brasserie figure également la Lapin Kulta Talviolut, bière d'hiver proposée de novembre à janvier.

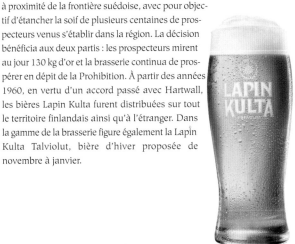

CARACTÉRISTIQUES

Brasserie : Hartwall (S&N)

Situation : Tornio, Laponie finnoise

Type : lager

Robe : jaune d'or

Teneur en alcool : 7 % vol.

Température de service : 6-7 °C

Accompagnement : steaks de thon au poivre

Hartwall Porter

Cette porter traditionnelle affiche une robe noire presque opaque et un col ambré écumeux. Il y a de l'âpreté dans sa saveur, qui offre un caractère malté affirmé. La texture est moyennement riche mais agréable. Cette bière est nettement meilleure que la Talvi Porter, également produite par la brasserie Hartwall (S&N).

Les origines de la brasserie Hartwall remontent à 1836, année où Victor Hartwall eut l'idée d'établir une unité d'embouteillage pour les eaux minérales locales. Après avoir absorbé plusieurs petites brasseries depuis sa création, Hartwall a été acquis en 2002 par le groupe Scottish & Newcastle.

CARACTÉRISTIQUES

Brasserie : Hartwall (S&N)

Situation : Tornio, Laponie finnoise

Type : porter

Robe : noire

Teneur en alcool : 4,5 % vol.

Température de service : 12 °C

Accompagnement : viandes froides, pain et fromage

Lammin Sahti

Les sahti finnoises sont des bières très originales. Elles forment l'un des rares styles de bière demeurés inchangés depuis leurs origines.

Cette bière née au début du XVe siècle est essentiellement produite dans les environs d'Helsinki à l'aide d'équipements traditionnels spécifiques, tels que cuves ouvertes en bois et filtres composés de rameaux de genévrier. Le genièvre constitue le principal conservateur et agit également comme agent stabilisateur. L'arôme est rehaussé par une quantité minime de houblon. La Lammin Sahti est une bière pur malt proposée en plusieurs saveurs. La levure anglaise utilisée produit des phénols et des esters similaires à ceux générés par les levures des bières de blé bavaroises.

CARACTÉRISTIQUES

Brasserie : Lammin Sahti Oy
Situation : Lammin
Type : ale traditionnelle
Robe : brune
Teneur en alcool : 7,5 % vol.
Température de service : 20 °C
Accompagnement : viandes
rôties

Lammin Kataja Olut

Pekka Kääriäinen, à qui l'on doit la renaissance du style sahti dans les années 1990, a créé cette variante de la Lammin Sahti en remplaçant la levure utilisée par une levure d'ale ordinaire.

En outre, la Kataja Olut est soumise à une ébullition de soixante minutes durant la fabrication. Ces modifications avaient pour objectif de créer une bière supportant un stockage supérieur à douze mois. La Kataja Olut présente une robe brun orangé, et sa texture est riche et plaisante. Les notes de pêche, d'agrume et de citron perceptibles au palais font place, en arrière-goût, à une pointe d'amande. La Lammin Kataja Olut est également appelée Lammin Puhti Olut.

CARACTÉRISTIQUES

Brasserie : Lammin Sahti Oy
Situation : Lammin
Type : ale au genièvre
Robe : brun orangé foncé
Teneur en alcool : 5 % vol.
Température de service : 10 °C
Accompagnement : tartes
aux fruits

Karhu

La Karhu est une lager de riche texture et d'une teneur en alcool relativement élevée. Elle est plus sombre que d'autres bières comparables et affiche plus de sécheresse dans sa saveur, ce qui la rend très désaltérante.

La robe est élégante, mais le col peu marqué nuit un peu à l'apparence. En bouche, la douceur maltée est bien contrebalancée par le houblon. *Karhu* signifie « ours » en finnois, et cet animal figure sur le blason de la ville de Pori, où est produite cette bière. La brasserie la plus ancienne de Scandinavie, qui est encore établie sur son lieu d'origine, fut fondée à Pori au début du XIXᵉ siècle, au moment de l'émergence des premières lagers en Finlande. Elle prit le nom de Porin Oluttehdas en 1928 et fut acquise par la brasserie Sinebrychoff en 1972.

CARACTÉRISTIQUES

Brasserie : Sinebrychoff
Situation : Pori
Type : lager
Robe : brun or foncé
Teneur en alcool : 4,6 % vol.
Température de service : 5 °C
Accompagnement : poissons, fromages, pains complets

Koff Porter

Selon la publicité vantant la marque, goûter une bière Koff en bouteille revient à découvrir près de deux siècles de tradition et de savoir-faire. La robe d'une belle teinte jaune d'or, le col riche et bien formé et l'arrière-goût unique ont contribué à faire de la Koff une lager de renommée internationale maintes fois primée.

La brasserie Sinebrychoff produit également la Koff Porter, bière brune très populaire à la robe noire opaque et au col brun épais. Le caractère malté est très présent en arôme, complété par des accents rôtis. La texture est très riche et peu gazéifiée. Au palais, le sucré se fait jour immédiatement, bientôt suivi par l'amertume du houblon. L'arrière-goût prolongé délivre un soupçon d'oxydation. Certains critiques estiment que la Koff Porter est meilleure que la Guinness, ce qui ne manquera pas de surprendre d'autres connaisseurs.

CARACTÉRISTIQUES

Brasserie : Sinebrychoff
Situation : Kerava
Type : porter
Robe : jaune d'or
Teneur en alcool : 7,2 % vol.
Température de service : 10 °C
Accompagnement : saumon fumé, harengs saurs

La brasserie Carlsberg, établie à Copenhague depuis 1847, est aujourd'hui la septième brasserie du monde en termes de production. D'imposantes bouilloires en cuivre sont utilisées pour cuire le moût à une température constante durant la fabrication. Ici, un technicien surveille les progrès d'une nouvelle cuvée de la fameuse lager danoise.

Danemark

Au Danemark, l'industrie de la bière est assimilée au groupe international Carlsberg, qui compte parmi les plus grands producteurs de bière mondiaux à travers plusieurs marques réputées. Cependant, les quelque 450 micro-brasseries danoises, dont un grand nombre spécialistes des techniques traditionnelles, produisent ensemble plus de 2 000 bières différentes.

L'INDUSTRIE DANOISE de la bière est dominée par Carlsberg, entreprise dont l'origine remonte à 1847. Cette année-là, après avoir étudié durant plusieurs années les processus de fabrication au sein de la brasserie Spaten, en Bavière, le Danois Jacob Christian Jacobsen établit une brasserie à l'extérieur de Copenhague. À cette époque, alors que les bières de fermentation haute commençaient à subir la concurrence des lagers, Carlsberg devint la première brasserie à commercialiser une bière de fermentation basse en Europe du Nord.

Carl Jacobsen, fils du précédent, embrassa également la carrière de brasseur. Père et fils s'accordaient peu sur les techniques de fabrication, au point qu'il exista, pendant quelque temps, une brasserie Ny Carlsberg (nouvelle Carlsberg) et une brasserie Gamle Carlsberg (ancienne Carlsberg). La querelle familiale cessa peu avant la mort de Jacob Jacobsen, et les deux entreprises unirent leurs forces. Aujourd'hui, le groupe produit les lagers de marques Carlsberg et Tuborg, extrêmement populaires, de même que diverses autres bières de fermentation basse, dont la réputée Special Brew.

À l'instar d'autres pays, le déclin du brassage traditionnel et l'émergence de nombreuses micro-brasseries ont bouleversé le paysage économique dans ce secteur de l'activité danoise. Estimant que le Bryggeriforeningen, organisme régisseur de cette activité, privilégiait par trop les intérêts de Carlsberg et de Bryggerigruppen, les brasseurs indépendants créèrent en 2003 la Danske Bryghuse, organisation mieux à même de défendre leurs intérêts.

CI-DESSUS

Sur cette photo prise en juillet 1952, les employés de l'entreprise Carlsberg et du parc d'attractions Tivoli, à Copenhague, étanchent leur soif.

STATISTIQUES

Production annuelle : 8 351 000 hectolitres
Consommation par an et par habitant : 99 litres
Principales brasseries : Carlsberg, Ceres, Faxe Bryggeri, Giraf Brewery Ltd, Harboe, Tuborg
Bières réputées : Bjørne Beer, Carlsberg Elephant, Carlsberg Export, Ceres Red Erik, Ceres Royal Export, Faxe Premium, Giraf Classic, Tuborg Premium

Giraf Classic

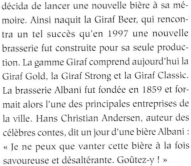

En 1962, les habitants de la ville danoise d'Odense apprirent avec tristesse que la girafe Kalle, résidente du zoo local, avait été retrouvée morte dans son enclos.

Ayant utilisé l'image de Kalle dans ses publicités, la brasserie Albani décida de lancer une nouvelle bière à sa mémoire. Ainsi naquit la Giraf Beer, qui rencontra un tel succès qu'en 1997 une nouvelle brasserie fut construite pour sa seule production. La gamme Giraf comprend aujourd'hui la Giraf Gold, la Giraf Strong et la Giraf Classic. La brasserie Albani fut fondée en 1859 et formait alors l'une des principales entreprises de la ville. Hans Christian Andersen, auteur des célèbres contes, dit un jour d'une bière Albani : « Je ne peux que vanter cette bière à la fois savoureuse et désaltérante. Goûtez-y ! »

CARACTÉRISTIQUES

Brasserie : Giraf Ltd.

Situation : Odense

Type : lager

Robe : jaune pâle

Teneur en alcool : 4,6 % vol.

Température de service :
  7-8 °C

Accompagnement : volailles et
  fromages moyennement forts

Albani H.C. Andersen

Cette bock richement alcoolisée présente une belle robe dorée et un épais col blanc. Son arôme fruité s'accompagne d'une saveur légèrement sucrée où pointent des accents d'eau-de-vie et de malt.

Au nez, des notes d'herbe coupée et de jus de pomme sont perceptibles, et la teneur alcoolique se fait sentir de façon marquée en arrière-goût. La brasserie Albani produit cette bière dans ses installations de Fionie, où réside la plupart de ses consommateurs réguliers. En 2000, l'entreprise fondée en 1859 fut acquise par Bryggerigruppen (Royal Unibrew). Cette bière tient son nom du fameux auteur de contes danois Hans Christian Andersen, héros de la ville d'Odense et grand amateur, en son temps, des bières Albani.

CARACTÉRISTIQUES

Brasserie : Albani Bryggerierne

Situation : Odense

Type : bock

Robe : brun doré

Teneur en alcool : 9 % vol.

Température de service : 9 °C

Accompagnement : tarte aux
  pommes et autres desserts
  aux fruits

Brøckhouse India Pale Ale

La Brøckhouse India Pale Ale est une bière de fermentation haute fortement houblonnée, brassée à partir de malts danois pilsner, caramel et Munich. Le caractère malté répond de façon très juste aux notes de houblon.

Cette ale brassée à partir de trois types de houblon offre une saveur très complexe, ainsi qu'une belle robe bronze surmontée d'un épais col blanc. L'arôme riche d'accents d'herbe coupée et de pamplemousse s'accompagne d'une saveur florale où l'amertume est présente mais non prépondérante. Brøckhouse est une micro-brasserie danoise dont les bières ont acquis une solide réputation d'excellence.

CARACTÉRISTIQUES

Brasserie : Brøckhouse
Situation : Hillerød
Type : India Pale Ale (IPA)
Robe : bronze
Teneur en alcool : 5,5 % vol.
Température de service : 12 °C
Accompagnement : viandes
rouges grillées, côtes
d'agneau

Brøckhouse Juleol

Une robe brun foncé et un col bronze persistant caractérisent cette bière de saison à l'arôme malté teinté de chocolat noir. Des notes d'épices, de caramel, de sucre brun et de cerise sont également présentes.

La saveur est riche et maltée avec des accents très nets d'épices et de chocolat noir. Le caractère houblonné induit une note acidulée sous-jacente qui contrebalance agréablement, en arrière-goût, la douceur du malt. La Brøckhouse Juleol est une excellente bière, sans aucun doute l'une des meilleurs ales de saison parmi celles produites dans le monde entier.

CARACTÉRISTIQUES

Brasserie : Brøckhouse
Situation : Hillerød
Type : ale forte de style belge
Robe : brun foncé
Teneur en alcool : 8,3 % vol.
Température de service : 12 °C
Accompagnement : volailles
de Noël et autres délices
de fin d'année

Carlsberg Elephant

L'éléphant est le symbole de l'entreprise Carlsberg, plus grande brasserie danoise, fondée en 1847 par Jacob Christian Jacobsen.

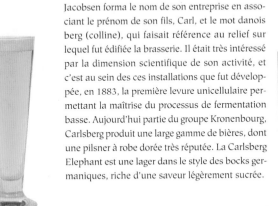

Jacobsen forma le nom de son entreprise en associant le prénom de son fils, Carl, et le mot danois berg (colline), qui faisait référence au relief sur lequel fut édifiée la brasserie. Il était très intéressé par la dimension scientifique de son activité, et c'est au sein des ces installations que fut développée, en 1883, la première levure unicellulaire permettant la maîtrise du processus de fermentation basse. Aujourd'hui partie du groupe Kronenbourg, Carlsberg produit une large gamme de bières, dont une pilsner à robe dorée très réputée. La Carlsberg Elephant est une lager dans le style des bocks germaniques, riche d'une saveur légèrement sucrée.

CARACTÉRISTIQUES

Brasserie : Carlsberg
Situation : Copenhague
Type : lager
Robe : jaune doré brillant
Teneur en alcool : 7,2 % vol.
Température de service :
  8-10 °C
Accompagnement : poissons
  frits

Ceres Red Erik

L'entreprise Ceres, qui commença sa production en 1856, fut l'une des nombreuses brasseries danoises fondées au XIXᵉ siècle.

Elle fut créée par M.C. Lottrup, bouilleur de cru local, qui la nomma Cérès en hommage à la déesse des moissons de l'Antiquité romaine. La Ceres Red Erik tient son nom d'Erik le Rouge, célèbre explorateur norvégien qui découvrit le Groenland et y établit une colonie dont l'une des activités fut, dit-on, le brassage de bière. Elle doit sa couleur très caractéristique à l'ajout, durant sa fabrication, de divers jus de fruits, lesquels contribuent également à sa saveur légèrement sucrée et à son caractère désaltérant.

CARACTÉRISTIQUES

Brasserie : Ceres
Situation : Aarhus, Jütland
Type : bière aux fruits
Robe : rubis
Teneur en alcool : 6,5 % vol.
Température de service :
  7-8 °C
Accompagnement : desserts
  aux fruits

Ceres Royal Export

La Royal Export fut lancée en 1985 et obtint rapidement le titre de bière danoise de l'année. Elle figure aujourd'hui parmi les bières les plus vendues au Danemark.

Elle est brassée à partir de malts d'orge et de maïs, ce qui lui confère une très belle définition en bouche. Sa saveur est dominée par le caractère malté que tempère agréablement l'amertume du houblon. La Royal Export Classic est une version plus fortement alcoolisée, de robe brun clair, brassée à partir de malts torréfiés pilsner et Munich. Elle offre une saveur plus riche et mieux définie.

CARACTÉRISTIQUES

Brasserie : Ceres
Situation : Aarhus, Jütland
Type : pilsner
Robe : jaune doré clair

Teneur en alcool : 5,8 % vol.
Température de service : 8 °C
Accompagnement : pâtes
à la sauce tomate

Neptun Mørkt Hvidtøl

La robe brun foncé de cette bière faiblement alcoolisée prend des accents rougeoyants lorsque le verre est tenu à la lumière. Le col est beige, crémeux et peu épais.

L'arôme évoque certains médicaments contre la toux, mais il n'est pas désagréable et inclut des notes de zeste d'orange. La saveur très sucrée – trop, sans doute, pour certains – laisse paraître un caractère caramélisé, tandis que la présence de sucre brun se fait sentir en arrière-goût. Malgré son coté sirupeux, cette bière est nettement meilleure que la plupart des bières légères. Il est préférable de la boire à la même température qu'une lager.

CARACTÉRISTIQUES

Brasserie : Saltum-Neptun
Bryggerier
Situation : Saltum
Type : bière faiblement
alcoolisée
Robe : brun foncé
Teneur en alcool : 1,7 % vol.
Température de service : 8 °C
Accompagnement : mets variés

Faxe Premium

La brasserie Faxe fait aujourd'hui partie du groupe Royal Unibrew, et la plupart des bières produites par l'entreprise sont exportées. Elle vit le jour en 1901, dans l'arrière-cuisine d'une modeste maison de Faxe, à l'instigation de Nikoline et Conrad Nielsen.

La brasserie établit rapidement sa réputation par la production de bières de qualité et, après la mort de Conrad en 1914, Nikoline poursuivit seule l'activité. En 1928, l'entreprise, qui fournissait alors en bières et en sodas la ville de Copenhague et les îles danoises de Sealand, Lolland et Falster, prit le nom de Faxe Bryggeri. Durant les années 1930, le percement d'un puits de quatre-vingts mètres, encore utilisé aujourd'hui, permit de résoudre les problèmes d'alimentation en eau pour les opérations de brassage. En 1960, Bent Bryde-Nielsen, petite-fille de Nikoline, prit la tête de l'entreprise et en fit, en quelques années, l'une des plus grandes brasseries danoises, développant l'exportation vers l'Allemagne et la Suède. À l'extérieur du Danemark, Faxe est surtout réputée pour sa Faxe Premium, lager légère et savoureuse. Faxe produit d'autres bières sur le marché national, dont la Faxe 1901 Classic, riche et onctueuse lager lancée en 2001 à l'occasion du centenaire de l'entreprise.

CARACTÉRISTIQUES

Brasserie : Faxe Bryggeri
Situation : Faxe, Sealand
Type : lager
Robe : jaune doré
Teneur en alcool : 5,5 % vol.
Température de service :
  8-10 °C
Accompagnement : pâtes
  en sauce

Bjørne Beer

Dans les pays anglo-saxons, la Bjørne Beer, dont l'étiquette porte l'effigie d'un ours polaire, est souvent appelée Bear Beer (bière de l'ours).

Son agréable arôme, où se mêlent des notes de malt et d'herbe coupée, s'accompagne, au palais, d'une plaisante amertume de houblon. Cette bière lancée en 1974 fut ainsi nommée en référence à sa forte teneur en alcool, mais aujourd'hui l'appellation s'applique à plusieurs bières de teneurs alcooliques plus ou moins élevées, chacune porteuse d'une étiquette de couleur distincte (noire pour la plus forte). Elles sont produites par la brasserie Harboe, établie depuis 1883 à Skælskør. La Bjørne Beer décrite ici est l'une des bières Harboe les plus fortes, dépassée seulement par l'Årgangsbryg, à la teneur en alcool de 10 % alc./vol. Harboe produit également une bière allégée, d'une teneur en alcool de 1,9 % alc./vol.

CARACTÉRISTIQUES

Brasserie : Harboe

Situation : Skaelskør, Sealand

Type : lager

Robe : brun doré foncé

Teneur en alcool : 8,3 % vol.

Température de service : 8-10 °C

Accompagnement : pizzas et pâtes épicées

Thisted Thy Classic

Il s'agit d'une bière relativement récente créée par la brasserie Thisted, située dans la ville éponyme du nord-ouest du Jütland. Sa robe est ambrée et le col laisse, en s'estompant, un bel effet de dentelle.

Sa texture riche et onctueuse est induite par un brassage à partir de quatre malts distincts. De même que les autres bières Thisted, elle offre une amertume particulière et persistante. La brasserie fournit essentiellement une clientèle locale, mais elle a récemment élargi son cercle de diffusion par la production de bières en bouteilles telles que la Thy Classic. Les meilleures bières Thisted sont des stouts de style britannique.

CARACTÉRISTIQUES
Brasserie : Thisted Bryghus
Situation : Thisted
Type : lager
Robe : brun ambré foncé
Teneur en alcool : 4,6 % vol.
Température de service : 8 °C
Accompagnement : salades, produits de la mer, pains et fromages

Grøn Tuborg

La Grøn Tuborg, parmi les bières les plus vendues en Europe, présente une robe jaune pâle et un col crémeux, hélas trop fugace. Son caractère pétillant s'affiche agréablement dans le verre. L'arôme évoque le maïs et la levure et demeure agréable si la bière est servie fraîche. En saveur, l'alcool prend parfois le dessus.

La Grøn Tuborg fut la première pilsner produite sur le territoire danois. Elle est commercialisée en bouteilles ou en boîtes, mais la version embouteillée préserve plus fidèlement les atouts de ce produit. Les avis sur sa saveur diffèrent, mais tout le monde s'accorde à trouver cette bière très désaltérante, ce qui la rend idéale à consommer pendant les chaudes journées d'été.

CARACTÉRISTIQUES
Brasserie : Tuborg
Situation : Copenhague
Type : pilsner
Robe : jaune pâle
Teneur en alcool : 4,6 % vol.
Température de service : 6-8 °C
Accompagnement : poissons, volailles, en-cas apéritifs

Tuborg Guld

Carlsberg est la marque de bière danoise la plus connue dans le monde mais, sur le territoire danois, elle est devancée en ventes et en notoriété par Tuborg. De fait, les deux brasseries ont uni leurs forces en 1970, même si elles demeurent aujourd'hui indépendantes, tant pour la fabrication que pour la commercialisation. Tuborg fut établie, en 1875, au nord de Copenhague, à proximité du port. Les premières bières de l'entreprise, dont la Tuborg Rod (rouge) étaient des lagers de style munichois.

En 1880, Tuborg devint la première brasserie danoise à produire une pilsner. Elle fut baptisée Grøn, en référence à la couleur de son étiquette, et demeure aujourd'hui la bière Tuborg la plus vendue dans le monde. La Tuborg Guld (or), premium lager de la marque, offre un caractère houblonné plus net, tant au nez qu'au palais. Tuborg n'a pas seulement marqué le Danemark par ses bières. En 1888, l'entreprise édifia dans le fameux parc de Tivoli, à l'occasion d'une foire industrielle, une bouteille de vingt-huit mètres de hauteur renfermant le premier ascenseur hydraulique de la ville. Le monument s'élève aujourd'hui à Hellerup, dans la banlieue de Copenhague.

CARACTÉRISTIQUES

Brasserie : Tuborg

Situation : Copenhague

Type : pilsner

Robe : jaune doré

Teneur en alcool : 5 % vol.

Température de service :
8-10 °C

Accompagnement : à servir
en apéritif

L'Irlande est réputée pour ses pubs traditionnels, mais cette image pourrait masquer le fait que ce pays est aussi l'un des plus grands producteurs mondiaux de bière, notamment à travers la marque Guinness. Environ trois millions de litres de bière sont produits chaque année en Irlande, dont un million destiné à l'exportation, et les ales et porters irlandaises ne cessent de gagner en réputation dans le monde entier.

Irlande

Pour nombre d'observateurs étrangers, la bière irlandaise est synonyme de stout et porte la plupart du temps le nom du célèbre brasseur de Dublin Arthur Guinness. De fait, la fabrication de bière apparut en Irlande dès le Ve siècle, lorsque saint Patrick revint sur le territoire, accompagné, dit-on, de son brasseur personnel.

COMME DANS D'AUTRES PAYS D'EUROPE, la tradition du brassage fut établie, en Irlande, par les moines, même s'il existait déjà une consommation locale de liqueur d'orge, avant l'émergence des monastères. Malgré tout, Guinness demeure le principal nom de la bière irlandaise. L'entreprise fut établie en 1759 et se consacra d'abord au brassage d'ales ambrées traditionnelles. À cette époque cependant, la porter anglaise était importée en Irlande en grandes quantités, et bientôt Guinness produisit sa propre version du breuvage.

La première porter Guinness fut produite dans les installations de St James's Gate vers 1770, mais il fallut attendre 1799 pour que la brasserie se consacre exclusivement à la production de ce type de bière. En 1820, Arthur Guinness fils créa un nouveau style de porter auquel il donna le nom d'extra stout porter. Cette innovation connut un franc succès, de sorte que la Guinness Extra Stout fut bientôt exportée dans le monde entier. En 1936, une deuxième brasserie vit le jour à Londres afin de satisfaire la demande toujours croissante, puis en 1962, Guinness ouvrit au Nigeria sa première unité de brassage hors des îles Britanniques. Aujourd'hui, Guinness fait partie du groupe international Diageo et exploite de nombreuses brasseries à travers le monde.

La place de Guinness en Irlande ne doit pas être surestimée. La marque compte de sérieux rivaux, à l'exemple de Heineken Ireland, ainsi que quelques jeunes concurrents dynamiques, telle la Carlow Brewing Company, dont les bières ont peu à envier, en qualité, à celles du géant irlandais.

STATISTIQUES

Production annuelle : 8 023 000 hectolitres

Consommation par an et par habitant : 125 litres

Principales brasseries : Beamish & Crawford, Carlow Brewing Company, Guinness Ltd, Heinenken Ireland, Murphy Brewery, Smithwick's

Bières réputées : Beamish Irish Stout, Guinness Draught, Guinness Extra Stout, Harp Lager, Kilkenny Irish Ale, Murphy's Irish Red, O'Hara's Celtic Stout

Guinness Draught

Ces dernières années, Guinness a mythifié l'art de servir une pinte de bière à la pression. L'exercice est difficile, mais la patience est récompensée, et les méthodes modernes sont beaucoup plus simples que celles qui avaient cours en 1959 lors du lancement de la Guinness Draught.

À cette époque, deux fûts étaient utilisés, l'un contenant une stout incomplètement fermentée, l'autre une stout plus âgée. Le verre était d'abord rempli de stout jeune, puis complété, après rétraction du col de mousse, de stout du second fût. Lors du lancement de la Guinness Draught, les fûts traditionnels en bois furent remplacés par des fûts métalliques pressurisés à l'aide d'azote, et c'est ce procédé qui confère à la stout sa texture crémeuse et son généreux col. La bière est également pasteurisée afin d'assurer une parfaite conservation. En 1989, afin de recréer le plaisir d'une stout pression lors d'une consommation dans un cadre domestique, Guinness inventa un petit appareil en plastique capable de libérer une dose d'azote à l'intérieur d'une boîte lors de son ouverture. La Guinness Draught offre une saveur marquée de malt torréfié où percent une pointe d'amertume et des accents de caramel brûlé. Grâce à l'ingénieux dispositif d'ouverture, la texture est aussi riche que celle des stouts servies dans les pubs locaux.

CARACTÉRISTIQUES

Brasserie : Guinness Ltd

Situation : Dublin

Type : Irish stout

Robe : noir, col crémeux brun clair

Teneur en alcool : 5 % vol.

Température de service : 5 °C

Accompagnement : fromages, en particulier bleus et roqueforts

Guinness Extra Stout

De toutes les bières Guinness distribuées aujourd'hui, celle-ci est sans doute la plus proche de l'extra stout porter créée par Arthur Guinness en 1820.

L'extra stout fit la réputation de la compagnie, en même temps que celle associée à jamais à des slogans tels que « *Guinness is good for you* ». Elle offre une saveur agréable, légèrement boisée et non dépourvue d'amertume. Au Royaume-Uni, cette Irish stout est distribuée sous le nom de Guinness Original, tandis qu'aux États-Unis, le nom Guinness Extra Stout s'applique à une version export affichant une teneur en alcool de 8 % alc./vol.

CARACTÉRISTIQUES

Brasserie : Guinness Ltd
Situation : Dublin
Type : Irish stout
Robe : rubis très foncé, presque noire

Teneur en alcool : 4,3 % vol.
Température de service : 12 °C
Accompagnement : huîtres

Guinness Foreign Extra Stout

Depuis le début du XIXe siècle, Guinness produit une version fortifiée de sa fameuse stout pour les marchés d'Asie, d'Afrique et des Antilles.

De même que les India pale ales, brassées de manière à supporter le voyage jusqu'en Inde, la Foreign Extra Stout affiche des teneurs en alcool et en houblon plus élevées que la version distribuée sur le marché intérieur. Alcool et houblon ont fonction de conservateurs et produisent une bière d'une saveur beaucoup plus riche. Aujourd'hui, Guinness exploite de nombreuses brasseries à l'étranger, mais ce style est conservé en raison de son succès auprès des connaisseurs.

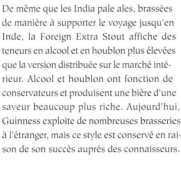

CARACTÉRISTIQUES

Brasserie : Guinness Ltd
Situation : Dublin
Type : Irish stout
Robe : noire
Teneur en alcool : 7,5 % vol.
Température de service : 18 °C
Accompagnement : saucisses et purée

Guinness Special Export

En 1912, un importateur bruxellois demanda à la brasserie Guinness de produire une version spécifique de sa fameuse stout pour le marché belge.

Il résulta de cette demande cette stout onctueuse à la teneur en alcool de 8 % alc./vol. Aujourd'hui, la Special Export est brassée dans les installations de St James's Gate avant d'être embouteillée puis expédiée en Belgique. Elle est plus complexe au palais que la plupart des stouts et offre une robe noire surmontée d'un épais col café au lait. Malts torréfiés et fruits rouges dominent l'arôme, et la saveur inclut des accents de raisins et de réglisse. L'arrière-goût est bien défini avec une amertume marquée.

CARACTÉRISTIQUES	
Brasserie : Guinness Ltd	**Teneur en alcool :** 8 % vol.
Situation : Dublin	**Température de service :** 18 ºC
Type : Irish stout	**Accompagnement :** viandes
Robe : noire	rôties

Kilkenny Irish Ale

Cette Irish red ale traditionnelle est brassée depuis 1985, pour l'exportation seulement, par Smithwick's – acquise par Guinness en 1965 – sur le site de l'abbaye Saint-Francis à Kilkenny.

L'arôme sucré à prédominance de malt laisse place à une saveur sèche et boisée, tandis que l'amertume du houblon est brève mais marquée en arrière-goût. Smithwick's est un nom ancien de l'industrie de la bière irlandaise. La brasserie produit des ales sur ce site depuis 1710, succédant en cela aux moines franciscains qui fondèrent l'abbaye au XIIIᵉ siècle.

CARACTÉRISTIQUES	
Brasserie : Smithwick's (Diageo)	**Teneur en alcool :** 5 % vol.
Situation : Kilkenny	**Température de service :** 9-10 ºC
Type : Irish red ale	**Accompagnement :** jambon cuit
Robe : brun ambré	et chou

Murphy's Irish Red

La Murphy's Irish Red est brassée selon une recette datant de 1856. Elle offre une belle robe cuivre surmontée d'un col de mousse ivoire. L'arôme est empreint de malts grillés.

Au palais, la légère et agréable gazéification rehausse une saveur sèche où s'équilibrent l'amertume du houblon et la douceur du malt. En arrière-goût, l'amertume prend le dessus, teintée par les accents citriques du houblon. La Murphy's Irish Stout, plus connue que l'Irish Red, est plus douce au palais que la Guinness Draught et la Beamish Stout, ses principales rivales, mais elle en partage la texture onctueuse, la robe noire et le col épais et crémeux qui caractérisent le style Irish stout.

La brasserie Murphy fut établie à Cork, dans le sud-ouest de l'Irlande, par James Murphy en 1856, soit trois ans avant la naissance de l'entreprise Guinness. Durant longtemps, elle a souffert des succès de la rivale de Dublin, au point qu'elle fut sauvée de la cessation d'activité en 1963 par le groupe Heineken, qui entreprit d'importants travaux de modernisation afin de rendre l'entreprise plus compétitive. Aujourd'hui, Heineken Ireland est la deuxième brasserie irlandaise et se trouve solidement installée sur le marché international.

CARACTÉRISTIQUES

Brasserie : Heineken Ireland
Situation : Cork
Type : Irish red ale
Robe : brun cuivré
Teneur en alcool : 5 % vol.
Température de service : 8 °C
Accompagnement : cochon de lait rôti

En Écosse, la production de bière a régulièrement augmenté ces dernières années. Les bières écossaises incluent des lagers telles que la Tennent's Lager de même que des ales originales, dont la Belhaven 80/- et l'Orkney Dragonhead Stout. Aujourd'hui, l'industrie de la bière écossaise parvient à établir sa propre réputation, à l'écart de celle des whiskys locaux, réputés dans le monde entier.

Écosse

Bien que moins peuplée que l'Angleterre, l'Écosse s'enorgueillit d'une tradition de brassage originale et tout aussi vivace que celle de la région voisine du sud. Certaines bières écossaises sont nommées d'après le shilling, monnaie du système impérial introduit au XIXᵉ siècle et basé, à cette époque, sur le prix d'un fût.

LE PRIX D'UNE BIÈRE croissant avec sa teneur en alcool, une ale 40 shillings (40/-) est une bière relativement légère, tandis qu'une ale 80 shillings (80/-) comptera parmi les plus alcoolisées. Les termes *light* (légère), *heavy* (moyennement forte) et *export* (forte) sont couramment utilisés pour qualifier le caractère des bières, et les barley wines les plus forts sont souvent appelés scotch ales.

En Écosse, la tradition de brassage a été en partie dictée par le climat. De même qu'en Angleterre, l'orge y est abondant, mais les conditions froides et humides, prédominantes sur la plus grande partie du territoire, rendent les variétés cultivées plus propices à la confection de whisky qu'à celle de bière. En outre, ces mêmes conditions climatiques interdisent la culture du houblon, de sorte que les Écossais ont toujours utilisé gingembre, poivre, épices ou herbes, à la place de cette plante vivace. L'avoine se complaît en Écosse, c'est pourquoi la farine d'avoine constitue, au même titre que l'orge, un ingrédient traditionnel, particulièrement pour la confection de stouts.

Bien que dépassée en réputation par le whisky, la bière a toujours été très populaire sur le territoire écossais, et les brasseries locales sont demeurées compétitives sur le plan international tout au long du XIXᵉ siècle. À l'aube du XXᵉ siècle, il existait vingt-huit brasseries dans la seule ville d'Édimbourg, mais il ne restait de celles-ci, au début des années 1970, que Scottish & Newcastle, plus grande brasserie britannique, et Tennent's, aujourd'hui partie du groupe Interbrew. Ces dernières années, la situation s'est quelque peu améliorée, avec l'apparition de brasseries indépendantes capables de jouer un rôle significatif, à l'image de la Caledonian Brewery.

CI-DESSUS

En matière de boissons alcoolisées, la réputation écossaise repose surtout sur le whisky. Pourtant, la production de bière connaît un nouvel élan, portée par des brasseurs indépendants revenus à des méthodes traditionnelles.

STATISTIQUES

Production annuelle : 20 000 000 hectolitres

Consommation par an et par habitant : 97 litres

Principales brasseries : Belhaven Brewer Company Ltd, Broughton Ales Ltd, Caledonian Brewery, Orkney Brewery, Tennent Caledonian Breweries (Interbrew), Traquair House Brewery Ltd

Bières réputées : Belhaven 80/-, Broughton the Ghillie, Caledonian Golden Promise, Orkney Dragonhead Stout, Tennent's Lager, Traquair House Ale, Traquair Jacobite

Belhaven 80 Shilling

La brasserie Belhaven, située à Dunbar, à 50 km environ d'Édimbourg, est l'une des plus anciennes d'Écosse. Elle est en activité depuis près de trois siècles.

Les premiers documents attestant l'existence de la brasserie datent d[...] 1719, année de son achat par un certain John Johnstone. De fait, ell[...] est sans doute beaucoup plus ancienne, puisqu'elle occupe le site d'u[...] ancien monastère construit au XIIe siècle par des moines bénédictin[...] La réputation des bières Belhaven dépasse largement les frontière[...] régionales, à tel point que la 80 Shilling (ou 80/-) fut un jour décrit[...] comme la Bourgogne de l'Écosse par l'empereur d'Autriche. Elle offr[...] une belle robe ambrée et une saveur riche et complexe, où dominer[...] des notes de malt grillé, de caramel et de fruits rouges.

Parmi les autres bières Belhaven figure la St Andrew's Ale, créé[...] pour commémorer la victoire de l'Écosse dans sa guerre d'Indépendanc[...] contre l'Angleterre. Sa saveur laisse paraître un caractère fruité ma[...] qué, bien contrebalancé par une agréable amertume de houblon qu[...] persiste en arrière-goût. La Belhaven Best est une bière à la belle rob[...] miel et à la saveur bien équilibrée. Sa teneur modérée en alcool (5 [...] alc./vol.) en fait une bière idéale pour boire lors de fêtes et autre[...] longues réunions amicales.

CARACTÉRISTIQUES

Brasserie : Belhaven Brewery Company Ltd

Situation : Dunbar

Type : Scottish export ale

Robe : brun cuivré foncé

Teneur en alcool : 3,9 % vol.

Température de service : 10-13 °C

Accompagnement : mets chinois épicés

Broughton Black Douglas

La brasserie Broughton, fondée en 1979, a connu une histoire mouvementée, puisqu'elle fut placée sous administration judiciaire en 1995. Elle est parvenue à sortir de ce mauvais pas et prospère aujourd'hui tant à l'exportation que sur le marché intérieur.

La Black Douglas fut ainsi nommée en hommage à Sir James Douglas, héros de la guerre d'Indépendance écossaise. Elle est brassée à partir de malts Maris Otter et de grains d'orge et de maïs grillés, ce qui lui confère une saveur légèrement sucrée mêlant des accents de mélasse et de chocolat amer. Dans sa version en fûts, c'est une bière d'hiver, mais elle est disponible toute l'année dans sa forme embouteillée.

CARACTÉRISTIQUES

Brasserie : Broughton Ales Ltd
Situation : Biggar
Type : Scottish ale
Robe : rubis très foncé
Teneur en alcool : 5,2 % vol.
Température de service :
  10-13 °C
Accompagnement : viandes
  ou poissons en sauce épicée

Broughton Scottish Oatmeal Stout

L'étiquette de cette stout traditionnelle porte l'effigie de Robert Younger, arrière grand-père de David Younger, fondateur de la brasserie Broughton en 1979.

Robert Younger établit la fameuse brasserie Younger à Édimbourg en 1844, mais il n'était pas le premier membre de sa famille à oser une pareille aventure : en 1770, son propre arrière-grand-père avait ouvert une brasserie à Alloa. Il est heureux qu'une telle famille soit honorée par une bière de caractère typiquement écossais. Le climat local convient bien à la culture de l'orge et de l'avoine, dont les grains, combinés, confèrent à cette stout une texture onctueuse et une saveur de chocolat amer mâtinée de notes d'épices.

CARACTÉRISTIQUES

Brasserie : Broughton Ales Ltd
Situation : Biggar, Peeblesshire
Type : oatmeal stout
Robe : noire
Teneur en alcool : 4,2 % vol.
Température de service : 13 °C
Accompagnement : desserts
  au chocolat noir

Caledonian 80 Shilling

Les bières écossaises sont traditionnellement classées selon deux systèmes. L'un utilise les qualificatifs *light*, *heavy* et *export* pour décrire la teneur alcoolique, tandis que l'autre fait référence au montant en shillings du tarif par fût appliqué au XIXe siècle.

Quatre-vingts shillings (80/-) était le tarif appliqué aux bières export telles que cette ale de robe rubis. La Caledonian 80/- se caractérise par son arôme de fruits rouges et d'épices, et offre une saveur maltée bien équilibrée par l'agréable sécheresse du houblon. En 2004, elle a été déclarée bière officielle de l'Edinburgh Festival.

CARACTÉRISTIQUES

Brasserie : Caledonian Brewery
Situation : Édimbourg
Type : Scottish export ale
Robe : rubis
Teneur en alcool : 4,1 % vol.
Température de service : 10 °C
Accompagnement : rôti
de bœuf ou gibier

Caledonian Deuchars IPA

Il existait, à une certaine époque, plus de trente brasseries à Édimbourg. Aujourd'hui, la plus grande brasserie de la capitale écossaise est la Caledonian Brewery, surtout réputée pour sa gamme de robustes ales agréablement maltées. La Deuchars IPA, ainsi nommée en référence au fameux brasseur Robert Deuchar, fait exception à cette règle.

La marque Deuchar's fut acquise par les Newcastle Breweries en 1953, mais elle périclita et le nom fut repris par Caledonian. La Deuchars IPA, version moderne de l'India pale ale traditionnelle, est riche d'un puissant arôme floral suivi, au palais, par une amertume de houblon bien définie. La version en fût a obtenu divers trophées dans les festivals nationaux et internationaux, dont le titre de *Champion Beer of Britain* en 2002.

CARACTÉRISTIQUES

Brasserie : Caledonian Brewery
Situation : Édimbourg
Type : India pale ale
Robe : brun or
Teneur en alcool : 4,4 % vol.
Température de service :
10 °C
Accompagnement : en apéritif
avant le dîner

Traquair House Ale

Au Xᵉ siècle, la fameuse Traquair House, château des rois d'Écosse, n'était qu'une simple demeure sur la rive d'un cours d'eau de la forêt d'Ettrick.

La brasserie Traquair House fut fondée par Peter Maxwell Stuart en 1965, après qu'il eut découvert les équipements parfaitement préservés d'une brasserie artisanale abandonnée au début du XIXᵉ siècle. Aujourd'hui, les bières Traquair House sont toutes affinées dans les fûts en bois d'origine, ce qui confère à la Traquair House Ale un arôme de chêne caractéristique. Au palais, les notes de malt et de fruits rouges contrebalancent les accents citriques du houblon.

CARACTÉRISTIQUES

Brasserie : Traquair House Brewery Ltd

Situation : Innerleithen

Type : ale forte écossaise

Robe : acajou foncé

Teneur en alcool : 7,2 % vol.

Température de service : 10-13 °C

Accompagnement : poissons grillés

Traquair Jacobite Ale

Traquair House produit trois ales fortes traditionnelles.

L'une d'entre elles, la Bear Ale, fait référence aux Bear Gates, portes du domaine de Traquair demeurées closes depuis 1745. Cette année-là, le cinquième laird de Traquair raccompagna son hôte le prince Charles-Édouard Stuart (Bonnie Prince Charlie) jusqu'à ces portes et lui fit la promesse solennelle de ne les ouvrir de nouveau que si la famille Stuart était rétablie sur le trône d'Écosse. La Bear Ale offre une saveur maltée complexe mâtinée de notes de chêne. En 1995, afin de commémorer cette fameuse visite, Traquair House lança la Jacobite Ale, ale très originale aromatisée à l'aide de coriandre et de grains de céréales torréfiés. Elle présente un puissant arôme d'herbe coupée et offre, au palais, un riche mélange d'épices, de houblon et de malt. En arrière-goût, l'amertume du houblon prend le dessus, associée à des notes de chocolat, de fruits rouges et de coriandre.

CARACTÉRISTIQUES

Brasserie : Traquair House Brewery Ltd

Situation : Innerleithen

Type : Scottish ale

Robe : rubis très foncé, presque noire

Teneur en alcool : 8 % vol.

Température de service : 13 °C

Accompagnement : pâtes au basilic

CI-DESSUS

En dépit des nationalisations d'après-guerre et de la disparition de nombre de petits brasseurs indépendants, l'Angleterre est aujourd'hui riche d'une incroyable diversité de bières de qualité. Foster's, Carlsberg et autres lagers importées demeurent les plus vendues, mais la traditionnelle pinte britannique peut également se remplir d'ales de caractère telles que la Badger Tanglefoot et l'Adnams Broadside.

Angleterre

La bière fait partie depuis toujours de la culture anglaise. Au XIᵉ siècle, les Normands *e parvinrent jamais à imposer leurs vins sur les terres* *'Albion, et les écrits du Domesday Book (document de* *ecensement) révèlent, à cette même époque, l'existence* *'une industrie de la bière florissante.*

'L EXISTE UNE LONGUE TRADITION du brassage artisanal en Angleterre, et jusqu'à leur dissolution au XVIᵉ siècle, les monastères catholiques produisirent l'essentiel de la bière anglaise. Certaines echniques mises au point par les moines demeurent d'actualité, à exemple du système Burton Union utilisé par la brasserie Marston's. ien que les Anglais aient la réputation d'aimer leur bière tiède, la upart des ales anglaises sont bien meilleures lorsqu'elles sont ser-les fraîches, et les plus fortes et les plus parfumées d'entre elles s'ac-ommodent bien, à la manière d'un vin, d'un service à une température oisine de 15 °C.

Les bières anglaises existent en un grand nombre de styles. Durant première moitié du XXᵉ siècle, les mild ales, consommées en grandes uantités par les travailleurs manuels, furent les plus populaires. Ioins houblonnées que les bitters ou les pale ales, elles devaient leur ppellation davantage à leur saveur qu'à leur teneur en alcool. À par-r des années 1950, le style bitter s'imposa, mais au cours de la décen-ie suivante, les ales en fût traditionnel furent menacées par émergence d'ales pasteurisées et filtrées, gages d'une production lus homogène.

Aujourd'hui, le marché anglais est dominé par quelques grands roupes qui produisent plus de 80% de la bière consommée au oyaume-Uni. Cette orientation tend cependant à s'inverser depuis émergence de la CamRA *(Campagne for Real Ale)*, organisation qui tte pour la préservation des méthodes artisanales et apporte son outien aux petits brasseurs indépendants. Grâce à ces derniers, les es en bouteilles et en fûts traditionnels sont chaque jour plus nom-reuses en Angleterre.

STATISTIQUES

Production annuelle : 40 000 000 hectolitres
Consommation par an et par habitant : 97 litres
Principales brasseries : Adnams, Bass Brewers Ltd, Fuller, Smith & Turner plc, George Gale & Co., Marston, Scottish & Newcastle, Young & Co.
Bières réputées : Adnams Broadside, Badger Tanglefoot, Bass Pale Ale, Fuller's ESB, Fuller's London Pride, Gale's HSB, Marston's Pedigree, Newcastle Brown Ale, Old Speckled Hen, Young's Special London Ale

Badger Tanglefoot

Selon la légende, cette bière forte mais facile à boire acquit son nom (« pied empêtré ») lorsqu'on vit le maître-brasseur local tituber après en avoir goûté plusieurs échantillons. Elle présente une saveur bien affirmée, pleine d'une amertume de houblon qui domine, au palais, des notes maltées et fruitées. L'emploi de houblon Challenger explique l'arrière-goût très sec où pointe un accent citronné.

Badger est le nom commercial de la brasserie Hall & Woodhouse, fondée en 1777 par Charles Hall sous le nom de Ansty Brewery, et qui prit son nom actuel lorsque le fils du fondateur s'associa à un certain George Woodhouse. En 1899, elle intégra les installations qui sont les siennes aujourd'hui. Le blaireau est un animal commun dans le Dorset, et il figure sur toutes les étiquettes de la marque.

CARACTÉRISTIQUES

Brasserie : Badger
 (Hall & Woodhouse Ltd)
Situation : Blandford St Mary,
 Dorset
Type : pale ale
Robe : brun cuivré
Teneur en alcool : 5 % vol.
Température de service : 12 °C
Accompagnement : viandes
 grillées, en particulier côtes
 d'agneau

Bateman's XXXB

Le nom de cette fameuse ale britannique renvoie à une époque où la teneur en alcool d'une bière était indiquée, en raison du fort taux d'illettrisme, par une série de croix apposée sur les fûts. De fait, la Bateman's XXXB n'est pas très forte, mais elle affiche une saveur très riche.

C'est une bitter classique, comme l'indiquent, au palais, le complexe mélange de malts et de houblon, les notes fruitées évoquant la prune, et la sécheresse houblonnée teintée d'amertume en arrière-goût. L'étiquette porte une représentation du moulin recouvert de lierre qui se dresse toujours à proximité de la brasserie fondée en 1874 par George Bateman.

L'entreprise, aujourd'hui gérée par son petit-fils, a réussi à conserver son indépendance. Elle connut pourtant une chaude alerte durant les années 1980 lorsque plusieurs gros actionnaires familiaux menacèrent de vendre leurs parts aux plus offrants. Le différend fut résolu, et la version en fût de la XXXB fut déclarée *Champion Beer* lors du Great British Beer Festival 1986.

CARACTÉRISTIQUES

Brasserie : Bateman's
Situation : Wainfleet,
 Lincolnshire
Type : bitter
Robe : cuivre rouge foncé
Teneur en alcool : 4,8 % vol.
Température de service :
 10-13 °C
Accompagnement : solide
 déjeuner campagnard

Charles Wells Bombardier

La Bombardier est une best bitter anglaise très typique. Malgré sa richesse en saveur et en caractère, elle n'est jamais lourde et se révèle très facile à boire.

Sa saveur fruitée évoque le raisin et elle doit à l'emploi de houblon Challenger une amertume sèche et prolongée. Le malt cristal et le houblon Goldings contribuent à produire l'élégante robe brun ambré foncé. Bombardier est aujourd'hui étroitement associée au St George's Day, fête nationale anglaise, en vertu d'une habile campagne de mercatique menée par la brasserie. En accord avec ses valeurs patriotiques, elle est proposée en bouteilles de 56,8 cl (équivalent de la pinte impériale britannique). La brasserie Charles Wells, fondée en 1876, est l'une des plus importantes brasseries régionales indépendantes d'Angleterre. Elle est basée à Bedford, au nord de Londres.

CARACTÉRISTIQUES

Brasserie : Charles Wells
Situation : Bedford, Bedfordshire
Type : best bitter
Robe : brun ambré foncé
Teneur en alcool : 5,5 % vol.
Température de service : 12 °C
Accompagnement : fish and chips traditionnel

Fuller's 1845

La brasserie Fuller, Smith & Turner fut fondée en 1845, mais les archives indiquent que l'activité de brassage était déjà pratiquée sur ce site plus d'un siècle avant cette date. La Fuller's 1845 fut lancée en 1995 à l'occasion du 150ᵉ anniversaire de l'entreprise, et le prince Charles en personne ajouta le houblon à la première cuvée.

Après la fermentation primaire, la bière séjourne pendant deux semaines en cuves d'affinage, puis elle est filtrée, réensemencée de levure fraîche et embouteillée. Les bouteilles sont ensuite affinées pendant encore deux semaines. La Fuller's 1845 offre un agréable arôme malté mâtiné d'une note d'orange. Au palais, sa texture est riche et onctueuse, voire liquoreuse. Les papilles sont d'abord frappées par une puissante saveur maltée, teintée de raisin, de chocolat et de caramel, puis apparaît une amertume sèche qui se prolonge agréablement en arrière-goût.

CARACTÉRISTIQUES

Brasserie : Fuller, Smith & Turner plc
Situation : Chiswick, Londres
Type : ale forte
Robe : brun-rouge
Teneur en alcool : 6,3 % vol.
Température de service : 13 °C
Accompagnement : ragoûts

Gale's HSB

Le sigle HSB signifie Horndean Special Bitter, Horndean étant le bourg du Hampshire où fut fondée la brasserie Gale en 1847. Cette best bitter est brassée à partir d'un mélange de malt blond Maris Otter, de malt cristal et de malt noir, puis aromatisée à l'aide de trois variétés de houblon traditionnelles. Elle fut lancée en 1959 en complément de la BBB bitter, moins alcoolisée, et des mild ales que produisaient alors l'entreprise.

La recette d'origine, modifiée au fil des ans, donna naissance à une bière encore plus alcoolisée. À son lancement, la Gale's HSB connut un succès mitigé, et elle ne parvint à véritablement conquérir une clientèle qu'à partir des années 1970 et 1980. Quelque temps après, elle devint la bière phare de l'entreprise, gagnant la réputation d'être une des meilleures bitters anglaises. Elle offre un arôme fruité complexe où percent des notes de banane, de pomme et de caramel. Au palais, la texture est onctueuse, et le caractère fruité continue de dominer jusqu'au fini très sec, rehaussé par une amertume citronnée.

CARACTÉRISTIQUES

Brasserie : George Gale & Co.
Situation : Horndean,
    Hampshire
Type : best bitter
Robe : brun ambré foncé
Teneur en alcool : 4,8 % vol.
Température de service :
    10-12 °C
Accompagnement : fish and
    chips traditionnel

Gale's Trafalgar

Cette ale de saison très alcoolisée est brassée en automne afin de célébrer le Trafalgar Day, date anniversaire de la victoire de l'amiral Nelson à la bataille de Trafalgar.

Elle ne contient que des ingrédients déjà utilisés à l'époque de Nelson dont malts Maris Otter et cristal, et houblons Challenger et Fuggle. Son arôme très délicat au regard de sa teneur en alcool délivre de notes fruitées de malt. Au palais, elle apparaît sèche, épicée, fruitée et maltée, avec un bon équilibre apporté par l'amertume de houblon. La version en fûts présente une teneur en alcool environ deux fois moins importante.

CARACTÉRISTIQUES

Brasserie : George Gale & Co.
Situation : Horndean,
    Hampshire
Type : ale forte
Robe : rubis foncé
Teneur en alcool : 9 % vol.
Température de service :
    13-14 °C
Accompagnement : viandes
    et gibiers en sauce

Greene King Abbot Ale

Abbot Ale, lancée en 1955, s'est depuis imposée comme la bière phare de la brasserie Greene King.

Elle tire parti d'une longue fermentation secondaire à température relativement élevée qui lui confère une riche saveur maltée. Les deux variétés de houblon utilisées apportent une plaisante amertume retrouvée dans l'arrière-goût sec teinté de notes florales.

Le nom Abbot Ale fait référence à la longue tradition locale : le *Domesday Book* indique que le brassage de bière était pratiqué à l'abbaye de St Edmundsbury dès l'an 1086, et que l'eau utilisée aujourd'hui par Greene King provient de nappes aquifères qui alimentaient déjà les installations des moines de l'époque. Les registres montrent que la brasserie actuelle, reprise par la famille Greene au début du XIXᵉ siècle, commença son activité vers 1720.

Ces dernières années, Greene King a fait l'acquisition de plusieurs brasseries et marques de bière pour devenir l'une des plus grosses brasseries régionales d'Angleterre.

CARACTÉRISTIQUES

Brasserie : Greene King
Situation : Bury St Edmunds, Suffolk
Type : pale ale
Robe : brun ambré foncé
Teneur en alcool : 5 % vol.
Température de service : 10-13 °C
Accompagnement : viandes rouges rôties

Old Speckled Hen

La recette de l'Old Speckled Hen fut créée par la Morland Brewery, fondée à Abingdon, Oxfordshire, en 1711. En 1998, Morland fit l'acquisition de la brasserie Ruddles, mais confrontée elle-même à d'importantes difficultés financières, elle fut reprise par Greene King en 1999.

Après cette acquisition, Greene King prit à son compte la production de l'Old Speckled Hen et de la Ruddles County. L'Old Speckled Hen offre un agréable arôme de prune et une riche texture. Au palais, les accents de malt et de caramel sont gages d'un caractère sucré, bien contrebalancé, en arrière-goût, par une amertume de houblon sèche et prolongée. Le nom Old Speckled Hen fait référence à une vieille automobile dont la peinture s'était écaillée au fil des années.

CARACTÉRISTIQUES

Brasserie : Greene King
Situation : Bury St Edmunds, Suffolk
Type : pale ale
Robe : brun ambré foncé
Teneur en alcool : 5,2 % vol.
Température de service : 11-13 °C
Accompagnement : jambon cuit

Bass Pale Ale

Cette fameuse ale anglaise est brassée à Burton-upon-Trent, dans le Staffordshire, depuis 1777.

La Bass Pale Ale est indissociable du bourg de Burton-upon-Trent, c[ ] elle est fabriquée, en raison des propriétés minérales de l'eau local[ ] qui confèrent aux bières Bass un arôme très caractéristique. Autrefo[ ] la Bass Pale Ale affichait des teneurs en alcool et en houblon plus él[ ] vées afin de permettre son exportation maritime vers l'Inde. C'est u[ ] bière à robe brun ambré, riche d'arômes de fruit, de malt et de car[ ] mel. Au palais, les notes fruitées persistent, bien suivies en arriè[ ] goût par un caractère sec et amer. Le fameux triangle rouge qui or[ ] les étiquettes des bières Bass fut la première marque déposée (187[ ] dans l'histoire commerciale du Royaume-Uni.

CARACTÉRISTIQUES

Brasserie : Bass Brewers Ltd (InBev)

Situation : Burton upon Trent, Staffordshire

Type : India pale ale

Robe : brun cuivré

Teneur en alcool : 5,2 % vol.

Température de service : 10 °C

Accompagnement : poissons fumés ou saucisses

Marston's Pedigree Bitter

Créée en 1834 et fabriquée encore aujourd'hui à partir de malt Maris Otter, de houblons Fuggles et Goldings et d'une souche de levure vieille de 150 ans, la Pedigree Bitter est une bonne représentation de la bière anglaise du milieu du XIXᵉ siècle.

Elle est brassée à l'aide d'eau tirée de l'un des sept puits situés sur le site de la brasserie et reste la dernière bière au monde fabriquée avec le système Burton Union. Ce système, qui fait intervenir une série de vastes cuves en chêne reliées entre elles, donne ici naissance à une bière de saveur complexe, riche d'une plaisante sécheresse maltée et d'accents de pomme et de poire. Il produit également un excédent de levure que l'on utilise pour ensemencer la cuvée suivante.

CARACTÉRISTIQUES

Brasserie : Marston, Thompson & Evershed

Situation : Burton upon Trent, Staffordshire

Type : pale ale

Robe : brun ambré clair

Teneur en alcool : 4,5 % vol.

Température de service : 12 °C

Accompagnement : rôti de bœuf

Newcastle Brown Ale

La Newcastle Brown Ale est à la fois l'une des ales les plus populaires d'Angleterre et l'une des bières anglaises les plus connues dans le monde. Elle fut lancée en 1927 par le maître-brasseur Jim Porter. L'origine des Newcastle Breweries remonte à 1770, année de la fondation, par John Barras & Co, de la Gateshead Brewery. Après le rachat de celle-ci, en 1890, par la North Eastern Railway Company, John Barras traversa la rivière Tyne pour reprendre la Tyne Brewery et plusieurs autres brasseries locales. Il créa ainsi l'entreprise The Newcastle Breweries Ltd.

En 2004, rompant avec la tradition, Scottish & Newcastle décida d'établir la production de la Newcastle Brown Ale à Gateshead. Lors de son lancement, la bière obtint un succès immédiat, au point qu'elle remporta plusieurs médailles d'or à l'International Brewers Exhibition de Londres, en 1928. Ces trophées figurent depuis sur l'étiquette des bouteilles, de part et d'autre de la fameuse étoile bleue adoptée en guise de logo en 1913. Aujourd'hui, la Newcastle Brown Ale est toujours brassée selon la recette originale. Elle offre un délicat arôme floral et une saveur sèche et boisée.

CARACTÉRISTIQUES

Brasserie : Scottish & Newcastle
Situation : Newcastle-upon-Tyne, Tyne & Wear
Type : brown ale
Robe : acajou foncé
Teneur en alcool : 4,7 % vol.
Température de service : 10 ℃
Accompagnement : saucisses-purée

À l'image de celui-ci, situé à Séville, les bars à tapas conviennent parfaitement à la dégustation d'une bière bien fraîche, accompagnée de quelques en-cas. Le chaud climat espagnol a encouragé l'émergence de lagers légères dans l'ensemble du pays, en dépit de la concurrence de boissons traditionnelles telles que xérès et vin de table.

Espagne

Ces dernières décennies, la diversité des bières espagnoles s'est quelque peu restreinte, essentiellement en raison de la fermeture e nombreuses brasseries artisanales. Cependant, le pays continue e produire un grand nombre de bières de qualité, à travers neuf rasseries nationales et plusieurs brasseries régionales.

ANS SES ÉCRITS, l'historien de la Rome antique Pline l'Ancien (23-79) mentionne la fabrication de bière dans les territoires de actuelle Espagne et dans la Gaule romaine. Il écrit notamment : « Les abitants de l'ouest de l'Europe fabriquent une boisson enivrante à artir d'eau et de maïs. La façon de produire ce liquide varie selon les égions, et il y porte des noms différents, mais sa nature et ses pro- riétés demeurent identiques. En Espagne, il est brassé avec un tel avoir-faire qu'il peut être conservé très longtemps. Les hommes sont astucieux lorsqu'il s'agit de satisfaire leurs vices qu'ils ont ici inven- é une méthode pour s'enivrer à partir d'eau. »

Au XVIe siècle, la qualité de la bière espagnole laissait sans doute à ésirer, car l'une des premières décisions du roi Charles Quint – grand mateur de chopes –, lorsqu'il accéda au trône, fut d'en réglementer a fabrication. Aujourd'hui, l'Espagne compte neuf brasseries de dimen- ions nationales, dont la brasserie Damm SA de Barcelone, établie lès 1876. Depuis les années 1970, de nombreuses brasseries artisa- ales ont cessé leur activité en raison de la concurrence des grands roupes nationaux et internationaux. Les grandes brasseries natio- ales sont spécialisées dans la fabrication de bières étrangères sous icence, mais elles produisent également d'excellentes bières locales, armi lesquelles Alhambra, Cruzcampo, Estrella Damm, Mahou, San Miguel, Voll-Damm et Zaragozana.

CI-DESSUS

La bière accompagne à merveille les traditionnelles tapas espagnoles, plus particulièrement l'été.

STATISTIQUES

Production annuelle : 30 671 000 hectolitres
Consommation par an et par habitant : 75 litres
Principales brasseries : Damm, Grupo Cruzcampo, San Miguel
Bières réputées : Cruzcampo, Estrella-Damm, Voll-Damm, San Miguel 1516

Cruzcampo

La Cruzcampo est la bière phare de la principale brasserie espagnole. Elle présente un caractère houblonné à la fois sec et léger, bien complété par des notes d'agrumes et de malt.

Le Grupo Cruzcampo naquit en 1987 de la fusion de plusieurs brasseries régionales, mais la bière Cruzcampo est proposée en Espagne depuis 1904. Le groupe est basé à Séville et exploite cinq sites de brassage en Andalousie. Il fut acquis par Guinness en 1991, puis quelques années plus tard par Heineken, qui l'adjoignit au groupe El Aguila de Madrid.

CARACTÉRISTIQUES

Brasserie : Grupo Cruzcampo
Situation : Séville, Andalousie
Type : lager
Robe : brun orangé
Teneur en alcool : 5 % vol.
Température de service :
6-8 °C
Accompagnement : jambons
fumés et autres charcuteries

Estrella Damm

La brasserie Damm produit les bières les plus populaires de Catalogne, et l'Estrella Damm est sa bière phare.

Cette lager onctueuse et facile à boire présente un col de mousse épa et crémeux. L'arôme dénote un caractère floral lié au houblon. A palais, la saveur est sèche et bien définie, avec des accents houblo nées persistants en arrière-goût. La brasserie Damm fut fondée Barcelone en 1867 par August Kuentzmann Damm, immigrant als cien établi depuis peu en Catalogne. Aujourd'hui, elle exploite dive sites de brassage dans l'ensemble du pays. Elle fut la première bra serie d'Espagne à produire les bières à fermentation basse devenue populaires à la fin du XIXᵉ siècle.

CARACTÉRISTIQUES

Brasserie : Damm
Situation : Barcelone, Catalogne
Type : lager
Robe : jaune paille foncé
Teneur en alcool : 5,4 % vol.

Température de service : 5-7 °C
Accompagnement : viandes
froides et jambons

Voll-Damm

a **Voll-Damm est une**
Märzen de style dortmunder
robe brun orangé. La
xture est riche, la saveur
altée et teintée de notes
e prune et de raisin.

Brasserie : Damm
Situation : Barcelone, Catalogne
Type : Märzen
Robe : brun orangé
Teneur en alcool : 7,2 % vol.
Température de service : 8 °C
Accompagnement : poissons
fumés

Cette bière symbolise les origines germaniques de la brasserie, aujour-
d'hui l'une des plus importantes d'Espagne. Le siège de l'entreprise
se situe dans l'ancienne brasserie de La Bohemia, à Barcelone, à proximité de la fameuse Sagrada Familia. Le maltage se
déroule à la malterie Moravia, également à
Barcelone. Damm est étroitement associée à la vie culturelle et sportive de la
capitale catalane, et la brasserie a
notamment été l'un des sponsors de
la Coupe du monde en 1982 et des
Jeux olympiques en 1992. Avec sa
teneur en alcool de 7,2 % alc./vol., la
Voll-Damm est l'une des bières les plus
fortes de la gamme Damm.

San Miguel 1516

a **San Miguel 1516 est une**
ager désaltérante, riche
'un agréable arôme malté
ù pointent des notes de
oublon, de miel et de
omme.

Au palais, son caractère malté se trouve tempéré par une plaisante
amertume de houblon. Le nombre 1516 représente l'année pendant
laquelle le roi Charles Quint invita les brasseurs
allemands à présenter leur savoir-faire à la cour
d'Espagne. L'entreprise ibérique est une branche
du groupe San Miguel, établi à Manille, aux
Philippines, depuis 1890. Le groupe, aujourd'hui
propriété de Kronenbourg, fit ses premières armes
sur le marché espagnol en 1946 et, depuis, les
bières San Miguel sont parmi les plus vendues
dans le pays.

Brasserie : San Miguel
Situation : Lérida, Catalogne
Type : lager
Robe : jaune paille

Teneur en alcool : 5,4 % vol.
Température de service : 6-8 °C
Accompagnement : ragoût
de poisson

En France, l'industrie de la bière est dominée par quelques grandes entreprises, dont les Brasseries Kronenbourg, aujourd'hui propriété du puissant groupe britannique Scottish & Newcastle. La délicieuse lager Kronenbourg 1664 connaît un grand succès partout dans le monde, et elle fournit la preuve qu'une bière de production industrielle peut être de grande qualité.

France

Le vin est si présent dans la culture française qu'il est difficile d'imaginer la prévalence historique d'une autre boisson. Pourtant, la Gaule était un pays de brasseurs, et le vin n'y acquit ses lettres de noblesse qu'après la conquête romaine. Résistant à cette nouvelle influence, le nord de la France est resté une terre de bières d'excellence.

AUJOURD'HUI, ON BOIT DE LA BIÈRE dans l'ensemble du pays, mais celle-ci est essentiellement considérée comme une boisson désaltérante et n'est jamais l'objet de la déférence réservée au vin. La majorité des brasseries françaises sont situées en Alsace et en Picardie, et l'influence germanique connue par les régions du nord-est de la France explique que la plupart des bières produites sont des lagers désaltérantes inspirées par les modèles allemands.

Les Brasseries Kronenbourg, établies à Strasbourg depuis 1664, constituent la première entreprise française de fabrication de bière. En 1970, Kronenbourg fut acquis par le groupe BSN en même temps que la brasserie Kanterbräu puis, en 2000, Danone, nouveau propriétaire de BSN, céda Kronenbourg au groupe britannique Scottish & Newcastle. Le géant hollandais Heineken est un autre acteur important en France, puisqu'il y exploite les marques '33', Pelforth et Fischer.

Après l'Alsace, la deuxième région brassicole française est le Nord-Pas de Calais. Ici, on produit essentiellement des bières de fermentation haute fortement alcoolisées. Ces bières de garde sont traditionnellement fabriquées en hiver et au printemps, avant l'arrivée des grandes chaleurs, puis stockées pour une dégustation en été et en automne. Le regain de popularité connu ces dernières années par ce type de bière a induit l'émergence de micro-brasseries dans de nombreuses régions de France.

CI-DESSUS

La tradition de production de bière est, en France, très ancienne ; témoin cette superbe étiquette.

STATISTIQUES

Production annuelle : 18 100 000 hectolitres

Consommation par an et par habitant : 36 litres

Principales brasseries : Brasserie Castelain, Brasserie Duyck, Brasseries Kronenbourg (Scottish & Newcastle), Brasserie Pietra, Brasserie Schutzenberger, Fischer (Heineken), Les Brasseurs de Gayant

Bières réputées : Jenlain, Fischer Tradition, Kronenbourg 1664, La Bio, Lutèce, Pietra, Premium Diekirch

Ch'ti Triple

Le terme Ch'ti désigne, en dialecte local, les habitants du nord de la France. Il s'applique à merveille aux bières produites par la brasserie Castelain à Bénifontaine, au nord de Lens. L'effigie de mineur figurant sur l'étiquette de la Ch'ti Triple fait référence au riche passé minier de la région.

La Ch'ti Triple exemplifie le style des bières de garde à la française brassées pur malt, affinées jusqu'à huit semaines et proposées en plusieurs versions. Elle tient son nom du mot belge *tripel*, utilisé pour désigner les plus fortes des bières d'abbaye. Contrairement à celles-ci, la bière de la brasserie Castelain subit une fermentation basse, mais à température plus élevée que celle réservée aux lagers typiques. Sa robe jaune cuivré évoque le rhum d'âge, et son arôme est distinctement floral. Au palais, la saveur fruitée, riche de notes de cerise, masque une trame sèche et amère. Le fini est très sec, avec une plaisante amertume en arrière-goût.

La Ch'ti Blonde est une lager onctueuse et bien équilibrée. Des accents d'abricot sont présents en arôme et en saveur, précédant un fini sec et boisé. La Ch'ti Ambrée est une rousse à robe cuivrée et à saveur de caramel ; la Ch'ti Brune, une riche ale aux agréables accents de porto ; et la Ch'ti Blanche, une bière de blé aromatisée aux épices. Castelain produit également plusieurs bières de saison, dont une bière de mars dans le style des Märzen et Oktoberfest allemandes.

CARACTÉRISTIQUES

Brasserie : Brasserie Castelain

Situation : Bénifontaine, Nord-Pas-de-Calais

Type : bière de garde

Robe : jaune cuivré

Teneur en alcool : 7,5 % vol.

Température de service : 10-13 ºC

Accompagnement : fromages forts aromatisés aux herbes

Jade La Bio

La popularité croissante, en France, des produits issus de l'agriculture biologique touche tous les secteurs de l'agroalimentaire, y compris l'industrie de la bière.

Cette bière de la brasserie Castelain, l'une des plus vendues sur ce marché, affiche son caractère bio par le logo vert AB figurant sur l'étiquette. La Bio Jade est une lager à robe claire, facile à boire, filtrée mais non pasteurisée, riche d'un arôme d'herbe coupée et d'une saveur houblonnée très fraîche au palais. Elle est proposée en bouteilles standard à capsules ou en grandes bouteilles fermées par un bouchon de liège.

CARACTÉRISTIQUES

Brasserie : Brasserie Castelain
Situation : Bénifontaine, Nord-Pas-de-Calais
Type : lager
Robe : jaune paille

Teneur en alcool : 4,6 % vol.
Température de service : 7-8 °C
Accompagnement : poissons grillés et préparations de poulet

Jenlain

Produit phare de la brasserie Duyck, la Jenlain est une ale de fermentation haute non filtrée, non pasteurisée et affinée au moins quarante jours.

CARACTÉRISTIQUES

Brasserie : Brasserie Duyck
Situation : Jenlain, Nord-Pas-de-Calais
Type : bière de garde
Robe : brun ambré
Teneur en alcool : 6,5 % vol.
Température de service : 6-8 °C
Accompagnement : riches ragoûts

L'arôme est dominé par des notes de malt, de caramel brûlé, d'épices et de houblon. La texture onctueuse est légèrement effervescente au palais, lequel est d'abord frappé par de puissants accents de melon, remplacés, en arrière-goût, par une saveur sèche et épicée. Duyck produit également une lager appelée Jenlain Blonde ainsi que deux versions spéciales : la J Absinthe, à la saveur légèrement anisée, et la J Gingembre, teintée de notes subtiles d'épices et de citron. La gamme Duyck inclut également la Torra, inspirée par la tradition corse et produite en deux versions respectivement aromatisées à l'arbouse et au myrte. Il existe également une bière blanche organique appelée La Fraîche de l'Aunelle en référence à la rivière qui traverse le village, tandis que la Saint Druon est une bière de style abbaye qui porte le nom de l'église du village voisin de Sebourg.

Adelscott

En matière de bière, l'innovation n'est pas le fort des Français. Malgré tout, l'Adelscott, lancée au début des années 1980, a donné naissance à un style très original.

Ce qui place à part cette lager fabriquée à partir de malt et de maïs est l'usage de malt à whisky fumé sur tourbe. Cet ajout lui confère une saveur fumée très proche de celle d'un whisky allongé d'eau. Le caractère fumé est encore plus marqué en arôme et y complète des notes sèches et boisées. Au palais, il existe également un accent malté, et en dépit de sa saveur inhabituelle, l'Adelscott demeure une bière légère. Autre bière de la gamme, l'Adelscott Noire est une version brune de la précédente, dotée d'une robe presque noire surmontée d'un col crémeux. Sa saveur est plus marquée et son fini exprime une amertume sèche.

L'Adelscott fut lancée par la brasserie Adelshoffen, à Schiltigheim, mais elle est aujourd'hui produite par Fischer, division du groupe Heineken. La gamme Fischer inclut d'autres bières très originales, dont la Desperados, lager mexicaine parfumée à la tequila, et la Kriska aromatisée à l'aide de vodka. Ces créations sont de fait plus proches des alcopops (limonades ou autres boissons sucrées mélangées à de l'alcool fort), tels que le Baccardi Breezer que des bières traditionnelles, mais elles ne sont pas sans qualités. La popularité de l'Adelscott a induit l'émergence d'autres bières au malt à whisky, dont l'Amberley de Pelforth.

CARACTÉRISTIQUES	
Brasserie : Fischer (Heineken)	
Situation : Schiltigheim, Alsace	
Type : bière fumée	
Robe : brun ambré foncé	
Teneur en alcool : 6,6 % vol.	
Température de service : 9 °C	
Accompagnement : saumon ou autre poisson fumé	

Fischer Tradition

a Tradition est la bière la plus réputée de la brasserie
ischer, basée à Strasbourg. Il s'agit d'une lager alsacienne
ypique, présentée dans une élégante bouteille fermée par
n bouchon mécanique en céramique.

la mise en verre, elle présente un col épais et crémeux, et délivre un
rôme malté. La gazéification modérée ajoute un peu de caractère à
a texture plutôt légère et à la saveur fruitée. La gamme Fischer s'est
écemment élargie avec le lancement de la Doreleï, bière ambrée écu-
née à l'ancienne, et de la Fischer Pêcheur, pilsner riche d'une saveur
ien définie.

CARACTÉRISTIQUES

Brasserie : Fischer (Heineken)

Situation : Schiltigheim,
Alsace

Type : lager

Robe : jaune cuivré

Teneur en alcool : 6 % vol.

Température de service : 6 °C

Accompagnement : plats
de pâtes

Lutèce

**Lutèce était le nom de Paris au temps de l'Antiquité
romaine. La Lutèce, couramment appelée « bière de
Paris », est classée parmi les bières de garde. Son
étiquette affiche une vue parisienne dominée par la
cathédrale Notre-Dame.**

Cette bière de fermentation basse proche
des lagers viennoises présente une robe
ambrée et un arôme malté teinté de notes
de whisky et de caramel. Ces caractéristiques persistent au palais, avec des
accents fruités dominants évoquant la
poire, l'abricot et la pêche. En arrière-
goût, la Lutèce délivre une légère amertume de houblon et une agréable chaleur
alcoolique.

CARACTÉRISTIQUES

Brasserie : Les Brasseurs
de Gayant

Situation : Douai,
Nord-Pas-de-Calais

Type : bière de garde

Robe : brun ambré

Teneur en alcool : 6,4 % vol.

Température de service :
6-8 °C

Accompagnement : à servir
en apéritif

Bière du Démon

La Bière du Démon, lancée en 1981, put se prévaloir d'être la bière la plus alcoolisée au monde jusqu'au lancement de la Belzébuth par le rival local Grain d'Orge, et l'apparition de la Samichlaus, produite en Suisse par la brasserie Hurlimanns.

Malgré tout, elle s'enorgueillit toujours d'être la plus forte des lager et tient toujours le haut du pavé sur le marché des bières corsées. L'arôme offre un caractère malté prononcé, tandis que la saveur est dominée par la présence alcoolique, qui induit une surprenante sécheresse tempérée par des notes de miel. La brasserie Gayant, fondée en 1919 à la suite de la fusion de quatre petites brasseries familiales, tient son nom d'une fameuse famille de géants du folklore local. Ils sont honorés chaque année le 16 juin, à Douai, lors de la procession de saint Maurand, patron de la ville. Le principal site de la brasserie inclut une micro-brasserie vouée au développement de nouvelles bières, avec l'objectif d'un lancement tous les trois ans. De même que Fischer, Gayant produit une bière aromatisée à la tequila – la Tequieros. Sa gamme inclut également la Madison, lager aromatisée au Grand Marnier, l'Abbaye de Saint Landelin, bière d'abbaye, et la désaltérante Amadeus.

CARACTÉRISTIQUES

Brasserie : Les Brasseurs de Gayant

Situation : Douai, Nord-Pas-de-Calais

Type : lager forte

Robe : or pâle

Teneur en alcool : 12 % vol.

Température de service : 12 °C

Accompagnement : desserts

Belzebuth Pur Malt

Ce n'est pas sans raison que cette bière fait référence au diable, car elle peut se targuer de figurer parmi les plus alcoolisées du monde. Sa teneur en alcool a pourtant été diminuée, quelque temps après son lancement, passant de 15 à 13 % alc./vol. L'indication Pur Malt assure qu'aucun additif n'est ajouté durant le brassage et que l'alcool provient uniquement de la fermentation des sucres de malt. De fait, en dépit de sa robe jaune doré de type lager, la Belzébuth est une bière de fermentation haute. De façon surprenante, sa texture n'est ni épaisse ni lourde mais plutôt onctueuse, ce qui facilite sa consommation.

Un caractère acidulé frappe le palais dès la mise en bouche, mais la forte teneur alcoolique est révélée dans le fini sec et poivré. La brasserie fondée en 1898 exista sous le nom de brasserie Jeanne d'Arc de 1927 à 2002, puis revint à son nom d'origine lorsqu'elle fut reprise par la brasserie rivale Gayant. Déjà la plus ancienne brasserie de la région de Lille, elle est également aujourd'hui la plus importante. Sa gamme inclut la Grain d'Orge Blanche, savoureuse bière de blé, et la Secret des Moines, bière de fermentation haute aromatisée à l'aide d'un mélange d'épices et de coriandre.

CARACTÉRISTIQUES

Brasserie : Brasserie Grain d'Orge
Situation : Ronchin, Nord-Pas-de-Calais
Type : ale forte
Robe : jaune doré
Teneur en alcool : 13 % vol.
Température de service : 10 °C
Accompagnement : viandes rouges ou à servir en apéritif

Kronenbourg 1664

Lors du lancement d'une nouvelle bière à l'occasion du couronnement de la reine Élisabeth II d'Angleterre, Kronenbourg décida de célébrer l'année 1664, qui vit le jeune Jérome Hatt établir sa première brasserie dans le centre de Strasbourg.

Cette lager traditionnelle subit une longue période d'affinage qui lu confère une structure houblonnée et maltée, où se greffent des note de prune, d'abricot et de miel. Elle est à la fois onctueuse et dense a palais, riche d'un bel accord de saveurs fruitées qui prépare un arrièr goût amer et floral. Les déclinaisons de la 1664 incluent la 1664 Brun ale brune brassée à partir de trois types de malt, la 1664 Fleur c Houblon, aromatisée à l'aide de houblon Strisselspalt d'Alsace, et 1664 Rhum Spirit, qui tire sa saveur originale d'un ajout de rhum L'appellation Kronenbourg apparut en 1947, lorsqu'un descendant d Jérome Hatt décida de renommer la fameuse Tigre Bock d'après quartier strasbourgeois de Cronenbourg où se trouvait alors située brasserie. Aujourd'hui, Kronenbourg est de loin la plus importan brasserie française, avec une production annuelle voisine de 8,5 mi lions d'hectolitres, soit environ 40 % de la production intérieure. Depui juillet 2000, l'entreprise est passée dans le giron d la brasserie Alken-Maes, division du group Scottish & Newcastle.

CARACTÉRISTIQUES

Brasserie : Brasseries Kronenbourg (Scottish & Newcastle)

Situation : Strasbourg, Alsace

Type : lager

Robe : or foncé

Teneur en alcool : 5,9 % vol.

Température de service : 9-10 °C

Accompagnement : à servir en apéritif

Tourtel

La Tourtel est une bière pratiquement sans alcool qui revendique les qualités d'une bière classique. Cette lager pur malt est généreusement houblonnée.

Elle doit son nom aux frères Jules et Prosper Tourtel, fondateurs de la brasserie de Tantonville, à proximité de Nancy, où Louis Pasteur, le premier, observa le rôle de la levure dans la fermentation. La Tourtel offre un arôme malté, teinté d'accents de citron et de miel. Le houblon est également perceptible. Au palais, elle s'équilibre bien entre la douceur et l'amertume. Il existe également une Tourtel Brune, forte d'un col épais et crémeux et d'une riche saveur légèrement amère.

CARACTÉRISTIQUES

Brasserie : Brasseries Kronenbourg (Scottish & Newcastle)
Situation : Strasbourg, Alsace
Type : bière légère

Robe : jaune paille
Teneur en alcool : 0,5 % vol.
Température de service : 6 °C
Accompagnement : poisson à la vapeur et poulet

Pietra

La Pietra est brassée dans la brasserie éponyme de la petite ville de Furiani, en Haute-Corse, depuis 1996. Elle tire son nom du village de Pietraserena.

Elle délivre un intense arôme de houblon, et cet ingrédient est également dominant au palais, induisant une saveur sèche et résineuse en même temps qu'une amertume prolongée en arrière-goût. La forte identité de cette bière est donnée par la farine de châtaigne, gage d'une certaine épaisseur en bouche et d'une saveur aux accents boisés. La gamme de la brasserie inclut également la Colomba, bière blanche aromatisée au genièvre.

CARACTÉRISTIQUES

Brasserie : Brasserie Pietra
Situation : Furiani, Haute-Corse
Type : lager
Robe : brun ambré clair

Teneur en alcool : 6 % vol.
Température de service : 7-8 °C
Accompagnement : gibiers

CI-DESSUS

Scène printanière sur la place d'Armes à Luxembourg. Cet espace très convivial est idéal pour goûter les meilleures bières luxembourgeoises, mais il faut savoir éviter les cafés où l'on ne sert que les fades lagers des grands groupes.

Luxembourg

Le grand-duché de Luxembourg, fondé en tant que comté en 963, fit longtemps partie du Saint-Empire romain. En matière de bière, le Luxembourg vit quelque peu dans l'ombre de la Belgique et de l'Allemagne, voisins mondialement réputés pour le savoir-faire de leurs brasseurs, mais les habitants du grand-duché sont des connaisseurs. Malgré sa faible superficie, le territoire compte un nombre respectable de brasseries et, de même que dans la plupart des pays d'Europe, le marché local est dominé par les grands groupes, dont le puissant Interbrew.

DURANT LES ANNÉES 1970 et 1980, la production annuelle de bière du Luxembourg dépassa régulièrement 600 000 hectolitres, avec une pointe à plus de 800 000 hectolitres en 1976. Au début des années 2000, elle glissa cependant sous la barre des 400 000 hectolitres annuels pour la première fois depuis 1950, et il est difficile d'imaginer qu'elle puisse dépasser de nouveau ce cap un jour. Aspect plus positif, l'émergence de plusieurs brasseries-tavernes, lesquelles constituent sans doute l'avenir de la bière au Luxembourg, a permis une augmentation du nombre de brasseries, porté aujourd'hui à sept pour une population de 400 000 habitants.

Le Luxembourg, sans doute influencé par l'afflux de bières venues de l'Est, adopta les techniques de fermentation basse plus tôt que la Belgique. Dès 1872, vingt-sept des trente-deux brasseries du grand-duché avaient délaissé les ales au profit des lagers et, au début du XXᵉ siècle, la fermentation haute était déjà complètement abandonnée.

Au nombre des grandes brasseries luxembourgeoises figurent la Brasserie de Luxembourg Mousel-Diekirch, productrice de la Mousel Premium Pils, et la Brasserie Bofferding, qui, forte de cent cinquante ans d'expérience, d'équipements ultramodernes et d'une attention particulière à la qualité des ingrédients utilisés, produit la Bofferding Lager Pils, première bière nationale.

CI-DESSUS

Cuves de filtration de la Brasserie Simon, seule brasserie indépendante du Luxembourg avec la brasserie Bofferding.

STATISTIQUES

Production annuelle : 375 000 hectolitres
Consommation par an et par habitant : 107 litres
Principales brasseries : Battin, Luxembourg-Mousel-Diekirch, Simon
Bières réputées : Mousel, Simon Dinkel

Bofferding

Cette lager à robe or pâle est brassée dans le bourg de Bascharage. En verre, elle présente un col de mousse écumeux et moyennement épais.

L'arôme à caractère malté est peu développé. Au palais, le houblon très présent induit une agréable amertume qui fait de cette bière une honnête pilsner. La Brasserie Bofferding produit deux autres bières, dont une bière de Noël. Bascharage est un pittoresque bourg situé sur le principal axe Paris-Luxembourg, à la croisée des terrils du pays minier et des vertes vallées du canton de Capellen.

CARACTÉRISTIQUES

Brasserie : Brasserie Bofferding
Situation : Bascharage
Type : lager
Robe : jaune clair
Teneur en alcool : 5 % vol.
Température de service :
   6-8 °C
Accompagnement : à servir
   en apéritif

Premium Diekirch

Cette pilsner présente une texture onctueuse et une agréable saveur teintée d'amertume.

La Diekirch Premium est l'une des bières les plus populaires du grand duché. Elle fut lancée par la brasserie Diekirch, fondée en 1871 après la fusion de trois petites brasseries du bourg éponyme. En 1999 Diekirch associa ses intérêts à ceux de la brasserie Mousel, à Rheinfelden, dont le site de brassage fut abandonné au profit de celui de Diekirch. Cette nouvelle entité produit aujourd'hui plus de la moitié de la bière fabriquée au Luxembourg.

CARACTÉRISTIQUES

Brasserie : Brasserie de
   Luxembourg Mousel-Diekirch
Situation : Diekirch, Luxembourg
Type : lager
Robe : jaune d'or

Teneur en alcool : 4,8 % vol.
Température de service : 6-8 °C
Accompagnement : poulet grillé
   ou côtes de porc

Premium Pils Mousel

Dans les années 1860, il existait, au grand-duché du Luxembourg, plus de trente-cinq brasseries.

Aujourd'hui, en dépit de sa localisation géographique entre la Belgique et l'Allemagne, grands pays de la bière, le Luxembourg en possède moins de dix. Avant sa fermeture en 1999, Mousel (Brasseries Réunies de Luxembourg – Mousel & Clausen) était l'une des plus anciennes brasseries du pays, avec une origine retracée à 1511 sur le site de l'abbaye d'Altenmünster. Les bières Mousel, une pilsner et une zwickelbier non filtrée, sont aujourd'hui brassées à Diekirch.

CARACTÉRISTIQUES

Brasserie : Brasserie de Luxembourg Mousel-Diekirch
Situation : Diekirch, Luxembourg
Type : lager
Robe : jaune doré
Teneur en alcool : 4,8 % vol.
Température de service : 6-8 °C
Accompagnement : fruits de mer

Simon Dinkel

C'est une lager très originale, à la fois en termes d'arôme et de saveur. En verre, elle présente un col aussi épais qu'écumeux et délivre un plaisant nez d'agrume.

La saveur empreinte de notes de miel et d'épices est d'une grande richesse, à l'inverse de celle des lagers plutôt fades qui dominent le marché. La robe jaune voilée, qui évoque les moissons, témoigne de l'absence de filtration dans le processus de fabrication. La gamme de la Brasserie Simon comporte trois autres bières, dont une bière de Noël. Fondée en 1824 par Joseph Simon, qui a donné son nom à la rue où se situe aujourd'hui l'entreprise, elle demeure l'une des plus anciennes brasseries du grand-duché.

CARACTÉRISTIQUES

Brasserie : Brasserie Simon
Situation : Wilz
Type : lager
Robe : brun or
Teneur en alcool : 4,5 % vol.
Température de service : 6-8 °C
Accompagnement : mets épicés ou à servir en apéritif

Productrice d'une grande variété d'ales, de porters et de lagers appréciées par les connaisseurs, la Belgique est l'un des centres mondiaux de l'industrie de la bière. Les bars où sont servies ces boissons sont souvent très pittoresques, certains vieux de plus d'un siècle, éclairés de chandelles et ne proposant que quelques chaises à ses heureux consommateurs.

Belgique

La Belgique abrite plus de styles et de variétés de bières qu'aucun autre pays au monde. C'est sur le territoire belge que l'on trouve les fameuses bières trappistes, brassées selon des principes très stricts dans les six seules abbayes – Chimay, Orval, Rochefort, Westvleteren, Westmalle et Achel – autorisées à utiliser commercialement cet épithète.

L A BELGIQUE est également l'hôte d'un style de bière extrêmement original : par leur nature, les lambics ne peuvent être imités ailleurs dans le monde, car ils subissent une fermentation spontanée rendue possible par l'action d'une levure sauvage uniquement présente dans la région du Payottenland, à l'ouest de Bruxelles. La technique de fabrication rappelle les premiers temps du brassage : le moût est exposé, dans des bacs ouverts, à l'action de la levure sauvage, puis il est mis à fermenter deux ans en fûts de chêne. La bière obtenue, riche et complexe, est mélangée à d'autres lambics par les maîtres brasseurs – et parfois parfumée à l'aide de fruits – pour donner naissance aux gueuzes.

Malgré son dynamisme et sa bonne santé, l'industrie belge de la bière subit les lois du marché, lesquelles ont distribué la plus grande partie de la production mondiale entre un petit nombre de conglomérats internationaux. La plus grosse part du marché intérieur belge est détenu par le groupe Interbrew, formé en 1988 par le mariage des brasseries Artois (producteur de la Stella Artois) et Piedbœuf (producteur de la Jupiter), et qui se targue d'être, depuis son association avec le groupe brésilien AmBev en 2004, le plus gros producteur de bière mondial. L'autre acteur important de l'industrie belge de la bière est le groupe britannique Scottish & Newcastle, qui fit l'acquisition d'Alken-Maes, deuxième brasserie belge, en 1988.

Il reste cependant des raisons de se réjouir. Le nombre des microbrasseries et brasseries-tavernes ne cesse de croître et, en dépit du pouvoir exercé par les grands groupes, le sentiment général est que tant que les amateurs de bières belges conserveront leur enthousiasme pour la formidable production de ce pays, la diversité continuera d'y régner.

STATISTIQUES

Production annuelle : 15 650 000 hectolitres

Consommation par an et par habitant : 98 litres

Principales brasseries : Artois, Brasserie du Bocq, Brasserie de Rochefort, Brouwerij Duvel Moortgat NV, Brouwerij van Hoegaarden, Lindemans Farm Brewery, NV Brouwerijen Alken-Maes Brasseries SA

Bières réputées : Duvel Verde, Grimbergen Blonde, Hoegaarden, La Gauloise Blonde, Lindemans Gueuze, Leffe Brune, Mort Subite, Satan Gold, Stella Artois

Abbaye des Rocs

La Brasserie de l'Abbaye des Rocs, située dans le Hainaut, tient son nom des ruines d'une ancienne abbaye s'élevant à proximité.

Depuis le début de son activité en 1979, la Brasserie de l'Abbaye des Rocs produit une gamme d'ales fortes de styles variés, dont la bière éponyme, brassée à partir de sept types de malt et de plusieurs variétés de houblon. Elle présente des traits dignes des plus grands vins, dont une texture riche, un arôme fruité et une saveur teintée de notes de charbon de bois, de fruits rouges et de houblon. La gamme Abbaye des Rocs inclut également la Blanche des Honnelles, bière blanche non filtrée qui compte l'avoine malté parmi ses ingrédients.

CARACTÉRISTIQUES
Brasserie : Brasserie de l'Abbaye des Rocs SA
Situation : Montignies-sur-Roc, Hainaut
Type : dubbel
Robe : brun ambré foncé
Teneur en alcool : 9 % vol.
Température de service : 14 °C
Accompagnement : cake au fruits

La Chouffe Blonde

La Brasserie d'Achouffe commença son activité en 1982, sous la conduite des beaux-frères Christian Bauweraerts et Pierre Gobron.

En 1984, Pierre Gobron abandonna sa profession pour se consacrer entièrement au développement de la brasserie. Il fut rejoint par Christian Bauweraerts en 1988 et, après quelques années, les deux compères se trouvèrent à la tête d'une entreprise prospère tant au niveau national qu'à l'exportation. La Chouffe est une ale forte non pasteurisée aromatisée à la coriandre et légèrement houblonnée. La brasserie produit également la Mc Chouffe, ale sombre qui, en dépit de son nom, ressemble peu aux scotch ales écossaises, et l'Esprit d'Achouffe, eau de-vie obtenue par distillation d'une bière de cinq ans d'âge.

CARACTÉRISTIQUES	
Brasserie : Brasserie d'Achouffe	**Teneur en alcool :** 8 % vol.
Situation : Achouffe, Luxembourg	**Température de service :** 12 °C
Type : lager forte	**Accompagnement :** mets épicés
Robe : brun or	

Leffe Brune

CARACTÉRISTIQUES

Brasserie : Abbaye de Leffe SA

Situation : Leffe, Namur

Type : brown ale

Robe : brun-roux foncé

Teneur en alcool : 6,5 % vol.

Température de service : 10 °C

Accompagnement : ragoût consistant

Les bières Leffe existent en plusieurs variétés distinctes, dont la **Leffe Brune**, brown ale à la saveur riche et complexe et à l'arôme de caramel teinté de notes de chocolat et de fruits rouges. L'arrière-goût évoque le raisin et se trouve rehaussé par les accents secs et épicés du houblon.

Les bières Leffe sont les plus connues des bières d'abbaye. À la différence des authentiques bières trappistes, elles ne sont pas de purs produits monastiques, mais le résultat d'accords par lesquels une brasserie s'engage à produire la bière d'un monastère sous licence et à partager les profits avec celui-ci. L'abbaye Notre-Dame de Leffe fut fondée en 1152 à Dinant, non loin de Namur. La fabrication de bière commença sur le site dès le XIIIᵉ siècle mais s'arrêta au lendemain de la Révolution française.

Si les premières Leffe furent produites dans les années 1950 par une petite brasserie locale, leur fabrication a lieu aujourd'hui à la brasserie Artois de Louvain, à proximité de Bruxelles. Parmi les autres bières Leffe, la plus intéressante est sans doute la Leffe Blonde, pale ale riche d'un arôme fruité et épicé, d'une texture crémeuse et d'une saveur marquée par des accents d'orange et de houblon. La Leffe Triple offre une saveur teintée de coriandre et d'orange, tandis que la Leffe Radieuse est une bière riche et complexe, enrichie, en arôme et en saveur, de notes de banane, d'agrume, de coriandre et de clou de girofle.

Stella Artois

La Stella Artois, produite par la brasserie Artois à Louvain, à proximité de Bruxelles, est l'une des bières blondes les plus connues dans le monde. Cette pilsner pur malt offre une texture généreuse, un caractère bien défini et une saveur légère qui masque sa haute teneur en alcool.

La brasserie Artois tient ses origines de la fondation, en 1366, de brasserie Den Horen à Louvain, et le nom de cette première enti («le cor», en flamand) est reflété par le cor de chasse figurant sur logo de la marque. En 1708, le titre de maître-brasseur fut attribué Sébastien Artois, qui, neuf ans plus tard, fit l'acquisition de l'entr prise et lui donna son nom. Durant la Première Guerre mondiale, brasserie fut détruite par un bombardement d'artillerie, mais elle f rapidement reconstruite sur le même site. En 1926, Artois lança ur bière de Noël nommée Stella Artois, devenue aujourd'hui une biè pérenne et la plus réputée du groupe.

Elle est brassée à l'aide d'eau tirée d'un puits situé sur le site et sub une fermentation sous l'effet d'une souche de levure spécifique. Ur seconde unité de brassage fut construite en 1948, et l'entreprise cont nua de prospérer jusqu'à sa fusion, en 1987, avec la bra serie Piedbœuf. Né de cette alliance, le groupe Interbre est aujourd'hui l'un des plus grands groupes brass coles au monde, et la Stella Artois est distribuée dar plus de quatre-vingts pays.

CARACTÉRISTIQUES

Brasserie : Artois
Situation : Louvain, Brabant
Type : pilsner
Robe : brun doré
Teneur en alcool : 5,2 % vol.
Température de service : 6 °C
Accompagnement : poissons
   frits ou grillés

Maes Pils

L'entreprise produisit essentiellement des ales jusqu'en 1946, année de lancement de la Maes Pils, pilsner légère et très désaltérante. L'histoire de Maes est jalonnée d'acquisitions et de fusions. En 1988, Maes associa ses intérêts à ceux de la brasserie Alken, créatrice en 1929 de la Cristal Alken, première pilsner belge. Alken-Maes demeura aux mains de la famille Maes jusqu'en 1993.
Depuis 2000, la brasserie fait partie du groupe britannique Scottish & Newcastle.

brasserie Maes fut
ndée en 1880 lorsque
mbitieux Egied Maes
prit la brasserie Sint-
ichaël à Waarloos.

ARACTÉRISTIQUES

Brasserie : Brouwerij Alken-Maes
Situation : Alken, Limbourg
Type : pilsner
Robe : brun doré

Teneur en alcool : 4,9 % vol.
Température de service : 6-8 °C
Accompagnement : poissons
et fruits de mer grillés

Bavik Wittekerke

Cette bière de blé traditionnelle à la belle robe dorée tient son nom d'un feuilleton télévisé ayant pour cadre un village belge fictif portant ce même nom. Elle fut lancée en même temps que la série télévisée.

CARACTÉRISTIQUES

Brasserie : Brouwerij Bavik
Situation : Bavikhove, Flandre-Occidentale
Type : bière de blé belge
Robe : jaune cuivré
Teneur en alcool : 5 % vol.
Température de service : 9-10 °C
Accompagnement : plats de pâtes

La Wittekerke est brassée selon une méthode traditionnelle qui consiste à incorporer une part d'avoine maltée dans le moût, en plus de l'orge et du froment, afin de donner à la bière une texture onctueuse et une saveur légèrement sucrée. Son arôme très fruité délivre des accents d'orange et de coriandre, tandis qu'au palais elle apparaît très équilibrée, avec des notes maltées et fruitées s'opposant agréablement à l'amertume subtile du houblon.

Bavik Petrus Winterbier

Petrus est le nom donné par la brasserie Bavik à ses bières de fermentation haute, dont cette bière de saison brassée en novembre. Elle présente un arôme malté teinté de notes sucrées, et sa gazéification abondante lui donne, en bouche, la riche texture d'un champagne.

Le mélange d'épices utilisé pour aromatiser cette bière frappe le pala[?] de façon subtile, et il est bien contrebalancé par la sécheresse citriqu[?] du houblon et les touches sucrées du malt. Outre cette bière de sa[?] son, Bavik produit sept autres ales sous l'appellation Petrus, empru[?] tée au fameux vin Petrus de l'aire viticole de Pomerol. L'Oud Bruin e[?] une bière sombre et ambrée fabriquée à partir d'un mélange de brow[?] ale et d'ale affinée en fûts de chêne pendant deux ans. Elle tire de c[?] traitement un caractère vineux, sans perdre ses vertus désaltérante[?] Introduite en 1975 afin de lutter contre une perte d'exploitation d[?] à la concurrence des grands groupes, elle connut un succès imméd[?] et remplit à merveille son contrat. La brasserie Bavik put ainsi cé[?] brer son centenaire en 1994, toujours aux mains de la famille [?] Brabandere après sa fondation en 1894 par Adolphe de Brabander[?] La gamme Petrus inclut également la Spéciale, ale ambrée traditio[?] nelle, et la Gouden Tripel, élégante et savoureuse blonde. En outr[?] la brown ale affinée en fût qui sert à la confection [?] l'Oud Bruin est exportée aux États-Unis, où l[?] amateurs l'apprécient telle quelle.

CARACTÉRISTIQUES

Brasserie : Brouwerij Bavik

Situation : Bavikhove, Flandre-Occidentale

Type : ale forte

Robe : rubis foncé

Teneur en alcool : 6,5 % vol.

Température de service : 8-10 °C

Accompagnement : soupes épaisses et viandes grillées au barbecue

Block Satan Gold

Les riches liens de la famille De Block avec l'industrie brassicole se nouèrent dès le XIVe siècle, lorsque Henricus De Block obtint le droit de fabriquer de la bière pour le duc de Brabant et de Bourgogne. Cependant, il fallut attendre 1887 pour voir l'un de ses descendants, Louis De Block, fonder la brasserie actuelle dans le village de Peizegem, au nord-ouest de Bruxelles, dans le Brabant flamand.

La brasserie produit aujourd'hui quatre bières annuelles, dont deux, les plus populaires, sous l'appellation Satan. La Satan Gold est une pale ale brassée à partir de malts blonds qui lui confèrent un caractère doux et fruité, bien mis en valeur par une amertume teintée de notes épicées. La Satan Red est seulement différenciée de la précédente par l'emploi de malts bruns. Elle affiche une agréable texture crémeuse et offre une saveur très rafraîchissante. La Dendermonde est une tripel d'abbaye brassée dans le style belge, à caractère malté affirmé, tandis que la Kastaar est une brown ale traditionnelle offrant une teneur en alcool moins élevée et une saveur très agréable, teintée d'amertume et rehaussée d'accents de malt et de coriandre.

CARACTÉRISTIQUES

Brasserie : Brouwerij De Block-Joostens

Situation : Peizegem, Brabant flamand

Type : pale ale belge

Robe : brun doré

Teneur en alcool : 8 % vol.

Température de service : 8-10 °C

Accompagnement : mets mexicains épicés ou pizzas

La Binchoise Bière des Ours

La micro-brasserie La Binchoise fut fondée en 1987 à Binche, bourg situé entre Mons et Charleroi. Outre deux ales fortes classiques et agréablement épicées, La Binchoise Brune et La Binchoise Blonde, l'entreprise produit une ale brune aromatisée au miel et adéquatement nommée Bière des Ours.

En plus d'apporter à la bière un surcroît de douceur, le miel fournit des sucres fermentescibles qui accroissent la teneur en alcool. La Bière des Ours est distribuée sous le nom de Berenbier en Belgique flamande et aux Pays-Bas. Parmi les autres bières produites par La Binchoise figurent La Binchoise Rose, pale ale d'été parfumée à la framboise, et La Binchoise Spéciale Noël, bière de Noël très aromatique.

CARACTÉRISTIQUES
Brasserie : Brasserie La Binchoise
Situation : Binche, Hainaut
Type : ale forte
Robe : brun doré
Teneur en alcool : 8 % vol.
Température de service : 10 °C
Accompagnement : canard rôti et gibiers

Blanche de Namur

La Blanche de Namur est une bière blanche légère et agréable, riche d'une saveur fruitée où percent la coriandre et l'orange amère.

Elle est produite par la Brasserie Du Bocq, fondée en 1858 par le Belg Martin Belot dans le village de Purnode, à proximité de Dinant. So idée première était d'occuper ses employés durant les mois d'hive mais la brasserie prit rapidement de l'essor, à tel point qu'en 1960 l'ex ploitation des terres agricoles du domaine fut stoppée. Aujourd'hu encore, la Brasserie Du Bocq est une entreprise familiale entièremer indépendante.

CARACTÉRISTIQUES	
Brasserie : Brasserie du Bocq	**Teneur en alcool :** 4,5 % vol.
Situation : Purnode, Namur	**Température de service :** 6 °C
Type : bière de blé belge	**Accompagnement :** poissons,
Robe : jaune paille, trouble	viandes blanches et volailles

La Gauloise Blonde

La Gauloise Brune fut longtemps la bière phare de la Brasserie Du Bocq. Depuis 1994, elle est concurrencée par La Gauloise Blonde, pale ale savoureuse.

Le caractère houblonné perceptible en arôme se délite au palais, laissant paraître un profil malté teinté d'une amertume de houblon rafraîchissante. La troisième bière de la gamme La Gauloise, également introduite en 1994, est La Gauloise Ambrée, ale ambrée aux accents de réglisse. Outre les bières de sa large gamme, Du Bocq brasse diverses bières à la commande, essentiellement des bières événementielles fabriquées en petites quantités pour des brasseries plus importantes.

CARACTÉRISTIQUES

Brasserie : Brasserie du Bocq
Situation : Purnode, Namur
Type : pale ale belge
Robe : jaune cuivré

Teneur en alcool : 6,3% vol.
Température de service : 8-12 °C
Accompagnement : poissons, viandes blanches et volailles

La Gauloise Brune

Cette bière, lancée dans les années 1920, fut la première commercialisée par la Brasserie Du Bocq. Sa réputation dépassa rapidement les frontières locales.

La Gauloise Brune est une bière de fermentation haute brassée selon une recette traditionnelle, affinée plusieurs semaines en cuves froides, puis embouteillée sans filtration ni pasteurisation. En verre, elle délivre un riche arôme de levure teinté de notes de coriandre. Au palais, la texture est riche, la saveur bien calée entre le malt et le houblon. Une agréable amertume persiste en arrière-goût.

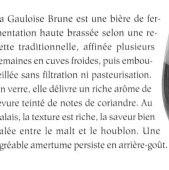

CARACTÉRISTIQUES

Brasserie : Brasserie du Bocq
Situation : Purnode, Namur
Type : ale forte belge
Robe : brun ambré foncé
Teneur en alcool : 8,1% vol.
Température de service : 8-12 °C
Accompagnement : gibiers, viandes rouges, volailles épicées

Triple Moine

Bien que désignée comme une tripel, la Triple Moine affiche une teneur en alcool relativement peu élevée. Son arôme évoque le houblon frais et sa saveur est dominée par une rafraîchissante amertume de houblon, rehaussée de notes de malts fruités.

La Triple Moine ressemble à la Deugniet, autre bière Du Bocq un peu plus corsée à l'arôme teinté de pomme verte. La Brasserie Du Bocq produit également deux bières de saison sous la marque Saison Regal, ancienne propriété de la brasserie de Marbaix-la-Tour, fermée en 1983. La St Benoit Blonde, pale ale légère, et la St Benoit Brune, ale forte agréablement fruitée, sont deux autres bières de la large gamme.

CARACTÉRISTIQUES
Brasserie : Brasserie du Bocq
Situation : Purnode, Namur
Type : tripel
Robe : brun doré
Teneur en alcool : 5,5 % vol.
Température de service : 8-12 °C
Accompagnement : pâtes épicées, pizzas, fromages forts

Pauwel Kwak

Chaque brasserie belge fabrique ses propres verres à bière, censés être de forme idéale pour la dégustation des bières qu'elle produit.

Aucun contenant de bière n'est aussi caractéristique que le large ver[re] à fond arrondi dans lequel est servie la Pauwel Kwak. Sa forme s'in[s]pire de celle des verres inventés par le fameux aubergiste éponym[e] afin de contourner la loi et de servir les conducteurs de malles-pos[te] sans qu'ils descendent de leur monture. La bière Pauwel Kwak e[st] brassée à partir de trois types de malt puis adoucie par ajout de suc[re] candi. Elle offre une texture onctueuse et un agréable caractère malt[é]

CARACTÉRISTIQUES	
Brasserie : Brouwerij Bosteels	**Robe :** brun cuivré
Situation : Buggenhout, Flandre-Orientale	**Teneur en alcool :** 8 % vol.
	Température de service : 13 °C
Type : ale forte belge	**Accompagnement :** chocolat noir

Tripel Karmeliet

a Brasserie Bosteels, fondée en 1791, est la propriété de la mille qui lui a donné son nom depuis sept générations. es dernières années, la brasserie a tiré parti de son mmense expérience pour produire plusieurs ales fortes e grande qualité.

le choisie ici s'inspire d'une bière fabriquée au XVIIᵉ siècle au monas-re de Dendermonde. Elle est brassée à partir d'un mélange de fro-ent, d'avoine et d'orge malté et non malté, puis aromatisée à l'aide pices. La saveur est complexe, avec un peu de sécheresse en arrière-ût.

ARACTÉRISTIQUES

Brasserie : Brouwerij Bosteels	**Teneur en alcool :** 8 % vol.
Situation : Buggenhout, Flandre-Orientale	**Température de service :** 10-14 °C
Type : tripel d'abbaye	**Accompagnement :** desserts
Robe : jaune orangé	acides tels que la tarte au citron

Chimay Rouge

La Chimay Rouge est une dubbel trappiste à belle robe bronze, riche d'un arôme fruité dominé de notes d'abricot et de cassis. Au palais, la texture est soyeuse et les nuances fruitées persistent, bien tempérées, en arrière-goût, par un caractère sec et acide.

ARACTÉRISTIQUES

Brasserie : Bières de Chimay SA

Situation : abbaye de Notre-Dame de Scourmont, Chimay, Hainaut

Type : dubbel trappiste

Robe : bronze

Teneur en alcool : 7 % vol.

Température de service : 14 °C

Accompagnement : poissons frits et fruits de mer

L'abbaye Notre-Dame de Scourmont fut fondée en 1850. Deux ans plus tard, il fut décidé d'y brasser de la bière afin d'occuper les moines et de subvenir aux besoins de la communauté. Depuis 1925, les bières Chimay font l'objet d'une véritable distribution commerciale. La brasserie, plus gros employeur de la région, opère aujourd'hui de façon indépendante, et les moines sont retournés à leur méditation.

Chimay Bleue

Brassée à l'origine en tant que bière de Noël, la Chimay Bleue, aujourd'hui pérenne, est à la fois la plus forte et la plus réputée des trois bières fabriquées au sein de la plus connue des abbayes trappistes belges. Cette ale forte d'hiver subit une seconde fermentation en bouteilles et peut être conservée pendant cinq ans. À terme, elle acquiert une richesse digne d'un vieux porto.

Les notes de caramel et les accents rafraîchissants de houblon et de levure laissent place, au palais, à un caractère fruité chargé d'épices. La légèreté est trompeuse. La Chimay Bleue tient son nom de sa capsule de couleur bleue (les autres Chimay arborent une capsule rouge ou blanche), mais elle est également distribuée en bouteilles à bouchon de liège sous l'appellation Chimay Grande Réserve.

CARACTÉRISTIQUES

Brasserie : Bières de Chimay SA
Situation : abbaye de Notre-Dame de Scourmont, Chimay, Hainaut
Type : ale forte trappiste
Robe : rubis foncé
Teneur en alcool : 9 % vol.
Température de service : 14 °C
Accompagnement : à déguste en digestif, avec un cigare

Mort Subite Framboise

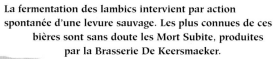

La fermentation des lambics intervient par action spontanée d'une levure sauvage. Les plus connues de ces bières sont sans doute les Mort Subite, produites par la Brasserie De Keersmaeker.

Les bières Mort Subite sont confectionnées par aromatisation d'un lambic – ou, pour la Kriek, d'un mélange de lambic jeune et de lambic plus âgé – à l'aide de jus ou d'extraits de fruits. Framboise et Kriek (Cerise) sont les deux Mort Subite les plus connues, mais il existe également une Mort Subite Cassis et une Mort Subite Pêche. La Mort Subite Framboise est une bière douce et fruitée, au profil moins complexe que celui de certains autres lambics, mais riche d'une saveur fraîche et acidulée. Le nom Mort Subite est celui d'un jeu de dés auquel s'adonnaient les habitués d'un café de Bruxelles dans lequel ces bières furent pour la première fois proposées.

CARACTÉRISTIQUES

Brasserie : Brouwerij De Keersmaeker
Situation : Kobbegem, Brabant flamand
Type : lambic aux fruits
Robe : brun-rose
Teneur en alcool : 4,3 % vol.
Température de service : 8-9 °C
Accompagnement : salade de fruits

De Koninck Antoon Blond

'unique brasserie de la
ille d'Anvers fut fondée
n 1833 par la famille
De Koninck afin de fournir
n bières l'auberge
amiliale.

CARACTÉRISTIQUES

Brasserie : Brouwerij
De Koninck NV

Situation : Anvers

Type : pale ale

Robe : brun cuivré

Teneur en alcool : 6 % vol.

Température de service :
8-10 °C

Accompagnement : desserts
riches aux saveurs épicées

Elle porte toujours le nom de De Koninck malgré sa vente en 1912 à la famille Van den Bogaerts, qui l'exploite depuis cinq générations. La première bière de l'entreprise fut une pale ale à robe ambrée – l'un des meilleurs exemples de ce type de bière en Belgique, avec une saveur située à mi-chemin entre celles d'une bitter anglaise et d'une Altbier allemande. Elle est simplement aujourd'hui appelée De Koninck. Dans les bars et les cafés d'Anvers, on la sert à la pression dans un verre spécifique appelé *bolleke*, mais elle est distribuée en bouteilles dans le monde entier. En 1993, une version plus fortement alcoolisée, appelée Cuvée De Koninck fut lancée, suivie, en 1998, par une bière blonde baptisée Antoon. En dépit de sa robe brun cuivré, il s'agit d'une ale plutôt que d'une lager. Sa texture est légère, mais elle est très riche en arôme et en saveur, avec une prédominance sucrée, teintée de notes de houblon. Bière de saison, la Winterkoninck, à belle robe brun ambré, est proposée durant les mois d'hiver en bouteilles à bouchon de liège.

Moinette

L'appellation Moinette s'applique aux deux ales fortes de la Brasserie Dupont. De même que dans nombre d'autres brasseries belges, la bière phare est déclinée en versions Brune et Blonde. Leur teneur en alcool est de 8,5 % alc./vol.

CARACTÉRISTIQUES

Brasserie : Brasserie Dupont
sprl

Situation : Tourpes-Leuze,
Hainaut

Type : ale forte

Robe : brun doré

Teneur en alcool : 8,5 % vol.

Température de service :
10-12 °C

Accompagnement : viandes
grillées au barbecue

La Moinette Blonde offre un arôme de houblon épicé et une saveur dominée par un caractère malté. Les notes de malt grillé sont plus affirmées chez la Moinette Brune, et accompagnées d'accents de caramel et d'épices. Fidèle aux méthodes de fabrication traditionnelles, Dupont affine ses bières pendant deux mois avant de les embouteiller sans filtration ni pasteurisation, ce qui explique leur robe voilée. Depuis 1990, la brasserie montre la voie de la modernité et produit plusieurs bières biologiques.

Saison Dupont Vieille Provision

La gamme des Saison représente un style de bières propre à la Belgique francophone. Elle sont fabriquées au printemps pour une consommation durant les mois d'été, époque où l'effet de la chaleur sur la levure rend aléatoire le brassage de la bière.

De façon typique, ces bières présentent une forte teneur en houblon et subissent une fermentation complète qui leur confère un caractère désaltérant. La Vieille Provision est l'un des meilleurs exemples de ce style. Elle développe un puissant arôme de houblon, et ce caractère sec et houblonné, accompagné de notes épicées, se confirme en bouche.

CARACTÉRISTIQUES
Brasserie : Brasserie Dupont sprl
Situation : Tourpes-Leuze, Hainaut
Type : saison
Robe : brun cuivré
Teneur en alcool : 6,5 % vol.
Température de service : 10 °C
Accompagnement : poissons grillés et salades vertes

Ellezelloise Quintine Blonde

La brasserie Ellezelloise commença son activité de façon artisanale en 1993. Elle produit plusieurs bières de caractère en bouteilles à capsule céramique.

La Quintine Blonde est une ale de riche texture, caractérisée par une arôme d'agrume et d'herbe teinté de notes de banane. Au palais, l'amertume du houblon demeure dominante, bien tempérée par un fond de douceur maltée. Il existe également une Quintine Ambrée, au caractère malté plus affirmé et au fini très sec mâtiné d'accents de caramel. La brasserie produit par ailleurs l'Hercule, savoureuse stout, la Blanche des Saisons, agréable bière de blé, et la Saison 2000, désaltérant Saison.

CARACTÉRISTIQUES	
Brasserie : Ellezelloise	**Teneur en alcool :** 8 % vol.
Situation : Ellezelles, Hainaut	**Température de service :** 10 °C
Type : pale ale	**Accompagnement :** saucisses grillées ou hamburgers
Robe : brun orangé	

Fantôme

La brasserie Fantôme fut fondée en 1988 par Dany Prignon, avec l'intention de rétablir la tradition de la brasserie de village voisine de la boucherie et de la boulangerie.

Ici, tout est fait à la main, y compris l'embouteillage, et l'on ne produit qu'une cuvée d'une seule bière par semaine. La Fantôme est une ale forte à la saveur teintée d'accents de pomme et de poire. Parmi les autres bières de la gamme figurent une Saison – brassée annuellement mais variant en caractère selon l'époque de fabrication – et diverses créations ponctuelles portant des noms tels que Pissenlit et Black Ghost.

CARACTÉRISTIQUES

Brasserie : brasserie Fantôme
Situation : Soy, Luxembourg
Type : ale forte
Robe : brun ambré

Teneur en alcool : 8 % vol.
Température de service : 12 °C
Accompagnement : fromages
forts

Gildenbier

La Gildenbier est une ale forte fabriquée par la brasserie Haacht, plus grande brasserie indépendante belge. Elle fut fondée en 1898 dans la petite ville de Boortmeerbeek, au nord de Louvain, et fut brièvement contrôlée, durant les années 1990, par Interbrew. Elle parvint à regagner son indépendance en 1998.

La plupart des bières Haacht sont des lagers de grande consommation, à l'exemple de la Primus (pilsner), de l'Adler (dortmunder) et de la Bière Blanche de Haacht (bière de blé), qui sont distribuées à grand profit dans les bars et les cafés gérés par la brasserie. Celle-ci produit également plusieurs ales, dans le style bière d'abbaye, sous la marque Tongerlo.

CARACTÉRISTIQUES

Brasserie : Brouwerij Haacht NV
Situation : Boortmeerbeek,
   Brabant flamand
Type : ale forte
Robe : brun ambré foncé
Teneur en alcool : 7 % vol.
Température de service :
   10 °C
Accompagnement : viandes
   grillées accompagnées
   d'une sauce épaisse

Steenbrugge Dubbel

**Une première brasserie
établie sur le site dès
1455 alterna au fil
des décennies entre
la fabrication de
bière et d'alcool.
La brasserie actuelle
fut fondée en 1872
avec l'acquisition,
par Jules Vanneste,
de la distillerie
Hamerken.**

Pendant les années 1930, avec l'émergence des pilsners en Belgique, elle délaissa les ales pour se consacrer à la fabrication de bières de fermentation basse, dont une bock, une dortmunder export et une pilsner. En 1993, l'entreprise subit une importante restructuration : elle fut rebaptisée Gouden Boom et revint au brassage de bières de fermentation haute, dont la fameuse Brugs Tarwebier (Blanche de Bruges) cédée depuis au groupe Alken-Maes. Aujourd'hui, la brasserie Gouden Boom produit deux bières d'abbaye – une dubbel et une tripel – sous la marque Steenbrugge, en référence à l'abbaye située à proximité de Bruges. Outre sa belle robe acajou, la dubbel offre une texture onctueuse et une riche saveur fruitée, rehaussée par des accents de malt caramel. La tripel, de robe brun doré, développe un arôme d'épices et de fleurs et offre, au palais, un caractère malté. Aujourd'hui, les efforts de la brasserie se portent surtout sur le développement de la Brugge Tripel et d'une autre ale forte nommée Brugge Blond. Forte d'une teneur en alcool de 9 % alc./vol., la tripel est sans doute la plus intéressante des deux.

CARACTÉRISTIQUES

Brasserie : Brouwerij
de Gouden Boom

Situation : Brugge, Flandre-
Occidentale

Type : dubbel d'abbaye

Robe : acajou

Teneur en alcool : 6,5 % vol.

Température de service :
10-12 °C

Accompagnement : pizzas
ou pâtes à la sauce tomate

Hoegaarden Blanche

l'est de Bruxelles s'étendent les principales terres à blé
e Belgique, et cette région abrita en son temps plus
e trente brasseries, chacune productrice d'une bière
lanche spécifiques. Dès 1960, les brasseries fermèrent
eurs portes et ce type de bière tomba dans l'oubli,
ictime du succès des lagers de style pilsner.

ort heureusement, il ne resta pas absent longtemps. Durant son
nfance dans la ville de Hoegaarden, le Belge Pierre Celis apprit les
ecrets du brassage au sein de la brasserie Tomsin, dernière des bras-
eries productrices de bières de blé à fermer ses portes. Déterminé à
aire revivre son style de bière favori, il commença la fabrication de
a bière Hoegaarden en 1966, et la popularité grandissante des bières
lanches à travers le monde peut aujourd'hui lui être largement attri-
uée. L'Hoegaarden est une bière légère et désaltérante, aromatisée
la coriandre et à l'orange. La brasserie produit également une bière
mbrée – la Hoegaarden Grand Cru – obtenue par emploi d'une plus
rande proportion de malt. À la suite d'un incendie en 1980, le
roupe Interbrew intervint pour aider à la reconstruction de la bras-
erie puis en fit l'acquisition. Pierre Celis émigra alors aux États-Unis
t y établit une entreprise pour y produire la Celis White, bière blanche
roche par son caractère de la bière Hoegaarden originale. Il devint
insi l'un des rares brasseurs à rencontrer le succès dans deux grands
ays de la bière.

CARACTÉRISTIQUES

Brasserie : Brouwerij van
Hoegaarden

Situation : Hoegaarden, Brabant
flamand

Type : bière de blé

Robe : brun orangé, trouble

Teneur en alcool : 5 % vol.

Température de service :
9-10 °C

Accompagnement : poulet grillé
et légumes verts

Delirium Tremens

La brasserie Huyghe se situe dans le bourg de Melle, à proximité de Gand. Elle fut fondée par Léon Huyghe en 1906, à la suite de la reprise de la brasserie d'Appelhoek, dont les origines remontent à 1654.

La brasserie disposa longtemps de sa propre malterie, mais celle-ci f[u] remplacée en 1913 par une unité d'embouteillage. Plus tard, en 192[?] le site fut entièrement réaménagé, puis d'autres installations fure[nt] adjointes dans les années 1930 et 1960. En 1985, une restructuratio[n] scinda l'entreprise en quatre départements – séparant notamment [la] fabrication des bières et le développement de la chaîne de cafés Huygh[e] – et lui permit de connaître un remarquable succès sous la géran[ce] des descendants de son fondateur. La large gamme de bières Huygh[e] – elle en englobe plus de soixante – résulte d'une politique de racha[t] de marques de brasseries en difficulté. Les plus réputées des bièr[es] Huygue sont les Delirium, proposées en bouteilles en grès habillé[e] d'une étiquette décorée de petits éléphants roses. Outre la Deliriu[m] Tremens, lancée en 1989, la brasserie produit la Delirium de Noë[l] savoureuse bière de saison, et la Delirium Nocturnum, de robe plu[s] sombre. La Delirium Tremens est une pale ale généreusement ho[u] blonnée, fabriquée à partir d'un mélange de trois levures. Elle pr[é] sente un caractère épicé marqué et délivre, en arrière-goût, une intens[e] amertume de houblon.

Floreffe Double

Les bières Floreffe sont des ales en bouteilles produites par la Brasserie Lefèbvre pour le compte des moines de l'abbaye de Floreffe, édifice situé à proximité de Namur, au sud-ouest de Bruxelles. Outre la Floreffe Double et la Floreffe Triple, dubbel et tripel traditionnelles, la brasserie fondée en 1876 à Quenast, dans le Brabant wallon, fabrique une pale ale bien définie et une bière brune épicée et anisée, nommée Prima Melior. La Floreffe Double est une brown ale moyennement alcoolisée, riche d'un arôme de malts et de fruit confits. La texture se révèle onctueuse, et le caractère malté persiste au palais, accompagné de notes de raisin et de chocolat.

La Floreffe Triple affiche une même onctuosité en texture. Sa saveur plutôt maltée laisse deviner malgré tout la présence du houblon, ce qui confère à cette bière un agréable caractère désaltérant. Elle est plus alcoolisée que la Florette Double, mais moins forte que la plupart des tripels belges classiques. Ces deux bières sont largement distribuées en Belgique, mais le meilleur endroit pour les déguster est sans aucun doute l'espace dévolu à cet effet au sein même de l'abbaye. La Brasserie Lefèbvre fabrique également la Blanche de Bruxelles, bière de blé très fruitée, la Quenast, pilsner agréablement houblonnée, et la Barbār, pale ale aromatisée au miel.

CARACTÉRISTIQUES

Brasserie : Brasserie Lefèbvre SA

Situation : Quenast, Brabant wallon

Type : dubbel d'abbaye

Robe : acajou clair

Teneur en alcool : 6,5 % vol.

Température de service : 10-12 °C

Accompagnement : bœuf ou agneau grillés

Jan van Gent

La Jan van Gent est une pale ale de robe cuivrée à l'arôme teinté de notes de fruits rouges et de caramel. Son agréable saveur maltée est tempérée par une pointe d'aigreur bienvenue.

Les origines de la brasserie Liefmans remontent à 1679, année mentionnée sur les plus anciens écrits connus attestant de la présence d'une brasserie à Oudenaarde. Celle-ci fut acquise par Jacobus Liefmans, en 1770, et demeura entre des mains familiales jusqu'en 1868, année de la mort de Camille Liefmans et de la vente subséquente de l'entreprise à Pierre van Geluwe de Berlaere (qui conserva le nom Liefmans). En 1990, Liefmans fut acquise par Riva. Depuis, les bières Liefmans sont brassées à Dentergem, siège de la brasserie Riva, puis transportées à Oudenaarde pour y subir fermentation et affinage afin de conserver leur caractère spécifique.

CARACTÉRISTIQUES

Brasserie : Brouwerijgroep Liefmans-Riva
Situation : Oudenaarde, Flandre-Orientale
Type : pale ale
Robe : cuivrée
Teneur en alcool : 5,5 % vol.
Température de service : 10-13 °C
Accompagnement : pain de campagne et fromages

Lindemans Framboise

Au sud-ouest de Bruxelles, dans le paisible bourg de Vlezenbeek, la famille Lindemans exploite la terre et brasse de la bière depuis des lustres.

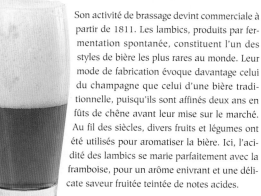

Son activité de brassage devint commerciale à partir de 1811. Les lambics, produits par fermentation spontanée, constituent l'un des styles de bière les plus rares au monde. Leur mode de fabrication évoque davantage celui du champagne que celui d'une bière traditionnelle, puisqu'ils sont affinés deux ans en fûts de chêne avant leur mise sur le marché. Au fil des siècles, divers fruits et légumes ont été utilisés pour aromatiser la bière. Ici, l'acidité des lambics se marie parfaitement avec la framboise, pour un arôme enivrant et une délicate saveur fruitée teintée de notes acides.

CARACTÉRISTIQUES

Brasserie : Lindemans Farm Brewery
Situation : Vlezenbeek, Brabant flamand
Type : lambic framboise
Robe : brun ambré
Teneur en alcool : 3,8 % vol.
Température de service : 7,2 °C
Accompagnement : desserts au chocolat, framboises fraîches, framboisier (gâteau), huîtres, caviar

Lindemans Gueuze

Les gueuzes, bières de blé de fermentation spontanée non aromatisées, constituent un style de bière très ancien.

La gueuze Lindemans est hautement appréciée par les gourmets belges, qui la conservent en cave avec leurs meilleurs vins. Elle présente une robe cuivrée plutôt terne et délivre une saveur vineuse qui évoque celle d'un vermouth sec. Elle est traditionnellement servie dans un verre droit et accompagnée de morceaux de sucre afin d'en adoucir le goût. On peut la déguster en apéritif, à la place, par exemple, d'un xérès. Sa saveur si particulière est l'une des raisons qui ont permis à cette bière d'obtenir une médaille d'or aux World Beer Championships.

CARACTÉRISTIQUES

Brasserie : Lindemans Farm Brewery

Situation : Vlezenbeek, Brabant flamand

Type : gueuze

Robe : cuivrée

Teneur en alcool : 3,8 % vol.

Température de service : 7,2 °C

Accompagnement : carbonade de bœuf, moules au vin blanc, fromages forts

Lindemans Kriek

Ce lambic filtré, aromatisé à l'aide de cerises entières cultivées localement, présente une saveur acide très désaltérante. Il provient de l'une des dernières brasseries produisant des lambics authentiques, bières à la saveur sèche et vineuse obtenues par fermentation spontanée.

La Brasserie Lindemans est la plus prospère des brasseries indépendantes belges vouées à la production de lambics – elle suit de près Belle-Vue (Interbrew) et De Keersmaeker (Scottish & Newcastle). Chez les Lindemans, le brassage fut à l'origine une activité hivernale, complémentaire de la culture d'orge et de blé, mais devant le succès remporté par les bières familiales, l'activité agricole s'arrêta dans les années 1930. En 1991, une nouvelle brasserie fut construite et permet aujourd'hui la production d'une large gamme de lambics aux fruits.

CARACTÉRISTIQUES

Brasserie : Brouwerij Lindemans

Situation : Vlezenbeek, Brabant flamand

Type : lambic kriek

Robe : brun orangé foncé

Teneur en alcool : 4 % vol.

Température de service : 8-10 °C

Accompagnement : plats de canard aux fruits (canard à l'orange)

143

Saison 1900

La Wallonie est le berceau des fameuses ales trappistes, mais également d'un style de bière original, simplement appelé saison.

Ces bières légères et désaltérantes étaient traditionnellement brassées au printemps puis dégustées au plus chaud de l'été, lorsque le brassage était rendu aléatoire. La version produite par la Brasserie Lefèbvre, proposée toute l'année, est plus légère et plus sucrée que la plupart des autres bières de ce style. Son arôme de fruits et d'épices laisse place à une saveur fruitée teintée de notes de caramel. Une subtile amertume de houblon apparaît en arrière-goût.

CARACTÉRISTIQUES

Brasserie : Brasserie Lefèbvre SA
Situation : Quenast, Brabant wallon
Type : saison
Robe : brun orangé
Teneur en alcool : 5,2 % vol.
Température de service : 8-10 °C
Accompagnement : dinde aux airelles

Hapkin

Cette bière tient son nom de Baudouin Hapkin, comte de Flandres réputé au Moyen Âge pour son maniement de la hache d'arme.

À la fin du XIe siècle, Baudouin Hapkin ordonna aux moines de l'abbaye des Dunes (Ter Duinen) de brasser une pale ale à son intention, et la légende dit que cette bière rendit le comte et son armée invincibles. Sans véritablement être dotée de ces vertus, l'Hapkin produite aujourd'hui est une bière corsée, riche d'accents de houblon dans une structure sèche et fruitée, terminée par une pointe d'amertume, en arrière-goût. La brasserie Louwaege, fondée en 1877, est aujourd'hui contrôlée par le groupe britannique Scottish & Newcastle.

CARACTÉRISTIQUES

Brasserie : Brouwerij Louwaege
Situation : Kortemark, Flandre-Occidentale
Type : ale forte
Robe : brun doré
Teneur en alcool : 8,5 % vol.
Température de service : 10 °C
Accompagnement : soupes légères aux légumes

Duvel

La Duvel est réputée pour son puissant arôme de houblon. Malgré sa forte teneur en alcool, elle est très désaltérante, car riche, au palais, d'agréables notes fruitées.

En 1918, Albert Moortgat eut l'idée de brasser une bière similaire aux pale ales transportées par les troupes britanniques durant la Première Guerre mondiale. La bière fut lancée en 1923 sous le nom de Victory Ale, mais après qu'un employé de l'entreprise eut déclaré en la goûtant : « *Nen echten duvel* » (c'est une bière du diable), elle fut nommée Duvel.

CARACTÉRISTIQUES

Brasserie : Brouwerij Duvel Moortgat NV

Situation : Breendonk-Puurs, Anvers

Type : pale ale

Robe : brun orangé

Teneur en alcool : 8,5 % vol.

Température de service : 10 °C

Accompagnement : à déguster en apéritif

Duvel Verde

La Duvel est une bière non filtrée proposée en bouteilles fermées par une capsule rouge ; c'est pourquoi on l'appelle parfois, dans la partie flamande de la Belgique, Duvel Rood.

La Duvel Verde est une version pasteurisée et filtrée de la précédente proposée uniquement en bouteilles de 33 cl. Elle est un peu moins alcoolisée que la Duvel. Parmi les autres bières de la gamme Moorgat figurent la Vedett, agréable pilsner de style belge, et la Bel Pils, pilsner de type bavarois à caractère houblonné bien marqué. La Passendale fut lancée en 2000 en association avec l'entreprise fabriquant le fromage éponyme.

CARACTÉRISTIQUES

Brasserie : Brouwerij Duvel Moortgat NV

Situation : Breendonk-Puurs, Anvers

Type : ale forte

Robe : jaune paille

Teneur en alcool : 8 % vol.

Température de service : 10 °C

Accompagnement : salade verte, crudités

Orval

Avec son puissant arôme de houblon et sa saveur sèche teintée d'une acidité de fruits rouges, l'Orval est un exemple du style des bières trappistes.

Après une triple fermentation et une aromatisation à sec aux houblon Hallertau et Styrian Goldings, l'Orval est ensemencée à l'aide de sucre candi liquide avant l'embouteillage afin de favoriser la poursuite de la fermentation. Le logo de la brasserie – une truite portant un anneau dans la bouche – fait référence à la légende de la comtesse Mathilde de Toscane, qui rendit visite, en 1076, à un groupe de moines italiens établi dans la région. Ayant laissé tomber son alliance au fond d'un puits, elle pria afin que l'objet lui soit rendu et vit bientôt surgir une truite portant l'anneau dans sa bouche. Radieuse, elle fit une donation aux moines afin qu'ils puissent bâtir une abbaye sur le site qu'e le baptisa Val d'Or. En 1132, les moines italiens quittèrent les lieux e furent remplacés par une congrégation cistercienne qui rejoignit, plus tard, l'Ordre des trappistes. En 1637, durant la guerre de Trente Ans, le monastère fut mis à sac. Reconstruit, il fut de nouveau détruit en 1793 par les troupes révo lutionnaires françaises. Il demeura en ruine jusqu'au retour, dans les années 1930, de moines cisterciens qui entreprirent sa recons truction. Aujourd'hui, la brasserie opère de façon indépendante mais elle appartient tou jours à la communauté religieuse et en suit le valeurs : la production est limitée afin de privi légier la qualité.

CARACTÉRISTIQUES

Brasserie : Brasserie d'Orval SA
Situation : abbaye Notre-Dame d'Orval, Villers-devant-Orval, Luxembourg
Type : trappiste
Robe : brun cuivré
Teneur en alcool : 6,2 % vol.
Température de service : 10-14 °C
Accompagnement : pain de campagne et fromages forts

Maredsous 6

En 1963, l'abbaye de Maredsous, non loin de Dinant, commandita la production de bières, sous la marque Maredsous, par la brasserie Moortgat. Elles sont au nombre de trois, distinguées, sur l'étiquette, par un chiffre qui correspond à leur teneur en alcool.

La Six est une pale ale dotée d'un arôme floral agréable et d'une saveur ronde légèrement sucrée, calée entre malt et houblon. La Huit est une dubbel corsée à saveur de caramel qui, avec l'âge, prend le caractère malté d'une stout, tandis que la Dix est une tripel maltée riche d'une teneur en alcool de 10 % alc./vol.

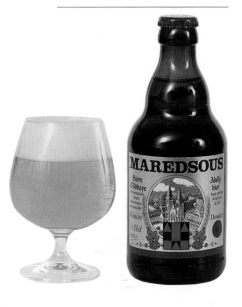

CARACTÉRISTIQUES

Brasserie : Brouwerij Duvel Moortgat NV
Situation : Breendonk-Puurs, Anvers
Type : pale ale

Robe : brun orangé
Teneur en alcool : 6 % vol.
Température de service : 6-8 °C
Accompagnement : chilli con carne

Steendonk

La Steendonk est une bière blanche non filtrée qui présente une robe voilée et une saveur épicée. Elle est produite par la brasserie Palm, qui opère dans le village de Steenhuffel, au nord de Bruxelles, depuis 1747.

À l'origine, la brasserie approvisionnait uniquement l'auberge locale, mais elle s'agrandit rapidement après la Première Guerre mondiale, au point d'être aujourd'hui l'une des plus grandes brasseries indépendantes de Belgique. Sa gamme inclut également la Palm Spéciale, pale ale au goût sec et bien défini, l'Aerts 1900, originale tripel à robe bronze, et la Bock Pils, qui, comme son nom l'indique, est une désaltérante pilsner.

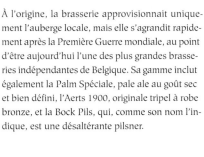

CARACTÉRISTIQUES

Brasserie : Brouwerij Palm
Situation : Londerzeel, Brabant flamand
Type : bière de blé
Robe : brun doré, trouble
Teneur en alcool : 4,5 % vol.
Température de service : 8 °C
Accompagnement : pâtes en sauce

Rodenbach Grand Cru

En 1714, un chirurgien nommé Ferdinand Rodenbach s'établit sur un territoire alors autrichien, qui fait aujourd'hui partie de la Belgique.

La brasserie Rodenbach fut fondée en 1821 par l'un de ses descen‑ dants, Ferdinand Gregoor Rodenbach, puis déplacée vers son sit‑ actuel à l'initiative de Maria Wauters, épouse de Pedro Rodenbach Le lien familial disparut en 1998, lorsque les derniers représentan‑ des Rodenbach cédèrent la brasserie au groupe Palm.

La recette traditionnelle de la Rodenbach, qui donne naissance une ale de robe brun‑rouge agréablement houblonnée, continue d'êt‑ suivie sur le site de Roeselare, et une grande partie de la bière ains‑ obtenue est affinée pendant deux ans dans les trois cents fûts de chên‑ de la brasserie. Les opérations d'embouteillage, réalisées sur le site d la brasserie Palm à Londerzeel, permettent d'obtenir la Rodenbac‑ Grand Cru, considérée par les connaisseurs comme faisant partie de meilleures bières du monde. La longue période d'affinage lui confè‑ une aigreur caractéristique, induite par l'oxydation et l fermentation lactique, tandis que le chêne est respon‑ sable de notes de vanille qui complètent agréablemen‑ le caractère malté.

Rodenbach produit également une version basiqu‑ de la Grand Cru en associant 25 % de bière affinée e fûts à 75 % de bière jeune. Moins complexe, que l‑ Grand Cru, elle affiche néanmoins un caractère fruit‑ très agréable, bien complété par un fini très sec.

CARACTÉRISTIQUES

Brasserie : Brouwerij
   Rodenbach NV
Situation : Roeselare, Flandre‑
   Orientale
Type : ale flamande
Robe : brun‑rouge foncé
Teneur en alcool : 6 % vol.
Température de service : 10 °C
Accompagnement :
   moules‑frites

Lucifer

L'ambitieuse brasserie Riva, fondée en 1880, a pris la récente habitude d'acquérir ses concurrentes, dont la brasserie Liefmans à Oudenaarde.

Dans la gamme Riva, la Dentergems Wit est une bière blanche réputée, bien servie par une saveur à la fois sèche et épicée. La Lucifer est une pale ale fortement alcoolisée qui a bien plus en commun avec sa rivale Duvel que son seul nom à consonance diabolique. L'arôme est à la fois épicé et fruité, avec des notes de clou de girofle, d'agrume et de pomme. Au palais, un bel équilibre se fait jour entre le houblon et le malt grillé.

CARACTÉRISTIQUES

Brasserie : Brouwerij Riva SA
Situation : Dentergem, Flandre-Occidentale
Type : pale ale
Robe : brun orangé
Teneur en alcool : 8 % vol.
Température de service : 10 °C
Accompagnement : mets chinois épicés et currys indiens

Sloeber

La brasserie Roman fut établie en 1930 dans le petit village de Mater, non loin d'Oudenaarde, mais la famille qui lui a donné son nom est liée à la fabrication de bière depuis 1545.

La Sloeber fut ajoutée à la gamme en 1983, lorsque la brasserie reprit la fabrication d'ales, interrompue, au profit de la production de lagers, depuis la fin de la Deuxième Guerre mondiale. Cette ale ambrée offre une saveur essentiellement maltée, tempérée par une légère amertume de houblon. Son nom – « joker » en flamand, et autre nom pour le diable en Belgique – révèle sa similitude avec la fameuse Duvel de la brasserie Moortgat. Depuis 1998, la brasserie Roman a produit plusieurs bières sous la marque John Smith, en vertu d'un accord passé avec la Yorkshire Brewery.

CARACTÉRISTIQUES

Brasserie : Brouwerij Roman NV
Situation : Mater-Oudenaarde, Flandre-Orientale
Type : pale ale
Robe : brun orangé foncé
Teneur en alcool : 7,5 % vol.
Température de service : 10-12 °C
Accompagnement : mets mexicains épicés

La Divine

La Brasserie de Silly, aux mains de la même famille depuis cinq générations, tient son nom du bourg éponyme, situé au nord de Mons. Elle fut fondée en 1850 par un fermier du nom de Meynsbrughen et adopta son identité actuelle après la reprise de la brasserie Tennstedt-Decroes.

La Brasserie de Silly présente une gamme riche et séduisante, qui inclut notamment cette ale ambrée corsée, brassée à partir de houblons Kent, Hallertau et Saaz. Son arôme d'agrume se fond dans une saveur bien équilibrée où percent des notes de raisin. Le fini sec et épicé est dominé par le houblon.

CARACTÉRISTIQUES

Brasserie : Brasserie de Silly SA
Situation : Silly, Hainaut
Type : pale ale
Robe : ambrée
Teneur en alcool : 9,5 % vol.
Température de service :
  7-10 °C
Accompagnement : poissons
  grillés et coquillages

Scotch Silly

La Scotch Silly est une scotch ale dans la lignée des « wee heavy » écossaises. Sa saveur maltée est rehaussée par sa teneur en alcool.

Dans la vaste gamme de la Brasserie de Silly, elle se range aux côtés de la Titje, bière blanche épicée brassée à partir d'avoine, et de la Saison Silly, qui, malgré son nom, tient plutôt d'une brown ale flamande traditionnelle. La Brasserie de Silly fabrique également les Double Enghein, dubbels héritées de la brasserie Tennstedt-Decroes. La Double Enghein Brune offre une texture crémeuse et un profil malté, la Double Enghein Blonde, un agréable caractère fruité.

CARACTÉRISTIQUES

Brasserie : Brasserie de Silly SA   **Température de service :** 12 °C
Situation : Silly, Hainaut   **Accompagnement :** rôti de porc
Type : scotch ale   aux pommes
Robe : brun acajou
Teneur en alcool : 8 % vol.

Sint Bernardus Prior 8

À partir de 1946, les bières St Sixtus, calquées sur les bières trappistes de l'abbaye St Sixtus à Westvleteren, furent produites sous licence par la brasserie de même nom.

Après expiration de la licence, l'abbaye reprit en mains le brassage de ses propres bières tandis que la brasserie, après avoir été rebaptisée St Bernardus, poursuivit la fabrication de bières très similaires, selon des recettes souvent améliorées.

Elle maintint la pratique de nommer ses bières par ordre de teneur alcoolique et selon la hiérarchie monastique, avec la Pater 6 au bas de l'échelle, l'Abbot 12 à son sommet et la Prior 8 au milieu (ces chiffres correspondent à des degrés Régie, également utilisés pour mesurer la teneur en alcool d'une bière). La Prior 8 est une dubbel d'abbaye traditionnelle, douée d'une texture onctueuse et d'une saveur douce et fruitée marquée par une légère amertume de houblon. La Pater 6 est une dubbel au caractère malté plus marqué, tandis que l'Abbot 12 est une tripel corsée à la robe sombre et à l'arôme de raisin.

CARACTÉRISTIQUES

Brasserie : Brouwerij Sint-Bernardus

Situation : Watou, Flandre-Occidentale

Type : dubbel d'abbaye

Robe : chocolat

Teneur en alcool : 8 % vol.

Température de service : 10-14 °C

Accompagnement : bœuf grillé ou côtes d'agneau

Grimbergen Blonde

Cette blonde corsée produite par Alken-Maes rappelle, par sa texture, les bières trappistes. Elle présente, en verre, un col de mousse persistant et écumeux.

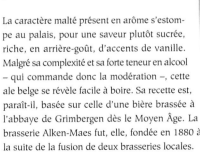

La caractère malté présent en arôme s'estompe au palais, pour une saveur plutôt sucrée, riche, en arrière-goût, d'accents de vanille. Malgré sa complexité et sa forte teneur en alcool – qui commande donc la modération –, cette ale belge se révèle facile à boire. Sa recette est, paraît-il, basée sur celle d'une bière brassée à l'abbaye de Grimbergen dès le Moyen Âge. La brasserie Alken-Maes fut, elle, fondée en 1880 à la suite de la fusion de deux brasseries locales.

CARACTÉRISTIQUES

Brasserie : NV Brouwerijen Alken-Maes Brasseries SA

Situation : Jumet, Hainaut

Type : ale forte

Robe : jaune paille

Teneur en alcool : 6,7 % vol.

Température de service : 7,2 °C

Accompagnement : rôti d'agneau, ragoût de bœuf

Grimbergen Double

La Grimbergen Double est une brown ale de riche texture. Son arôme est fruité, sa saveur maltée et teintée de notes de fruits rouges et de café torréfié.

L'abbaye de Grimbergen, sise dans le Brabant flamand, au nord de Bruxelles, fut fondée en 1128 par saint Norbert. Détruite deux fois par le feu, elle fut à chaque fois reconstruite, pour la dernière fois en 1629. Cette année-là, la congrégation adopta le symbole du phénix, oiseau mythique qui figure aujourd'hui à la fois sur l'un des vitraux de l'église abbatiale et sur l'étiquette des bières Grimbergen.

L'abbaye fut abandonnée au lendemain de la Révolution française, puis restaurée en 1845. À cette date, la nouvelle congrégation confia la production de bières, sous l'appellation Grimbergen, à une brasserie locale. Depuis, la gestion des bières Grimbergen a changé plusieurs fois de mains. Elle se trouve aujourd'hui entre celles de la brasserie Alken-Maes, division du groupe britannique Scottish & Newcastle.

CARACTÉRISTIQUES

Brasserie : NV Brouwerij Alken-Maes Brasseries SA
Situation : Jumet, Hainaut
Type : dubbel d'abbaye
Robe : brun-rouge foncé
Teneur en alcool : 6,5 % vol.
Température de service : 10-12 °C
Accompagnement : viandes en sauce, ragoûts épicés

Grimbergen Triple

Cette triple brassée sous licence par Alken-Maes pour le compte de l'abbaye de Grimbergen offre une riche saveur douce-amère qui persiste en arrière-goût.

L'arôme sec et épicé, teinté de houblon, laisse place, au palais, à une saveur maltée bien équilibrée. Il existe, en arrière-goût, d'agréables accents de vanille qui font de la Grimbergen Triple une bière très plaisante. Elle doit cependant être bue avec modération en raison de sa forte teneur alcoolique. Dans la gamme Grimbergen figure également l'Optimo Bruno, bière plus inhabituelle brassée, à l'origine, pour les fêtes de Pâques. Cette ale ambrée présente une saveur complexe avec une douceur vineuse bien contrebalancée par les accents poivrés du houblon.

CARACTÉRISTIQUES

Brasserie : NV Brouwerijen Alken-Maes Brasseries SA
Situation : Jumet, Hainaut
Type : ale forte
Robe : brun doré
Teneur en alcool : 9 % vol.
Température de service : 6 °C
Accompagnement : huîtres et autres coquillages

Timmermans Kriek

Aujourd'hui le mot kriek désigne toute bière parfumée à la cerise, mais la version de Timmermans est un authentique lambic, obtenu par fermentation spontanée et aromatisé à l'aide de cerises entières cultivées localement.

Il est relativement facile à boire pour une bière de ce type, avec une agréable saveur sucrée, bien contrebalancée par l'acidité caractéristique des véritables lambics. Outre d'autres lambics aux fruits, dont les savoureux Framboise, Cassis et Pêche, la brasserie Timmermans produit l'originale Lambicus Blanche, issue d'un mélange de lambic et de bière de blé, ainsi qu'une red ale belge surnommée le Bourgogne des Flandres. La Gueuze Caveau, qui mêle lambics jeunes et anciens, est plus conventionnelle, tandis que la Faro Lambic Tradition, lambic aromatisé au sucre candi, remet au goût du jour un style ancien. La brasserie Timmermans fut fondée en 1832, mais il existe des indices d'une activité de brassage sur le site dès le Moyen Âge. Elle est passée sous le contrôle du groupe britannique John Martin en 1993 mais a conservé, pour la fabrication de ses bières, une gestion familiale.

CARACTÉRISTIQUES

Brasserie : Brouwerij Timmermans-John Martin NV

Situation : Itterbeek, Brabant flamand

Type : lambic kriek

Robe : brun-rouge

Teneur en alcool : 5 % vol.

Température de service : 8-9 °C

Accompagnement : desserts aux fruits

Trappistes Rochefort 8

Parmi les six abbayes trappistes belges fameuses pour leur production de bières, Notre-Dame de Saint-Remy, à proximité de Rochefort, est à la fois la plus traditionnelle et la plus secrète, de sorte que l'on sait peu de choses de ses moines brasseurs. Il est cependant avéré qu'un couvent établi sur ce site en 1230 fut transformé en monastère en 1464, et que l'activité de brassage y prit son essor à la fin du XVIe siècle. Les bières de la Brasserie de Rochefort sont très originales, riches d'une aromatisation à l'aide d'un mélange d'épices tenu secret.

Du sucre candi est ajouté à [...] bière avant l'embouteillage afi[n] de favoriser la fermentation seco[n]daire, et chaque cuvée est soumis[e] à un affinage d'environ dix s[e]maines. Les trois bières sont fab[ri]quées selon la même recette ma[is] offrent des teneurs en alcool d[if]férentes – 7,5 alc./vol. pour la [6,] 9,2 % pour la 8, et 11,3 % pour [la] 10. La Trappistes Rochefort 8, à [la] saveur fruitée dominée de not[es] de raisin, est la bière la plus pop[u]laire de la brasserie. Les Trappist[es] Rochefort se conservent très bien[,] la fermentation culmine au bo[ut] de six mois mais elles continue[nt] de se bonifier par la suite.

CARACTÉRISTIQUES

Brasserie : Brasserie de Rochefort

Situation : abbaye de Notre-Dame de Saint-Rémy, Rochefort, Namur

Type : tripel trappiste

Robe : brun-rouge foncé

Teneur en alcool : 9,2 % vol.

Température de service : 10-14 °C

Accompagnement : saucisses et autres charcuteries

St-Feuillien Tripel

La Brasserie Friart fut fondée en 1873 dans le bourg du Roeulx, entre Charleroi et Mons, puis s'établit, en 1920, au sein de locaux modernes.

Contrainte de fermer ses portes en 1977, elle reprit son activité six années plus tard, délaissant alors sa gamme de lagers au profit de ses bières d'abbaye sous la marque St-Feuillien. Aujourd'hui, un grand nombre des bières St-Feuillien sont produites sous licence par la Brasserie du Bocq, à Namur. La St-Feuillien Tripel, brassée au Roeulx, est une bière très complexe, riche d'un nez très fruité où percent le houblon et l'épice. Au palais, le caractère malté domine et persiste en arrière-goût.

CARACTÉRISTIQUES

Brasserie : Brasserie St-Feuillien

Situation : Le Roeulx, Hainaut

Type : tripel d'abbaye

Robe : brun orangé

Teneur en alcool : 8,5 % vol.

Température de service :
10-14 °C

Accompagnement : homard
ou langouste grillés

Judas

La Judas fait partie de la large gamme de bières de la Brasserie de l'Union, fondée en 1864, et aujourd'hui propriété d'Alken-Maes, division du groupe britannique Scottish & Newcastle. Grimbergen et Ciney sont deux autres marques réputées de la gamme.

Après fermentation, la Judas subit un affinage dans les caves de la brasserie pour atteindre sa texture ronde et onctueuse. Elle est ensuite embouteillée et ensemencée de levure afin de provoquer une fermentation secondaire. Le houblon Saaz transparaît en arôme, tandis qu'un caractère épicé teinté d'accents fruités et maltés se fait jour au palais.

CARACTÉRISTIQUES

Brasserie : Brasserie de l'Union

Situation : Jumet, Hainaut

Type : ale forte

Robe : brun doré

Teneur en alcool : 8,5 % vol.

Température de service :
10-12 °C

Accompagnement : jambon
grillé

Pater Lieven Bruin

La brasserie Van den Bossche commença son activité de façon artisanale en 1897. Elle est située aujourd'hui sur la place du marché de la commune de Sint-Lievens-Esse, à proximité d'Oudenaarde. En dépit du nom à consonance religieuse de ses bières, la brasserie ne possède aucun lien commercial avec une abbaye.

Les bières de style d'abbaye Pater Lieven furent lancées en 1957 et sont aujourd'hui offertes en plusieurs variétés : la Blond, la Bruin (qui affichent toutes deux une teneur en alcool de 6,5 % alc./vol.), la Tripel, légèrement plus corsée, et la Kerstpater, bière de Noël à la saveur riche et épicée. La Bruin est une ale forte simple dans sa structure mais néanmoins excellente, brassée à partir d'un mélange de malts Pilsner, caramel et chocolat. Son agréable saveur de café torréfié tend à persister en arrière-goût.

CARACTÉRISTIQUES

Brasserie : Brouwerij Van Den Bossche

Situation : Sint-Lievens-Esse, Flandre-Orientale

Type : brown ale

Robe : rubis foncé

Teneur en alcool : 6,5 % vol.

Température de service : 10-12 °C

Accompagnement : agneau rôti

Het Kapittel Prior

epuis 1862, année de la fondation de la brasserie,
famille Van Eecke fabrique exclusivement des bières
fermentation haute.

tte pale ale est brassée à partir de deux variétés de houblon qui lui
nfèrent une agréable amertume au palais. Les bières Het Kapittel,
s plus réputées de la brasserie, furent introduites au lendemain
la Deuxième Guerre mondiale. En flamand, Het Kapittel signifie
e chapitre », terme qui fait référence à la hiérarchie établie
sein d'un monastère ou d'une abbaye, mais la bras-
rie n'est liée à aucune congrégation religieuse.
ois bières de la gamme portent les appellations
Pater, Prior et Abott, par ordre croissant de
neur alcoolique. Une quatrième, la Dubbel, résul-
d'un mélange de Pater et de Prior aromatisé à
ide d'épices. La Prior est une brune corsée à
veur douce-amère dans le style traditionnel des
pels belges traditionnelles. En arôme, le carac-
re malté prédomine, teinté de notes de pomme
rte, de raisin et de caramel. Au palais, la saveur
isée et caramélisée conduit vers un fini épicé mâti-
e d'accents de cannelle, de clou de girofle et de
ix muscade. Légèrement plus alcoolisée, l'Abbot
veloppe un arôme marqué où percent des notes
banane, d'orange et d'épices. La Pater, à teneur
coolique plus faible (6,5 % alc./vol.), est une ale
rte riche d'accents de prune, de cerise et de raisin.

CARACTÉRISTIQUES

Brasserie : Brouwerij Van
Eecke NV

Situation : Watou, Flandre-
Occidentale

Type : tripel d'abbaye

Robe : brun orangé foncé

Teneur en alcool : 9 % vol.

Température de service :
10-14 °C

Accompagnement :
fromages forts

157

Blanche de Watou

Dans le bourg de Watou, sis à proximité de Poperinge en Flandre-Occidentale, la tradition brassicole est très ancienne. En 1629, ce village fut intégré dans le domaine de l'illustre famille van Yedegem, qui y possédait une brasserie.

Le château familial et la brasserie furent détruits durant la Révolution française et, des deux édifices, seule la brasserie fut reconstruite. En 1862, elle fut reprise par la famille Van Eecke, qui lui donna le nom de Gouden Leeuw (lion d'or). La Blanche de Watou est une bière de blé non filtrée à la saveur d'agrume désaltérante. Elle fut ajoutée à la gamme de la brasserie en 1998.

CARACTÉRISTIQUES
Brasserie : Brouwerij Van Eecke NV
Situation : Watou, Flandre-Occidentale
Type : bière de blé
Robe : jaune paille
Teneur en alcool : 5 % vol.
Température de service : 8-10 °C
Accompagnement : tarte aux pommes

Kasteelbier

Ce barley wine fortement alcoolisé est également connu sous son appellation française de Bière du Château.

Sa saveur, qui rappelle celle d'un pain de malt aux fruits secs, pre en arrière-goût un caractère sec affirmé. La Kasteelbier tient son n du château édifié en 1075 par Robrecht de Fries, duc de Fland L'édifice fut détruit et remplacé, en 1736, par un domaine fort défendu par des douves. La brasserie, fondée en 1900, tire parti ⟨ anciennes caves du château pour y stocker la Kasteelbier penda ses douze semaines d'affinage. Il existe également une Kasteelb Blond dotée d'une saveur aux accents de vanille.

CARACTÉRISTIQUES	
Brasserie : Brouwerij Van Honsebrouck	**Robe :** chocolat foncé
	Teneur en alcool : 11 % vol.
Situation : Ingelmunster, Flandre-Occidentale	**Température de service :** 12 °C
	Accompagnement : riches
Type : barley wine	gâteaux au chocolat

Gentse Tripel

…a brasserie Van Steenberge vit le jour en 1784, mais elle … prit son essor commercial qu'après sa prise en charge …r Paul Van Steenberge, en 1922.

…donna à l'entreprise le nom de Brasserie Bios et introduisit des méthodes …odernes qui permirent la production de bières à fermentation lactique …milaires aux bières Rodenbach. La Gentse Tripel, ale ambrée dotée …un arôme d'agrume et d'une saveur douce-amère, est entrée récem-…ent dans la gamme. Celle-ci comprend aujourd'hui plus de quarante …ères, la plupart brassées sous licence pour d'autres brasseries.

…ARACTÉRISTIQUES

…rasserie : Brouwerij Bios-Van Steenberge NV

…ituation : Ertvelde, Flandre-Orientale

…ype : tripel d'abbaye

…obe : brun orangé

Teneur en alcool : 8 % vol.

Température de service : 10-14 °C

Accompagnement : mets chinois épicés

Gulden Draak

Le nom Gulden Draak fait référence au dragon doré qui se dresse au sommet du beffroi de Gand. Cette statue fut à l'origine offerte à la cité de Constantinople (Istanbul) par un seigneur scandinave en 1111, lors de la première croisade.

…ARACTÉRISTIQUES

Brasserie : Brouwerij Bios-Van Steenberge NV

Situation : Ertvelde, Flandre-Orientale

Type : barley wine

Robe : brun chocolat

Teneur en alcool : 10,5 % vol.

Température de service : 12-14 °C

Accompagnement : recettes à base de bœuf

Plus tard, elle parvint en Belgique par la volonté de Baudouin IX, comte de Flandre et empereur de Constantinople. Cette connotation exotique convient bien à cette bière originale, proposée en bouteilles blanches opaques, qui délivre un puissant arôme de houblon et présente une agréable saveur teintée de notes de malt torréfié et de chocolat. Grâce à sa fermentation en bouteilles, elle se bonifie avec l'âge et atteint sa maturité idéale après deux ans.

Westmalle Trappist Tripel

L'abbaye trappiste de Westmalle produit une dubbel et une tripel. Cette dernière est particulièrement remarquable.

Il est généralement admis qu'une bière présente une robe d'auta[nt] plus foncée que sa teneur en alcool est élevée. Toutefois, la brasse[rie] Westmalle a dédaigné ces conventions lorsqu'elle a créé cette tri[pel] corsée de robe claire à partir de malts Pilsner, de divers autres céréa[les] et de sucre candi. La Westmalle Tripel offre un arôme floral et u[ne] saveur complexe, enrichie d'une acidité d'agrume et de notes d'épic[es]. La Dubbel, de robe plus sombre, développe des accents fruités et ch[o]colatés bien complétés par un fini sec et malté.

L'abbaye de Westmalle fut fondée en 1794 par une congrégation [de] moines fuyant les troubles de la Révolution française, caractérisés p[ar] la destruction de plusieurs monastères dans le sud de la Belgique. [En] 1836, elle devint la première abbaye trappiste à reprendre une acti[vi]té de brassage. Après plusieurs années de diffusi[on] exclusivement locale, l'abbaye opta, en 1921, po[ur] la constitution d'une entreprise de brassage ind[é]pendante qui connut un succès, à ce jour jama[is] démenti.

CARACTÉRISTIQUES

Brasserie : Brouwerij Westmalle
Situation : abbaye de
    Westmalle, Malle, Anvers
Type : tripel trappiste
Robe : brun doré
Teneur en alcool : 9 % vol.
Température de service :
    10-14 °C
Accompagnement : à servir
    en apéritif

Westmalle Trappist Dubbel

ette dubbel brassée à l'abbaye de Westmalle, au nord
'Anvers, présente, en verre, une robe voilée aux nuances
e bronze et d'ambre et un col de mousse ivoire qui se
élite en une élégante dentelle.

lle offre une agréable gazéification avec d'innombrables petites bulles
ui s'élèvent jusqu'au sommet du verre. L'arôme initial révèle à la fois
 malt et la levure. Au palais, la présence marquée du malt est asso-
ée à d'élégantes notes de banane. La brasserie de l'abbaye de
Vestmalle est, en termes commerciaux, la plus grande des six bras-
ries trappistes belges et la plus dynamique, avec l'abbaye de Chimay.
es dernières années, la brasserie a connu une forte expansion, et elle
xporte aujourd'hui ses bières dans quatorze pays, parmi lesquels les
ats-Unis et le Japon.

CARACTÉRISTIQUES

Brasserie : Brouwerij Westmalle

Situation : abbaye de
   Westmalle, Malle, Anvers

Type : dubbel trappiste

Robe : brun ambré foncé

Teneur en alcool : 6,5 % vol.

Température de service :
   6 °C

Accompagnement : lapin
   et petits gibiers en sauce
   aux fruits

CI-DESSUS

Aux Pays-Bas, comme en Belgique, la tradition du brassage est ancienne ; elle y est également liée aux techniques ancestrales trappistes de production. La Bavaria Pilsner ici présentée est l'une des variétés les plus appréciées à la pression comme en bouteilles. Toutefois, les Pays-Bas comptent aussi un grand nombre de micro-brasseries qui produisent des ales plus complexes, plus brunes.

Pays-Bas

On pourrait penser que la brasserie aux Pays-Bas, frontaliers avec l'Allemagne à l'est et la Belgique au sud, bénéficié de l'influence positive de ses voisins. Malheureusement, l n'a pas toujours été le cas. Il n'est pas exagéré d'avancer que andis que les brasseurs belges se concentrent sur la qualité, leurs omologues hollandais préfèrent porter leurs efforts sur la quantité.

'EXEMPLE le plus caractéristique n'est autre que Heineken : jadis petite brasserie familiale, désormais devenue firme multinatio-ale (à la deuxième place mondiale), cette société est présente sous ne forme ou sous une autre dans pratiquement tous les pays pro-ucteurs de bière. Cette réussite est en grande partie le fait d'un seul omme : Alfred « Freddie » Heineken, petit-fils du fondateur de la rasserie, qui dès son accession à la tête de l'entreprise, dans les nnées 1950, fit montre non seulement d'un solide sens des affaires ais aussi d'un véritable talent de visionnaire dans le domaine du arketing.

Outre Heineken, il existe d'autres brasseries aux Pays-Bas, mais les sont étonnamment peu nombreuses pour un pays où la consom-ation de bière est une tradition si fermement établie. La situation ctuelle n'est cependant pas aussi sombre que dans les années 1970 ; n'y avait alors que deux acteurs majeurs – Heineken et Skol – en lus d'une poignée de petits brasseurs régionaux qui, tous, produi-ient des lagers sans grande envergure. Plus récemment, les consom-ateurs néerlandais ont acquis le goût de bières plus intéressantes. engouement pour les bières importées de Belgique a incité les bras-urs locaux à produire une plus grande diversité d'ales, de lagers, de ères de froment ainsi que plusieurs spécialités saisonnières dont la adition s'était presque perdue.

Si Heineken continue de dominer dans le pays comme à l'étranger, existe des raisons d'être optimiste quant à la santé future de la bras-erie aux Pays-Bas. Parmi les nouvelles marques propres à élargir et richir le goût du public, mentionnons les ales fortes de la série La rappe et la lager rouge rubis Robertus de Christofell.

STATISTIQUES

Production annuelle : 25 124 000 hectolitres

Consommation par an et par habitant : 81 litres

Principales brasseries : Bavaria Brouwerij NV, Bierbrouwerij de Koningshoeven, Bierbrouwerij Sint Christoffel, Grolsch Bierbrouwerij NV, Heineken Brouwerij BV, Lindeboom Bierbrouwerij NV, Oranjeboom Bierbrouwerij

Bières réputées : Bavaria Premium Pilsner, Christoffel Robertus, Grolsch Premium Pilsner, Gulpener Dort, Heinenken Pilsner, Lindeboom Pilsner, Oranjeboom

Alfa Edel Pils

La Alfa Edel Pils est élaborée à partir de malts d'orge, de houblon et d'eau de source. Cette bière de caractère possède une saveur généreuse et un bouquet subtil. Chaque bouteille d'Alfa Edel Pils porte un numéro particulier imprimé sur l'étiquette de col.

Cette savoureuse pilsner est l'une des meilleures que l'on puisse trouver dans les supermarchés néerlandais. Elle se situe entre une pilsner normale et une blanche. Son arôme est suave, sa mousse d'une densité et d'une blancheur agréables ; elle est longue en bouche, où elle laisse une impression de douceur maltée ; le corps est honorable. On note un soupçon d'amertume en fin de bouche, mais la douceur initiale tend à perdurer, tout comme la bonne saveur de houblon.

CARACTÉRISTIQUES

Brasserie : Alfa Bierbrouwerij
Situation : Schinnen
Type : pilsner
Robe : jaune pâle
Teneur en alcool : 5 % vol.
Température de service : 6-8 °C
Accompagnement : pain et fromage, en-cas

Bavaria Premium Pilsner

Malgré son nom, la plus grosse brasserie indépendante des Pays-Bas n'a aucun lien avec la Bavière, même si elle affirme brasser sa pilsner dans le respect de la législation allemande, très stricte sur la pureté des ingrédients.

Son arôme frais évoque le miel et sa saveur est rafraîchissante, légèrement sucrée, avec des notes d'herbes, qu'équilibre une vive amertume houblonnée précédant une finale sèche. Élaborée avec l'eau du puits de la brasserie et de l'orge malté provenant de sa propre malterie, c'est le produit phare d'une brasserie créée en 1719 par un certain Laurentius Moorees. La famille Swinkel, propriétaire de la brasserie depuis la fin du XIXe siècle, descend en droite ligne de Laurentius. Depuis quelques années, Bavaria a assuré son expansion en rachetant de nombreuses petites brasseries avant de les fermer (ainsi la célèbre brasserie Kroon à Oirschot).

CARACTÉRISTIQUES

Brasserie : Bavaria Brouwerij NV
Situation : Lieshout, Brabant-Septentrional
Type : pilsner
Robe : jaune doré
Teneur en alcool : 5 % vol.
Température de service : 6-8 °C
Accompagnement : canard rôti

Bavaria 8.6

La 8.6 de Bavaria, qui tient son nom de sa teneur en alcool, est la bière la plus forte dans sa gamme, la plus savoureuse aussi.

Bien qu'il s'agisse d'une lager de fermentation haute, la 8.6 partage de nombreuses caractéristiques avec les barley wine ales. Elle offre un arôme de céréales ou de biscuit avec des notes de vanille et de miel, ainsi qu'une douce saveur maltée équilibrée en finale par une légère amertume houblonnée, que tend toutefois à masquer son taux d'alcool élevé. La brasserie Bavaria se concentre sur la production de lagers de fermentation basse, mais élabore aussi une bière bock de fermentation haute baptisée Hooghe Bock, qui présente une saveur légère-ment douce-amère. La gamme comprend aussi la Oud Bruin, une brune à l'ancienne (telle qu'en produisait jadis cette brasserie), à saveur de malt et de caramel.

CARACTÉRISTIQUES

Brasserie : Bavaria Brouwerij NV

Situation : Lieshout, Brabant-Septentrional

Type : lager forte

Robe : ambre doré

Teneur en alcool : 8,6 % vol.

Température de service : 10-12 °C

Accompagnement : tartes à pâte sablée

Grolsch Premium Pilsner

La bière phare de la brasserie Grolsch d'Enschede, plus importante brasserie indépendante des Pays-Bas, est une puissante pilsner dorée au goût plus amer que celui de la plupart des lagers courantes.

La brasserie fait remonter ses origines à la bière créée par Peter Cuyper, en 1615, pour obtenir d'un brasseur local qu'il lui accorde la main de sa fille. Elle maintient aujourd'hui son image traditionnelle au travers de bouteilles en relief à fermeture à étrier avec bouchon en porcelaine. Outre sa pilsner, Grolsch élabore diverses autres bières pour le mar-ché intérieur, telle la Het Canon, une riche barley wine maltée à la robe ambrée.

CARACTÉRISTIQUES

Brasserie : Grolsch Bierbrouwerij NV

Situation : Enschede, Overijssel

Type : pilsner

Robe : jaune doré foncé

Teneur en alcool : 5 % vol.

Température de service : 6-8 °C

Accompagnement : à servir en apéritif

Gulpener Dort

La ville de Gulpen se situe à la pointe sud-est des Pays-Bas, près de Maastricht, dans une région enclavée entre Belgique et Allemagne.

C'est à Gulpen que se trouve la brasserie familiale indépendante Gulpener Bierbrouwerij. Entre les mains de la famille Rutten depuis sa création en 1825, elle est actuellement gérée par la cinquième génération des Rutten, même si Grolsch a acquis en 1995 une importante participation dans l'entreprise – ce qui permet aux bières Gulpener de bénéficier désormais d'une large distribution, tant sur le marché intérieur qu'à l'export. Malgré cette évolution, Gulpener continue d'honorer sa réputation en matière d'expérimentation : en témoigne l'ampleur d'une gamme de bières de types variés, qui va à l'encontre de la tendance nationale à ne pas chercher au-delà d'honnêtes mais pâles lagers dans le genre pilsner.

La Gulpener Dort, par exemple, est brassée dans le style des puissantes lagers « export » de Dortmund : elle est plus suave et a plus de corps ; son arôme est fruité avec des notes de prune et de raisin, sa saveur également fruitée est équilibrée par une nette amertume houblonnée. La gamme des bières Gulpener s'étend à la Oud Bruin, une brune traditionnelle, et à une pilsner non filtrée et non pasteurisée appelée Château Neubourg, qui fait la part belle au houblon. Parmi les produits les plus originaux de la brasserie figure une bière rousse aigrelette dans le style belge, baptisée Mestreechs Aajt et élaborée avec des ferments de lambic, ainsi qu'une barley wine blonde du nom de Gladiator.

CARACTÉRISTIQUES

Brasserie : Gulpener Bierbrouwerij

Situation : Gulpen, Limbourg

Type : dortmunder/export lager

Robe : brun orangé clair

Teneur en alcool : 6,5 % vol.

Température de service : 8-10 °C

Accompagnement : poulet ou agneau grillé

Heineken

La Heineken Pilsner est le produit phare du géant hollandais de la bière. Légère et sans complexité, elle est cependant – à l'inverse de la plupart des lagers « ordinaires » – brassée avec du pur malt, sans adjuvants. Parmi les autres marques de Heineken, mentionnons la Tarwebok au caractère plus affirmé (une bock de froment de fermentation basse, sombre et suave), ainsi que la Oud Bruin, lager sombre et fruitée. Heineken est non seulement le plus gros brasseur des Pays-Bas, qui domine le marché hollandais de la bière depuis 1968, mais aussi le deuxième sur le marché mondial (derrière le géant américain Anheuser-Busch), qui exploite plus de cent brasseries dans le monde.

Cette entreprise a été fondée en 1864, lors de l'achat par Gerard Adriaan Heineken de la brasserie De Hooiberg (« La Meule de foin ») à Amsterdam. En 1942, Heineken était cotée en Bourse et la famille du fondateur en a perdu le contrôle.

Alfred Henry Heineken, petit-fils de Gerard, bien décidé à retrouver les prérogatives liées à son nom, commença par travailler à la brasserie, où il portait des sacs d'orge. Il gravit les échelons et acquit progressivement suffisamment d'actions pour reprendre les rênes de la société, en 1954. Son histoire est directement liée à la réussite actuelle de Heineken, qui repose en grande partie sur le rachat de petites brasseries et de vieilles marques réputées telles qu'Amstel, Affligem et Brand. La fabrique d'origine à Amsterdam est devenue un musée, et la majeure partie de la production néerlandaise de Heineken a pour cadre les deux énormes usines de Hertogenbosch et Zoeterwoude.

CARACTÉRISTIQUES

Brasserie : Heineken Brouwerij BV

Situation : Hertogenbosch

Type : pilsner

Robe : jaune d'or pâle

Teneur en alcool : 5 % vol.

Température de service : 6-8 °C

Accompagnement : agneau à la menthe

Amstel 1870

La pilsner Amstel 1870, d'une couleur de cuivre clair, produit une fine mousse blanc cassé. Elle dégage une senteur florale et aromatique, avec une note de violette et une touche de malt. Son arôme se renforce lorsque la bière tiédit.

La saveur de cette bière moyennement charpentée est sèche et légèrement amère, et bien maltée avec un caractère légèrement fruité ; la finale, modérément longue, présente une amertume houblonnée. L'un des attraits de l'Amstel 1870 réside dans le fait qu'elle est nettement plus sombre qu'une pilsner normale, ce qui laisse pressentir qu'il ne s'agit pas d'une bière courante : elle est effectivement plus savoureuse que la plupart des produits comparables. L'Amstel 1870 est commercialisée en bouteilles ainsi qu'à la pression.

CARACTÉRISTIQUES

Brasserie : Heineken Brouwerij BV
Situation : Hertogenbosch
Type : pilsner
Robe : cuivrée
Teneur en alcool : 5 % vol.
Température de service : 6-8 °C
Accompagnement : en apéritif ou avec des en-cas

Leeuw Valkenburgs Wit

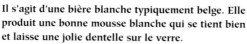

Il s'agit d'une bière blanche typiquement belge. Elle produit une bonne mousse blanche qui se tient bien et laisse une jolie dentelle sur le verre.

Délicatement effervescente, elle est d'un blanc jaunâtre un peu trouble. Son arôme est malté, avec un soupçon de banane. Elle commence par picoter agréablement, puis une puissante saveur de houblon surgit des bulles pour laisser un arrière-goût onctueux. C'est là une des meilleures bières hollandaises. Valkenburg, dans la province du Limbourg (sud des Pays-Bas), est une ville touristique, appréciée notamment pour son musée de la mine – ce qui est plutôt étrange pour une contrée qui n'a jamais possédé de mine de charbon !

CARACTÉRISTIQUES

Brasserie : De Leeuw
Situation : Valkenburg an den Geul
Type : witbier (bière blanche)
Robe : jaune paille
Teneur en alcool : 5 % vol.
Température de service : 6-8 °C
Accompagnement : à servir en apéritif

La Trappe Dubbel

La Trappe est la seule bière trappiste produite aux Pays-Bas. La Trappe Dubbel est la bière originale brassée pour la première fois en 1884 par les moines trappistes, dans l'enceinte de l'abbaye Onze Lieve Vrouw van Koningshoeven.

Après la Deuxième Guerre mondiale, l'abbaye a vendu la brasserie à Stella Artois, qui a entrepris de produire une « pils de trappiste », sans grand succès, de sorte que les moines ont ensuite racheté la brasserie avant de relancer leur ale phare. Trappiste authentique ou non, elle présente les caractéristiques d'une dubbel classique, avec un puissant arôme d'agrumes équilibré par des notes épicées et florales de houblon. En bouche, de riches et complexes saveurs de malt et de vin se déclarent, puis s'achèvent sur une vigoureuse dose d'épices et de houblon.

CARACTÉRISTIQUES

Brasserie : Bierbrouwerij de Koningshoeven

Situation : Berkel-Enschot, Brabant-Septentrional

Type : dubbel d'abbaye

Robe : rubis sombre

Teneur en alcool : 6,5 % vol.

Température de service : 10-12 °C

Accompagnement : porc à l'orange

La Trappe Tripel

La plus alcoolisée des ales de la gamme La Trappe, la Tripel présente un caractère houblonné d'une amertume marquée, un arôme dominé par le houblon Golding, alors que son goût est équilibré entre houblon épicé, riches malts fruités et notes d'orange et de miel.

Toutes les bières de La Trappe offrent une saveur intéressante de levain. Leur forte teneur en alcool conduit à une finale de plus en plus sèche.

CARACTÉRISTIQUES

Brasserie : Bierbrouwerij de Koningshoeven

Situation : Berkel-Enschot, Brabant-Septentrional

Type : tripel d'abbaye

Robe : brun-rouge cuivré

Teneur en alcool : 8 % vol.

Température de service : 10-12 °C

Accompagnement : pain et pâté

La Trappe Blond

Lorsque les moines trappistes furent expulsés de France sous la Révolution, la plupart d'entre eux s'enfuirent vers le nord, pour finalement s'établir en Belgique.

Un groupe de trappistes poussa plus au nord encore et construisit une nouvelle abbaye près de Tilburg. La brasserie, appelée à l'origine Schaapskooi (« Parc à moutons »), fut créée en 1881, mais aujourd'hui son statut d'authentique brasserie trappiste est controversé – elle est actuellement gérée par son propriétaire, Bavaria, qui étiquette ses bières comme « trappistes » bien que les moines ne s'impliquent guère dans leur élaboration. Quoi qu'il en soit, elles jouissent d'une haute considération. La Trappe Blond est une ale dorée de fermentation haute, avec un arôme houblonné à la fois amer et capiteux présentant des touches d'agrumes, et une saveur rafraîchissante et équilibrée par des malts fruités. La distribution de La Trappe devient de plus en plus internationale : les exportations (en bouteilles et en boîtes) sont notamment destinées au Royaume-Uni, à l'Irlande et aux États-Unis. Comme maintes bières trappistes, La Trappe Blond se boit de préférence dans une grande chope trappiste.

CARACTÉRISTIQUES

Brasserie : Bierbrouwerij de Koningshoeven
Situation : Berkel-Enschot, Brabant-Septentrional
Type : bière blonde d'abbaye
Robe : jaune paille pâle, trouble
Teneur en alcool : 6,5 % vol.
Température de service : 8-10 °C
Accompagnement : boulettes de viande

La Trappe Quadrupel

**a Trappe Quadrupel est
a plus fortes des bières
a Trappe.**

Cette bière est extrêmement alcoolisée (10 % alc./vol.). « Quadrupel »
est l'appellation donnée aux bières trappistes ou d'abbaye très
fortes, l'autre type d'ale d'abbaye forte étant l'Abt. La différence
entre les deux est que l'Abt est plus sombre et que son arôme et
sa saveur sont plus complexes ; la Quadrupel est plus claire et de
texture plus légère, et laisse percer davantage d'arôme de pêche.
Malgré leurs différences de saveur et d'aspect, l'Abt et la Quadrupel
sont aussi fortes l'une que l'autre, le taux d'alcool de 10° alc./vol.
étant caractéristique ; ces bières sont généralement conditionnées
en bouteilles.

La Trappe Quadrupel est une bière de saison, proposée en
automne et en hiver. Le puissant arôme de cette bière, à la fois
suave et sombre, évoque aussi bien le cuir que la terre. Sa saveur
est à la fois maltée et épicée, avec une agréable amertume en
fin de bouche.

CARACTÉRISTIQUES

Brasserie : Bierbrouwerij
de Koningshoeven

Situation : Berkel-Enschot,
Brabant-Septentrional

Type : quadrupel d'abbaye

Robe : ambré foncé

Teneur en alcool : 10 % vol.

Température de service :
10-12 °C

Accompagnement : saucisses
épicées

Lindeboom Pilsner

Le nom de la petite brasserie familiale Lindeboom, créée en 1870 par Willem Geenen, signifie « tilleul ». Son premier produit fut une ale épicée de fermentation haute appelée Geenen's.

Vers cette époque cependant, les lagers de type pilsner étaient de plus en plus appréciées. En 1912, les fils de Geenen, Bernard et Christiet désormais à la tête de l'entreprise, inaugurèrent leur nouvelle brasserie en lançant la Lindeboom Pilsner. Élaborée à partir d'un mélange de deux malts pâles et généreusement aromatisée de houblon allemand, c'est une bière à la saveur affirmée, plus amère que la plupart des pilsners courantes.

La brasserie produit aussi la Oud Bruin, une brune suave et maltée, et la Venloosch Alt, une authentique ale brun-rouge dans le style des Altbiers de Düsseldorf, de fermentation haute et affinées à basse température. Malgré l'intérêt soutenu que lui manifestent les grands brasseurs, Lindeboom a réussi à préserver son indépendance. La brasserie est actuellement dirigée par un autre Willem Geenen, petit-fils du fondateur.

CARACTÉRISTIQUES	
Brasserie : Lindeboom Bierbrouwerij NV	
Situation : Neer, Limbourg	
Type : pilsner	
Robe : jaune d'or pâle	
Teneur en alcool : 5 % vol.	
Température de service : 6-8 °C	
Accompagnement : quiche lorraine	

Lindeboom Gouverneur Blonde

Cette lager mordorée de type viennois est produite par la brasserie Lindeboom, dont la gamme Gouverneur – Gouverneur Bier, Blonde et Brune – est constituée d'ales de fermentation haute, élaborées avec du malt d'orge et de seigle. Chacune de ces bières bénéficie d'une longue période de stockage à froid avant d'être mise en bouteilles, non filtrée, de façon à gagner encore en caractère.

La Gouverneur Blonde offre un arôme de houblon et de céréale ; une touche d'herbes se mêle au houblon pour lui conférer une saveur caractéristique. Certains consommateurs peuvent juger cette bière un peu aqueuse. À vrai dire, elle produit une sensation de picotement sur la langue qui n'est pas sans rappeler certaines eaux minérales gazeuses. C'est une boisson rafraîchissante, même si les connaisseurs en matière de lagers risquent de la trouver sans grand attrait. Il existe de meilleures bières dans cette catégorie sur le marché, mais celle-ci convient à la plupart des goûts.

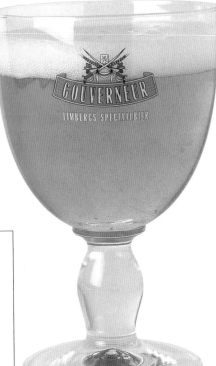

CARACTÉRISTIQUES

Brasserie : Lindeboom
Bierbrouwerij

Situation : Neer, Limbourg

Type : viennois

Robe : orange doré

Teneur en alcool : 5 % vol.

Température de service :
6-8 °C

Accompagnement : à servir
en apéritif

Oranjeboom Premium Pilsner

Voici une lager passe-partout, de qualité régulière, agréable à verser mais dont la mousse semble ou trop ténue ou trop tenace, selon le lieu et les conditions de stockage de la bière. Son arôme est satisfaisant, plutôt vif le houblon domine sans faire disparaître une certaine suavité.

Cette lager légère est très appréciée. La brasserie Oranjeboom, créé en 1528, porte le nom de l'arbre (l'oranger) qui symbolise la famill royale des Pays-Bas. Actuellement, à l'instar de maintes petites bras series, Oranjeboom appartient à l'énorme groupe Interbrew. L'ancienn brasserie de Rotterdam a été fermée et démolie en 1989 ; la produc tion a été déplacée à Breda, berceau de la brasserie Drie Hoefijzers.

CARACTÉRISTIQUES

Brasserie : Brouwerij
Oranjeboom (InBev)

Situation : Breda

Type : pilsner

Robe : dorée

Teneur en alcool : 5 % vol.

Température de service :
6-8 °C

Accompagnement : à servir
en apéritif

Oranjeboom Oud Bruin

Sucrées et colorées au caramel, les traditionnelles bières hollandaises Oud Bruin ont toujours une teneur relativement faible en alcool, ce qui les rend particulièrement appréciées des habitants âgés de la région du Limbourg.

La Oranjeboom Oud Bruin est une bière de fermentation basse qui donne une petite mousse brun clair. Elle présente un arôme métallique et une saveur très sucrée, caractéristique de la plupart des bières faiblement alcoolisées. Avec 2,5 % alc./vol., la Oranjeboom Oud Bruin est en effet deux fois moins forte en alcool que les lagers courantes, de sorte qu'elle accompagne bien les repas légers ou les en-cas, quand il convient de ne pas s'alcooliser.

CARACTÉRISTIQUES

Brasserie : Brouwerij Oranjeboom (InBev)

Situation : Breda

Type : lager sombre

Robe : brune

Teneur en alcool : 2,5 % vol.

Température de service : 6-8 °C

Accompagnement : crêpes

Oranjeboom Premium Malt

La Oranjeboom Premium Malt est commercialisée par InBev comme une variété de bière locale, rafraîchissante alternative sans alcool à la Oranjeboom Pilsner.

CARACTÉRISTIQUES

Brasserie : Brouwerij Oranjeboom (InBev)

Situation : Breda

Type : lager sans alcool

Robe : dorée

Teneur en alcool : 0,1 % vol.

Température de service : 3-5 °C

Accompagnement : gaufres

Christoffel Blond

La première bière produite par la brasserie Sint Christoffel s'appelait simplement Christoffel Bier, mais elle fut rebaptisée Christoffel Blond lorsque la brasserie lança la Robertus.

La Blond est une lager corsée de type pilsner, or pâle, avec une saveur bien équilibrée, caractérisée par une robuste et odorante amertume houblonnée provenant de l'emploi de houblon frais entier dans le processus d'élaboration. Non filtrée, non pasteurisée, elle se développe en vieillissant en bouteilles. Sint Christoffel a été créée dans l'ancienne ville minière de Roermond en 1986, par Leo Brand, membre d'une célèbre famille de brasseurs ; elle porte le nom du saint patron de la ville. Après des débuts plus que modestes à l'arrière de la maison de Brand, l'entreprise connut une expansion rapide ; elle s'installa en 1995 dans de locaux plus vastes, avec de nouvelles installations.

C'est aujourd'hui l'une des plus florissantes parmi les brasseries nées aux Pays-Bas, depuis le début des années 1980, dans le souci de revenir à des valeurs traditionnelles de production de bières de qualité, dans un esprit très éloigné des méthodes de production de masse des grands brasseurs. Toutes les bières de Sint Christoffel sont brassées conformément à la *Reinheitsgebot*, loi allemande de 1516 sur la pureté des ingrédients.

CARACTÉRISTIQUES

Brasserie : Bierbrouwerij Sint Christoffel

Situation : Roermond, Limbourg

Type : pilsner

Robe : jaune doré pâle

Teneur en alcool : 6 % vol.

Température de service : 8 °C

Accompagnement : lasagnes

Christoffel Robertus

La Christoffel Robertus est une bière d'un riche rouge rubis brassée dans la tradition des lagers sombres de Munich.

Elle présente un caractère plus plein, plus malté que l'autre bière de Sint Christoffel, une pilsner. Son arôme est riche, fruité et épicé, et son goût de noix et de terre, légèrement caramélisé et encore plus légèrement houblonné. Les deux bières de Sint Christoffel sont disponibles en petites bouteilles avec bouchon en porcelaine à étrier ou en flacons de deux litres à anses. Toutes les opérations de production se déroulent à Roermond, mais les bières Sint Christoffel, qui suscitent un engouement croissant des connaisseurs, sont désormais exportées dans toute l'Europe et en Amérique du Nord.

CARACTÉRISTIQUES

Brasserie : Bierbrouwerij Sint
   Christoffel

Situation : Roermond, Limbourg

Type : lager sombre de Munich

Robe : rubis sombre

Teneur en alcool : 6 % vol.

Température de service :
   8-10 °C

Accompagnement : pizza
   aux champignons

Scène de rue typique dans la plus grande ville de Suisse, Zurich. La bière la plus appréciée dans l'est de la Suisse est une lager pâle, sans complexité, généralement désignée sous l'appellation allemande « Helles », qui dans ce contexte signifie « de couleur claire » (dans d'autres pays d'Europe, on l'appellerait plutôt « pils » ou « pilsner », termes rarement employés en Suisse.

Suisse

La production de bière de la Suisse conserve un certain caractère local, avec ses brasseries régionales, voire ses micro-brasseries. Dans l'ensemble, les bières légères de type lager prédominent en Suisse, ce qui n'a pas empêché un léger déclin (de 0,4 %) de la consommation de bière entre 1998 et 2003.

E N RÈGLE GÉNÉRALE, la bière brassée en Suisse rappelle fortement celle qui est produite dans les contrées voisines d'Autriche et de Bavière. Le pays compte deux régions productrices de bière : les cantons de l'Ouest, à prédominance francophone, et les cantons germanophones de l'est de la Suisse. Dans les premiers, l'industrie de la bière est largement influencée par des importations de Belgique et d'autres régions francophones du monde, dont le Québec, mais de façon plutôt surprenante on note aussi une influence britannique : diverses bières de type britannique sont élaborées par des micro-brasseries. Quant à l'est de la Suisse, de tradition alémanique, il se voue principalement à la lager ; de nombreuses brasseries y observent les strictes lois traditionnelles allemandes sur la pureté des ingrédients (la *Reinheitsgebot*). La réglementation helvétique autorise l'emploi de maïs et de riz ; la teneur en sucre peut atteindre 10 %, en amidon 70 %.

La prolifération en Suisse de micro-brasseries liées à des bars conduit à une certaine diversification. Ces micro-brasseries se professionnalisent de plus en plus, tant par leurs produits que par leurs méthodes commerciales ; elles recourent à des sites web pour vendre leurs bières, localement mais parfois aussi à l'international. Ce faisant, les micro-brasseries s'affirment comme des acteurs clefs pour l'avenir, tout en maintenant en vie les meilleurs traditions brassicoles suisses. En 2003, les trois plus gros producteurs de bière helvétiques ont été Feldschlosschen, Heineken et Eichoff. Les grandes firmes internationales ont bien entendu pénétré le marché suisse, désormais détenu à plus des deux tiers par Carlsberg et Heineken.

CI-DESSUS

Dans un bar suisse typique. On y sert habituellement diverses bières de type lager de marques répandues, mais parfois aussi les produits de la micro-brasserie liée au bar.

STATISTIQUES

Production annuelle : 3 645 000 hectolitres
Consommation par an et par habitant : 57 litres
Principales brasseries : Brauerei Eichhof, Brauerei Feldschlösschen
Bières réputées : Eichhof Hubertus, Feldschlösschen Hopfenperle, Original Draft Cardinal, Original Feldschlösschen

Altes Tramdepot Tram-Märzen

Comme le laisse deviner son nom, Altes Tramdepot est une brasserie-pub située dans un ancien garage de tramways. Outre ses trois bières à la pression (Tram-Helles, Tram-Märzen et Tram-Weizen, toutes disponibles aussi en bouteilles), elle produit des spécialités de saison : bitter ale à l'anglaise, pils, Oktoberfestbier, trappiste, Rauchbier, münchner et bock de Pâques.

Avec 4,7 % alc./vol. d'alcool, la Tram-Märzen est plus forte que la plupart des bières de l'Oktoberfest. Elle offre un arôme léger, houblonné et malté, avec une note d'épices et un arrière-goût d'orange. C'est une bière bien structurée, aux saveurs bien définies. La brasserie Altes Tramdepot, créée en 1999, propose une excellente cuisine. De sa terrasse, on jouit de superbes vues sur la ville.

CARACTÉRISTIQUES

Brasserie : Altes Tramdepot
Situation : Berne
Type : Oktoberfest Märzen
Robe : ambrée
Teneur en alcool : 4,7 % vol.
Température de service : 10 °C
Accompagnement : saucisses, veau, pâtisseries

Burgdorfer Wiesnbier

Cette lager ambrée est une bière de l'Oktoberfest. La brasserie Burgdorfer se spécialise dans les bières de saison : elle produit aussi la Winterbock pour l'hiver et l'Osterbock pour Pâques. Autres bières maison : l'Aemmebier, lager ambrée très maltée, et la Krimibier, lager plus sombre.

La Wiesnbier présente un excellent arôme de malt et de houblon qui persiste dans la saveur, elle-même aromatique avec une délicate note de caramel en arrière-goût. Les bières de saison suscitent un vif engouement en Europe, et en particulier dans les pays où le tourisme repose sur les sports d'hiver. Ales chaudes et vins chauds sont particulièrement appréciés. Burgdorf, où se situe cette brasserie, est la plus grande ville de la région d'Emmental dans le canton de Berne. Ses hauts lieux sont un château et une église gothique.

CARACTÉRISTIQUES

Brasserie : Burgdorfer
Situation : Burgdorf
Type : Oktoberfest Märzen
Robe : blonde légèrement trouble
Teneur en alcool : 5,3 % vol.
Température de service : 10 °C
Accompagnement : mets de saison, fruits à écale ou secs

Original Draft Cardinal

Cardinal est l'une des plus anciennes brasseries commerciales de Suisse, créée en 1788 quand François Piller construisit une brasserie à côté de sa taverne.

En 1890, l'évêque de Fribourg fut promu au cardinalat. Pour commémorer l'événement, la brasserie produisit une bière spéciale : plus tard, elle prit même le nom de son produit phare. En 1996, le groupe Feldschlösschen, qui a repris Cardinal, menaça de fermer cette brasserie historique, mais en fut empêché par les protestations locales. L'Original Draft est une lager équilibrée, légèrement houblonnée, à la saveur douce. La brasserie produit aussi une Spéciale au goût plus affirmé ainsi que des bières de saison.

CARACTÉRISTIQUES

Brasserie : Brasserie du Cardinal

Situation : Fribourg

Type : lager

Robe : jaune pâle

Teneur en alcool : 4,9 % vol.

Température de service : 6-8 °C

Accompagnement : salade verte

Eichhof Barbara

La Barbara de Eichhof porte le nom de la sainte patronne de l'artillerie. C'est une lager forte, bien dorée, avec une texture fine et une ronde saveur maltée ; un soupçon de suavité est équilibré par une touche d'amertume houblonnée.

Elle est produite par la plus grande brasserie indépendante de Suisse, fondée en 1834 à Lucerne par Johann Guggenbühler sous le nom de Brauerei zum Löwengarten (Brasserie du Parcs aux Lions). Reprise en 1878 par Traugott Spiess, elle devint rapidement la plus grande brasserie de la ville. En 1922, elle fusionna avec la Luzerner Brauhaus, créée en 1889 sur le domaine d'Eichhof. La nouvelle entreprise adopta le nom d'Eichhof en 1937.

CARACTÉRISTIQUES

Brasserie : Brauerei Eichhof

Situation : Lucerne

Type : lager premium

Robe : jaune d'or foncé

Teneur en alcool : 5,9 % vol.

Température de service :
8-10 °C

Accompagnement : poisson
grillé (saumon, truite…)

Eichhof Hubertus

La Hubertus est une lager sombre et forte produite par la brasserie lucernoise Eichhof, l'une des sociétés de brassage suisses les plus dynamiques. Sa couleur bien dorée, presque rougeoyante, provient du fait qu'elle est élaborée avec des malts grillés, également en évidence dans son arôme riche et puissant.

Pour une lager de grande diffusion, cette bière présente un taux d'alcool élevé 5,7 % alc./vol., alors que la plupart des bières légères en bouteilles se situent autour de 4,5 à 5 % alc./vol. Cette forte teneur en alcool ne masque cependant ni la saveur ni les arômes de la Hubertus. Eichhof produit une large gamme de bières de forces et de types variés. La Braugold est une lager à la vive robe dorée, présentant un arôme et une saveur d'herbes et de houblon, équilibrés au palais par une onctueuse suavité maltée, qui précèdent une finale agréablement amère où domine le houblon. Autre bière appréciée, la Pony de type pilsner présente un caractère houblonné plus prononcé encore, avec des notes d'herbes fraîches dans son arôme et une saveur complexe, caractérisée par une rafraîchissante amertume. Les marques de la brasserie Eichhof comprennent la Braugold (une lager claire), la Spiess Edelhell (autre lager pâle) et la Barbara (une lager de qualité supérieure).

Étrangement, Eichhof est peut-être la seule brasserie du monde en l'honneur de laquelle a été créé un jeu vidéo. L'objet de ce jeu à télécharger gratuitement est de repousser l'invasion des bières des grandes corporations, en détruisant les bouteilles des lagers « ennemies » avant de prendre pour cible toutes sortes de boissons de grande consommation.

CARACTÉRISTIQUES

Brasserie : Brauerei Eichhof
Situation : Lucerne
Type : lager sombre
Robe : dorée
Teneur en alcool : 5,7 % vol.
Température de service :
  8-10 °C
Accompagnement : viandes
  froides

Eichhof Klosterbräu Edeltrüb

Eichhof est une brasserie très attachée à la tradition, qui brasse toujours une lager dorée de bel équilibre, appelée Spiess Draft, selon la recette originale créée par Traugott Spiess en 1888.

La Klosterbräu Edeltrüb d'Eichhof, entrée plus récemment dans la gamme, n'en possède pas moins une origine plus vénérable encore. Son nom, qui signifie à peu près « noble bière trouble d'abbaye » indique qu'elle est brassée selon une recette traditionnelle employée par les moines au Moyen Âge (bien que ni la brasserie ni cette bière n'aient de liens officiels avec un quelconque brassage monastique). Lager dorée sombre, non filtrée et non pasteurisée, elle est naturellement trouble et son arôme comme sa saveur font la part belle à la levure et aux épices, ce caractère étant équilibré par une légère amertume houblonnée.

CARACTÉRISTIQUES

Brasserie : Brauerei Eichhof
Situation : Lucerne
Type : lager non filtrée
Robe : brun doré foncé
Teneur en alcool : 4,8 % vol.
Température de service : 8-10 °C
Accompagnement : poulet rôti ou grillé

Feldschlösschen Hopfenperle

a Hopfenperle, lancée n 1920, est aujourd'hui a deuxième bière de Suisse n termes de popularité, près la Original eldschlösschen, de a même brasserie.

Cette lager pur malt, au goût plus affirmé que l'Original Feldschlösschen est plus chargée en houblon, ce qui lui confère une rafraîchissante amertume, cependant que ses fines bulles lui apportent une certaine douceur en bouche. Feldschlösschen brasse une gamme de bières légères et rafraîchissantes, au goût malté prononcé bien dans la tradition helvétique. L'une ses bières les plus anciennes est une lager forte et brune, à la saveur fruitée, lancée en 1882 et connue depuis 1981 sous le nom de Dunkle Perle. L'un des produits les plus récents de la brasserie, lancé en 2004, est baptisé Urtrüb ; il s'agit d'une lager brun doré, non filtrée, élaborée avec un mélange d'orge malté, de froment et de seigle.

CARACTÉRISTIQUES

Brasserie : Brauerei Feldschlösschen
Situation : Rheinfelden
Type : lager premium
Robe : jaune d'or
Teneur en alcool : 5,2 % vol.
Température de service : 8 °C
Accompagnement : pain et fromage

Feldschlösschen Original

La Feldschlösschen Original est une lager de fermentation basse classique, désaltérante et équilibrée, avec un rafraîchissant goût malté, nuancé d'une légère amertume houblonnée.

La brasserie Feldschlösschen, fondée en 1877 à Rheinfelden, près de Bâle, par deux hommes du cru, Mathias Wütrich et Theophil Ronige, resta la propriété des descendants de Wütrich jusque dans les années 1990. En 1988, Feldschlösschen était devenu le plus gros brasseur de Suisse, statut renforcé par la fusion avec les brasseries rivales Cardinal (en 1992) et Hürlimann (en 1996). Le groupe Feldschlösschen absorba également plusieurs marques de moindre importance, dont Warteck et Gurten, et produisit plusieurs bières étrangères sous licence, notamment la Carslberg danoise et la Schneider Weisse allemande.

CARACTÉRISTIQUES

Brasserie : Brauerei Feldschlösschen

Situation : Rheinfelden

Type : lager

Robe : jaune pâle

Teneur en alcool : 4,8 % vol.

Température de service : 6-8 °C

Accompagnement : saucisses et bretzels

BFM La Dragonne

Cette bière de saison, brun foncé, ne produit pratiquement pas de mousse. Elle présente un lourd arôme d'épices, de biscuit, de vin chaud, de raisins secs et d'amandes. Le résultat est une bière riche et fruitée, comme il convient à une boisson de Noël.

Toutefois, son arôme est plus attrayant que sa saveur rappelant un tout petit vin rouge que l'on aurait épicé, qui s'achève cependant sur une note sucrée qui reste longtemps en bouche. Cette bière peut être chambrée jusqu'à 15 ou 16 °C, mais cela n'améliore guère le goût et ne libère aucune saveur nouvelle. En réalité, mieux vaut sans doute la boire frappée, car le fait de réchauffer la bière tend à produire un effet écœurant qui persiste dans la gorge.

CARACTÉRISTIQUES

Brasserie : brasserie des Franches-Montagnes

Situation : Saignelégier

Type : bière épicée de saison

Robe : brun foncé

Teneur en alcool : 7,5 % vol.

Température de service : 10 °C

Accompagnement : noix, fruits, viandes fumées

Monsteiner Wätterguoge Bier

Le brassage de cette riche bière à la robe rubis fait appel à 20 % de malt fumé, ce qui lui confère une puissante saveur maltée. Des notes de paille et de céréales sont également perceptibles. La finale est sèche sans être amère.

Elle donne une très agréable mousse beige et offre un arôme prononcé de noisette. Cette bière porte le nom d'un lézard des Alpes. La brasserie elle-même est un pub-brasserie ; située à 1 650 mètres d'altitude, c'est la plus haute d'Europe. Son autre bière, la Monsteiner Huusbier, est une lager claire non filtrée qui bénéficie de deux mois de fermentation. Les deux bières fermentent dans des cuves ouvertes.

CARACTÉRISTIQUES

Brasserie : Biervision Monstein

Situation : Davos Monstein

Type : Zwickelbier

Robe : rubis

Teneur en alcool : 4,5 % vol.

Température de service : 10 °C

Accompagnement : viandes fumées

Les brasseurs allemands furent gâtés par la nature, qui leur offrit les glaciales cavernes des contreforts des Alpes, idéales pour stocker la bière. Ainsi, quand venait le moment de brasser leur dernière bière, en mars, ils en brassaient suffisamment pour les mois qui les séparaient d'octobre. L'excédent était entreposé dans les cavernes, puis l'on festoyait à la fin de l'été. Au fil du temps, ces festivités prirent de l'ampleur, jusqu'à entrer dans la postérité sous le nom d'Oktoberfest.

Allemagne

Aucun pays ne tire autant de fierté de la qualité de ses bières que l'Allemagne. Cette fierté s'incarne dans la Reinheitsgebot, réglementation dictée en 1516 par le duc de Bavière Guillaume IV, en vertu de laquelle la bière ne pouvait être élaborée qu'avec trois ingrédients : de l'eau, de l'orge et du houblon. Une modification s'imposa avec la découverte de l'importance des levures, puis un autre changement intervint pour autoriser l'utilisation du froment.

L A « REINHEITSGEBOT » a été beaucoup critiquée ces dernières années, notamment par la France qui, en 1987, a obtenu du Parlement européen qu'il la considère comme un obstacle au commerce. Malgré cela, de nombreux brasseurs allemands continuent d'en respecter les principes, de telle sorte que leurs bières se distinguent des agers économiques de grande production industrielle, même si une telle politique a pour conséquence que les bières allemandes tendent au conservatisme et ne manifestent pas le caractère novateur des bières modernes brassées en Belgique, au Royaume-Uni ou aux États-Unis.

Ce conservatisme est renforcé par l'habitude qu'ont les Allemands de préférer le type de bière local. Diverses bières sont étroitement associées à leur ville d'origine : ainsi des bières « export » fortes et maltées de Dortmund, des Altbiers de Düsseldorf, des ales de fermentation haute de Cologne (Kölsch) et des sombres lagers de Munich. Malgré cela, l'Allemagne peut se targuer de produire certaines des bières les plus remarquables du monde, parmi lesquelles la Rauchbier (bière fumée), spécialité de Bamberg, en Franconie (Haute Bavière), ou la Schwarzbier (bière noire) d'Allemagne de l'Est, redécouverte à l'Ouest depuis la réunification allemande.

L'Allemagne est également réputée pour l'Oktoberfest de Munich. Cette fête de la bière qui se déroule chaque année, seize jours durant, pour s'achever le premier week-end d'octobre, commémore le mariage de Louis de Bavière et de la princesse Thérèse, en 1810. Seules les six principales brasseries de Munich sont autorisées à vendre leurs bières lors de cette manifestation ; l'une d'entre elles, Spaten, a créé en 1882 une bière spéciale pour l'occasion ; devenue une grande classique, elle a été imitée par maintes autres brasseries.

Depuis quelques années, en Allemagne comme dans bien d'autres pays, la production de bière s'est concentrée entre les mains de quelques grandes firmes internationales. La loyauté des consommateurs à l'égard des bières locales a toutefois permis à de nombreuses petites brasseries de survivre.

CI-DESSUS

L'Allemagne peut s'enorgueillir d'un éventail presque sans égal de marques et de bières dont certaines sont les héritières de plusieurs siècles d'histoire.

STATISTIQUES

Production annuelle : 106 304 000 hectolitres
Consommation par an et par habitant : 122 litres
Principales brasseries : Brauerei Beck, Brauerei Weihenstephan, Dortmunder Hansa Brauerei, Brauerei Gebrüder Maisel, Löwenbräu AG, Paulaner GmbH,
Bières réputées : Beck's, Bitburger Premium, Dortmunder Export, Edeldstoff Augustiner, EKU Pils, Erdinger, Früh Kölsch, Löwenbräu, Maissel's Weisse, Oberdorffer Weissebier, Schneider Weisse, Wernesgrüner

Andechser Bergbock Hell

Dans la petite ville d'Andechs, sise dans la région des Cinq Lacs en Haute Bavière, on brasse la bière depuis 1455, date de la fondation par le duc Albrecht III d'un monastère bénédictin qui, de la montagne d'Andechs, domine le lac d'Ammersee.

L'indication « Klosterbräu » traduit les liens pérennes entre vie monastique et brassage. La production de bière s'est poursuivie au monastère jusqu'en 1972, puis dans une brasserie moderne créée au pied de la montagne. Celle-ci, florissante, soutient depuis, non seulement le monastère, mais toute la communauté locale. Sa gamme comprend sept bières, qui toutes peuvent être dégustées à la pression au Bräustüberl (bistrot-brasserie) ou au Klostergasthof (restaurant du monastère), plus ancien encore que le monastère lui-même. Toutes ces bières sont également disponibles en bouteilles.

La Bergbock Hell possède toutes les caractéristiques typiques d'une bière bock (forte) claire. Elle donne une mousse blanche crémeuse et offre un arôme d'herbe avec des notes d'agrumes. Très charpentée, elle est riche et grenue en bouche, tandis que sa saveur témoigne d'un bel équilibre entre suave malt fruité et amertume houblonnée. Sa forte teneur en alcool lui confère une finale poivrée et un arrière-goût très agréable. Les bières d'Andechs comprennent des lagers claires et sombres assez communes, une bière de froment sombre de fermentation haute et une Hell « Spezial » dans le style classique de l'Oktoberfest.

CARACTÉRISTIQUES
Brasserie : Andechs Klosterbrauerei
Situation : Andechs, Bavière
Type : bock
Robe : jaune doré à la fois clair, profond et éclatant
Teneur en alcool : 6,9 % vol.
Température de service : 9-10 °C
Accompagnement : le pain de viande cuisiné par la boucherie du monastère

Andechser Doppelbock Dunkel

ne « doppel » (double) bock est plus forte qu'une bock
ormale (sans être toutefois deux fois plus forte) : elle est
rassée au moyen d'un processus de triple empâtage qui
rend plus corsée et plus alcoolisée.

e style de bière est très apprécié dans le sud de l'Allemagne, où on le
onsomme généralement au printemps – cet exemple classique est cepen-
ant disponible toute l'année. Il s'agit d'une bière sensuelle, aux arômes
e fruits rouges, d'herbes et d'épices et à la texture onctueuse, qui emplit
bouche de caramel, de chocolat, de raisins secs et de cerise.

CARACTÉRISTIQUES

Brasserie : Andechs Klosterbrauerei	**Teneur en alcool :** 7 % vol.
Situation : Andechs, Bavière	**Température de service :** 9-10 °C
Type : doppelbock	**Accompagnement :** un repas à elle seule
Robe : acajou, riche mousse brun clair	

Edelstoff Augustiner

Cette lager provient
d'une brasserie historique
de Munich, Augustiner.
Le monastère augustinien
de la ville fut fondé en
1294, et des documents
montrent que sa brasserie
existait déjà en 1328.

En 1803, le monastère fut dissous avec d'autres par Napoléon, mais
le brassage et la vente de bière se poursuivit dans la taverne qui y était
adjointe. La brasserie s'installa sur son site actuel en
1817. Augustiner est l'une des six brasseries autorisées à brasser une bière pour les célèbres festivités de l'Oktoberfest qui se déroulent chaque année
à Munich. Cette fête a pour origine le mariage du roi
Louis Ier de Bavière avec la princesse Theresa ; en raison des règles strictes qui entourent la fête officielle,
le prince Luitpold lui-même, pourtant descendant en
droite ligne du roi Louis, n'est pas autorisé à vendre
ses bières à l'Oktoberfest.

Heureusement, il existe encore des manifestations offi-
cieuses en marge de la fête principale où de telles res-
trictions ne s'appliquent pas. Outre l'Edelstoff et
l'Oktoberfest, Augustiner produit une lager claire au caractère à la fois onctueux et malté, une lager sombre dans le
style de Munich, épicée et aromatique, mais aussi, en hiver,
une riche et chaleureuse double bock de type monastique, la Maximator.

CARACTÉRISTIQUES

Brasserie : Augustiner Bräu

Situation : Munich, Bavière

Type : dortmunder/export

Robe : ambre doré pâle

Teneur en alcool : 5,6 % vol.

Température de service :
8-9 °C

Accompagnement : lapin
ou poulet grillé

Ayinger Bräu-Weisse

Cette bière de froment non filtrée illustre à la perfection ce style de bière, troublé par les dépôts de levure et donnant une abondante mousse. Elle offre un puissant arôme de banane et de citron, avec des nuances de clou de girofle, et une saveur piquante et rafraîchissante, qui évoque les pommes vertes.

La brasserie Aying produit également une riche lager sombre maltée dans le style bavarois classique, ainsi qu'une populaire doppelbock baptisée Celebrator, et d'autres bières encore. Cette brasserie fondée en 1877 connut des débuts modestes, mais la production ne tarda pas à croître, bénéficiant de la liaison ferroviaire avec Munich qui amenait à Aying des touristes, pour nombre d'entre eux clients de la Brauereigasthof (hôtellerie de la brasserie).

CARACTÉRISTIQUES

Brasserie : Aying Brauerei
Situation : Aying, Bavière
Type : Hefe-Weizen/Weissbier
Robe : jaune paille, pâle et trouble
Teneur en alcool : 5,1 % vol.
Température de service : 8-10 °C
Accompagnement : la weisswurst (« saucisse blanche »), spécialité régionale

Unser Bürgerbräu Hefe-Weizen

Bad Reichenhall est une célèbre ville d'eau royale de la Bayerisch Gmain, région des Alpes bavaroises, près du lac de Constance, entre les villes de Munich et de Salzbourg.

Très touristique, la ville possède de nombreux attraits, au rang desquels son propre orchestre philharmonique, ainsi bien sûr que la Unser, fondée en 1633, dont le nom signifie simplement « Brasserie de notre ville ». Celle-ci produit une large gamme de bières, dont cette bière au froment dorée, non filtrée, à l'arôme fruité et à la saveur de blé, à la fois fraîche et aigrelette.

CARACTÉRISTIQUES

Brasserie : Bürgerbräu Bad Reichenhall
Situation : Bad Reichenhall, Bavière
Type : Hefe-Weizen/Weissbier

Robe : jaune d'or trouble
Teneur en alcool : 5,2 % vol.
Température de service : 7-8 °C
Accompagnement : pain et salami

Unser Bürgerbräu Hefe-Weizen Dunkel

Bien qu'elle se classe parmi les bières sombres, cette bière de froment de fermentation haute brassée par Unser Bürgerbräu présente une couleur plus pâle que les autres représentantes de ce style.

CARACTÉRISTIQUES

Brasserie : Bürgerbräu Bad Reichenhall

Situation : Bad Reichenhall, Bavière

Type : bière de froment sombre

Robe : ambré doré trouble et profond

Teneur en alcool : 5,2 % vol.

Température de service : 7-8 °C

Accompagnement : ragoûts

Elle n'en possède pas moins un arôme malté et fruité tout à fait authentique, ainsi qu'une saveur équilibrée de blé aigre, de malt suave et de houblon sec et amer. La brasserie s'enorgueillit de sa large gamme de bières bavaroises classiques, produites depuis 1633 selon des méthodes traditionnelles. Au sujet de cette bière, elle recommande de verser les trois quarts du contenu de la bouteille dans le verre puis de secouer délicatement la bouteille afin de verser avec la fin de celle-ci les dépôts de levure qui font tout le caractère de cette bière.

Unser Bürgerbräu Suffikator

La tradition qui consiste à donner aux bières doppelbock des noms qui se terminent par « -ator » provient de la doppelbock originelle, brassée par Paulaner et baptisée Salvator (« Sauveur », en latin).

CARACTÉRISTIQUES

Brasserie : Bürgerbräu Bad Reichenhall

Situation : Bad Reichenhall, Bavière

Type : doppelbock

Robe : ambre doré profond

Teneur en alcool : 6,8 % vol.

Température de service : 9-10 °C

Accompagnement : bœuf braisé, boulettes de viande

Plusieurs brasseries entreprirent de brasser des bières de style semblable et les appelèrent Salvator, comme s'il s'agissait d'un terme générique, mais en 1894 Paulaner mit un coup d'arrêt à cette pratique en faisant de ce nom une marque déposée. Depuis, ce style est connu sous l'appellation de doppelbock : voisines des bocks, ces bières sont brassées avec deux fois plus de matière fermentescible, ce qui les rend nettement plus fortes. Sans pouvoir prétendre à l'originalité, la contribution d'Unser Bürgerbräu est un bel exemple de ce type de bière, aux arômes de céréale et à la ronde saveur maltée équilibrée par une forte présence du houblon, qui lui confère une finale sèche et amère.

Beck's

Créée en 1873 à Brême, grand port du nord de l'Allemagne, Beck's est depuis toujours l'une des brasseries les plus novatrices du pays.

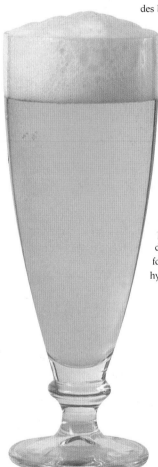

Initialement connue sous la raison sociale de Beck & May, cette braserie fut baptisée du nom de deux de ses trois propriétaires, le brasseur Heinrich Beck et l'homme d'affaires Thomas May. Parmi leurs premières innovations figura l'installation d'un laboratoire en vue de l'obtention de cultures parfaitement pures de levures de la plus haute qualité, afin d'assurer la régularité du produit fini. Autre élément crucial de la réussite de Beck's : ses bières légères, de fermentation basse, étaient conçues pour bien voyager, ce qui ouvrit les portes d'un vaste marché à l'exportation. Aujourd'hui encore, la Beck's est la plus exportée des bières allemandes, avec plus de 34 millions de caisses expédiées chaque année vers plus de cent pays. Les bières Beck's représentent 85 % des bières allemandes exportées aux États-Unis. Si maintes autres brasseries permettent que leurs bières soient brassées sous licence dans d'autres pays, chaque bouteille de Beck's consommée dans le monde a été produite dans la brasserie de Brême, conformément aux règles de la *Reinheitsgebot*.

La Beck's originale, une pilsner, est une bière à la saveur sèche et piquante, à l'arôme net de houblon et de foin. L'amertume domine au palais, avec des notes de douceur maltée, et la finale est sèche et houblonnée – comme il convient à une bière désaltérante. La brasserie produit également une lager sombre dans le style de Munich ainsi qu'une bière de l'Oktoberfest forte, sèche et maltée, sans oublier des versions hypocaloriques et sans alcool de sa pilsner.

CARACTÉRISTIQUES

Brasserie : Brauerei Beck

Situation : Brême

Type : pilsner

Robe : jaune d'or pâle

Teneur en alcool : 5 % vol.

Température de service : 8 °C

Accompagnement : tous poissons

Berliner Kindl Weisse

Lorsque Berlin devint la capitale de l'Allemagne à la fin du XIXe siècle, elle connut une période de très forte croissance tant démographique qu'industrielle.

La brasserie Berliner Kindl, créée en 1870, commença à produire sa pilsner en 1896, après avoir acquis la brasserie de Potsdam qui se spécialisait dans ce nouveau type de bière de fermentation basse. Sa bière de froment présente un style typiquement septentrional ; contrairement aux bières de froment du sud du pays, elle est brassée avec de l'acide lactique, ce qui lui donne une saveur aigrelette et citronnée, qui n'est pas sans rappeler celle du champagne. Sa faible teneur en alcool en fait une boisson rafraîchissante pour l'été.

CARACTÉRISTIQUES

Brasserie : Berliner Kindl Brauerei
Situation : Berlin, Brandenbourg, Allemagne orientale
Type : Weissbier berlinoise
Robe : jaune pâle

Teneur en alcool : 2,7 % vol.
Température de service : 8-10 °C
Accompagnement : porc ou poulet rôti

Clausthaler sans alcool

Les règles de la Reinheitsgebot spécifiaient qu'en Allemagne nulle bière ne pouvait être brassée avec d'autres ingrédients que l'eau, le malt, le houblon et la levure.

Toutefois, si cette loi désigne ce qui peut composer une bière, elle ne dit rien sur ce qui peut en être extrait. Lancée en 1979, la Clausthaler fut mise au point par la brasserie Binding de Francfort au moyen d'une technique assez révolutionnaire de « fermentation interrompue » qui donne une bière authentique mais dépourvue d'alcool (son taux de 0,5% alc./vol. entre dans le cadre des teneurs autorisées pour les boissons sans alcool : il est inférieur à celui de certains pains !). Si elle ne contient pas d'alcool, elle ne manque pas de goût, et présente même un caractère certes léger mais agréablement floral et houblonné.

CARACTÉRISTIQUES

Brasserie : Binding Brauerei
Situation : Francfort
Type : lager
Robe : jaune d'or pâle
Teneur en alcool : 0,5 % vol.

Température de service : 8 °C
Accompagnement : soupes légères et plats de pâtes

Römer Pils

Cette savoureuse pilsner lancée en 1939 par la brasserie Binding de Francfort porte le nom de l'ancien hôtel de ville. Pilsner classique pleine d'authenticité, elle possède un goût vif et rafraîchissant, au caractère herbacé, épicé et houblonné, et à la finale sèche et amère, elle aussi houblonnée.

La Römer est également disponible en version « premium » (la Römer Pilsener Spezial). La gamme Binding, fort étendue, comprend aussi une Export maltée pleine de saveur, une Altbier sombre et fruitée baptisée Kutscher Alt, ainsi qu'une double bock forte et sombre à la complexe saveur fruitée, appelée Carolus der Starke, du nom de Charlemagne, l'un des fondateurs de Francfort. L'étiquette Binding porte l'aigle emblème de la ville de Francfort. Les pilsners de la marque font figure de références dans la région. Autres produits Bindig : BBK Marzen, Binding Black Lager et Binding Export.

CARACTÉRISTIQUES
Brasserie : Binding Brauerei
Situation : Francfort
Type : pilsner
Robe : jaune doré
Teneur en alcool : 4,9 % vol.
Température de service : 8 °C
Accompagnement : à boire seule, en apéritif

Schöfferhofer Hefeweizen

Binding, fondée à Francfort en 1870 et toujours basée dans cette ville, est l'une des plus grosses entreprises de brasserie d'Allemagne.

En 1921, elle a fusionné avec deux autres brasseries, la Frankfurte Bürgerbrauerei et la Hofbierbrauerei Schöfferhof, pour constituer la Schöfferhof-Binding-Bürgerbräu AG. La marque Schöfferhofer s'appliqu maintenant aux bières de froment de type bavarois de la brasserie, don la principale est la Hefeweizen. Cette bière de froment non filtrée, ardem ment pétillante, présente un arôme et une saveur puissamment fruités caractérisés par la pomme, le zeste d'orange et une note de banane, à quoi s'ajoute une note d'épice (évoquant le clou de girofle) et une pi quante finale houblonnée. Parmi les autres produits de la gamme, men tionnons la Dunkelweizen (une bière de froment sombre) et la Kristallweizen filtrée.

CARACTÉRISTIQUES	
Brasserie : Binding Brauerei	**Teneur en alcool :** 5 % vol.
Situation : Francfort	**Température de service :** 8-10 °C
Type : bière de blé	**Accompagnement :** salade verte
Robe : jaune d'or trouble	

Bitburger Premium

Cette pils (ou pilsner) sèche, aromatique et houblonnée, qui mûrit en cave pendant trois mois, n'est pas seulement une représentante classique du type : elle se pose aussi comme la première bière allemande à avoir adopté cette appellation, dès 1883.

La brasserie fut créée en 1817 par le brasseur et tavernier local Johan Peter Wallenborn. C'est cependant la construction par l'un de ses descendants, Theobald Simon, de caves adaptées à la maturation qui a permis à cette brasserie de se lancer dans la production de bières de fermentation basse susceptibles de bien se conserver pendant les mois d'été, telles que les bières sombres de type bavarois et les lagers légères de type viennois, ainsi que les pilsners, d'invention relativement récente à l'époque.

Aujourd'hui, la Bitburger Premium Pils est l'une des pilsners les plus vendues en Allemagne ; c'est le produit phare d'une gamme qui comprend des bières légères ou sans alcool. Depuis la réunification allemande, le groupe Bitburger compte à son catalogue l'une des plus célèbres bières de l'ex-Allemagne de l'Est, la Köstritzer Shwarzbier, brassée dans la ville d'eau de Bad Köstritz en Thuringe. Il s'agit d'une bière noire classique, d'un type propre à la région et remontant au XVIe siècle. Elle offre des arômes épicés et chocolatés, que l'on retrouve dans la saveur riche, sèche et bien équilibrée de cette bière onctueusement corsée.

CARACTÉRISTIQUES

Brasserie : Bitburger Brauerei

Situation : Bitburg,
   Rhénanie-Palatinat

Type : pilsner

Robe : dorée

Teneur en alcool : 4,8 % vol.

Température de service :
   8-9 °C

Accompagnement : excellente
   en apéritif

DAB Original

Au XIXᵉ siècle, la ville de Dortmund vivait d'une importante industrie de la houille et de l'acier, et toutes les brasseries locales produisaient des bières de fermentation basse au riche goût malté, destinées à étancher la soif des ouvriers.

Ces bières étaient légèrement plus sombres et un peu moins houblonnées que les pilsners typiques. Dortmund devint rapidement l'une des premières villes de brassage d'Allemagne, ses bières devenant bientôt populaires hors de leur région d'origine, et jusqu'au Japon. C'est pour cette raison que ce style fut désigné sous le terme « export » – on l'appelle aussi « dortmunder », bien que toutes les bières qualifiées de dortmunders ne soient pas fidèles au modèle original des bières de Dortmund. La Dortmunder Actien Brauerei, fondée en 1868 et qui remporta des prix à l'Exposition universelle de Paris en 1900, fut l'une des pionnières d'un style dont elle demeure l'une des grandes spécialistes. Toujours brassée selon la recette d'antan, la DAB Original est une lager claire de fine texture, à l'arôme de foin fraîchement fauché et à l'amertume houblonnée durable.

CARACTÉRISTIQUES

Brasserie : Dortmunder Actien Brauerei

Situation : Dortmund, Rhénanie du Nord-Westphalie

Type : dortmunder/export

Robe : jaune doré d'une limpidité cristalline

Teneur en alcool : 4,8 % vol.

Température de service : 6-8 °C

Accompagnement : viandes froides et plateaux de fromages

DAB Pilsener

la Dortmunder Actien Brauerei reçut le « Grand Prix »
pour sa Pilsener à l'Exposition universelle de Paris en
1937. Cette pilsner à l'amertume rafraîchissante se signale
par l'exceptionnelle densité de son moût (11,3°).

Ele fait partie de la large gamme de bières de la Dortmunder Actien
Brauerei (DAB), à ne pas confondre avec sa principale concurrente
locale, la Dortmunder Union Brauerei (DUB). Cette dernière fut consti-
tuée par la fusion de plusieurs brasseries de moindre importance vers
la fin du XIXᵉ siècle. DAB appartient aujourd'hui au grand groupe
Binding, mais elle continue de fonctionner comme une brasserie indé-
pendante.

CARACTÉRISTIQUES

Brasserie : Dortmunder Actien
Brauerei

Situation : Dortmund, Rhénanie
du Nord-Westphalie

Type : pilsener

Robe : jaune doré

Teneur en alcool : 4,8 % vol.

Température de service : 8-10 °C

Accompagnement : plats de
viande

Kronen Pilsener

**Kronen est la plus ancienne brasserie
de Dortmund et serait en activité depuis
1430 ; à l'origine, elle fournissait
ses bières à la taverne Kronen
(Couronne), sur la place du marché.**

CARACTÉRISTIQUES

Brasserie : Kronen
Privatbrauerei Dortmund

Situation : Dortmund, Rhénanie
du Nord-Westphalie

Type : dortmunder/export

Robe : jaune doré

Teneur en alcool : 5,3 % vol.

Température de service :
6-8 °C

Accompagnement : lapin, lièvre
ou faisan

Après avoir longtemps brassé des ales de
fermentation haute, elle entreprit à la fin
du XIXᵉ siècle de produire des lagers de fermentation basse. Mais plutôt que de re-
produire le type pilsener alors en vogue,
Heinrich Wenker, propriétaire de la brasserie
Kronen, mit au point sa propre bière, plus douce
et plus maltée, qui connut rapidement le succès
et fut imitée par d'autres brasseries de Dortmund,
sous l'appellation « dortmunder » ou « export ». La
Kronen Pilsener est encore brassée selon cette
recette.

Diebels Alt

Les chaudes teintes cuivrées et les riches arômes maltés et houblonnés de cette ale de fermentation haute font de la Diebels Alt une Altbier (« bière à l'ancienne ») par excellence.

C'est une bière bien charpentée, qui emplit bien la bouche tout en restant légère et effervescente. Sa saveur est rafraîchissante, sèche et amère ; d'agressifs houblons Perle et Hallertau dominent la suavité du malt brun qui procure un arrière-goût de sucre brun (les drêches sont retirées pour réduire le goût de « brûlé » caractéristique). La brasserie fut fondée en 1878 par Josef Diebels, à Issum, pittoresque village de la région du Niederrhein, près de la frontière néerlandaise, non loin de Düsseldorf, dans une contrée étroitement associée aux Altbiers, dont elle produit certains des meilleurs exemples.

Diebels était lui-même issu d'une famille de brasseurs quand il décida de s'établir à son compte, et la brasserie demeure entre les mains de ses descendants : elle est actuellement dirigée par son arrière-petit-fils Peter. Dans les premiers temps, Diebels produisait divers styles de bière, mais, dans les années 1960, la brasserie décida de se concentrer sur l'Altbier. Depuis, la brasserie a connu une belle expansion pour devenir sixième producteur de bière d'Allemagne (même si elle est désormais la propriété du groupe belge InBev – Interbrew).

CARACTÉRISTIQUES

Brasserie : Privatbrauerei Diebels

Situation : Issum am Niederrhein, Rhénanie

Type : Altbier

Robe : cuivrée, claire et brillante, mousse blanche et légère

Teneur en alcool : 4,8 % vol.

Température de service : 9-10 °C

Accompagnement : saucisse et choucroute

Hansa Export

En Allemagne, le terme « export » s'applique à es bières de fermentation asse fortes et claires, énéralement plus harpentées, plus riches t plus douces que les pils ypiques.

En raison de la popularité dont jouissent traditionnellement ces bières à Dortmund, on les appelle le plus souvent dortmunder quand elle proviennent de cette ville. La Hansa est un exemple classique de ce style, à l'éclatante robe dorée, à la texture riche et crémeuse modérément gazeuse, à la saveur maltée équilibrée par une légère amertume houblonnée. La brasserie Hansa était l'une des trois grandes brasseries de Dortmund, mais elle appartient désormais à son ancienne rivale, DAB.

CARACTÉRISTIQUES

Brasserie : Dortmunder Hansa Brauerei

Situation : Dortmund, Rhénanie du Nord-Westphalie

Type : dortmunder/export

Robe : jaune d'or

Teneur en alcool : 5 % vol.

Température de service : 7-10 °C

Accompagnement : goulash

St Bernhard Bräu

La brasserie Engel, à ne pas confondre avec la petite brasserie-hostellerie familiale du même nom sise à Waldstetten, est une grosse entreprise commerciale qui produit une large gamme de bières.

CARACTÉRISTIQUES

Brasserie : Engel Brauerei

Situation : Schwäbisch Gmünd, Bade-Wurtemberg

Type : pilsner

Robe : jaune d'or profond

Teneur en alcool : 5 % vol.

Température de service : 8-10 °C

Accompagnement : gibier

Nombre d'entre elles sont présentées indifféremment en bouteilles ou en boîtes ; tel est le cas de cette pilsner, conditionnée dans une bouteille en forme de moine en prière. Elle offre un arôme herbacé et houblonné, une saveur bien équilibrée de céréale et de malt, avec une rafraîchissante finale de houblon. Parmi les autres bières figurant dans la gamme en constante évolution de cette brasserie, mentionnons la Graf von Zeppelin et la General Umberto Nobile, présentées dans une flasque métallique et ornées d'étiquettes évoquant les deux pionniers de l'aérostation moderne.

Trompe La Mort

La Trompe La Mort est la doppelbock produite par la brasserie Engel.

Bien que de nombreuses brasseries choisissent de donner à leurs dop‑ pelbocks un nom qui se termine en « -ator », suivant en cela l'exemple de la Salvator de Paulaner, le nom inhabituel de cette représentante de style est à l'évidence d'inspiration française ; l'étiquette noire opaque de la bouteille porte l'image d'un spectre armé d'une faux. Malgré sa forte teneur en alcool, la saveur et l'arôme sont relativement légers pour une bière de ce type. Ils se caractérisent par des notes maltées de pomme et de poire, s'achevant par une finale houblonnée et parfumée.

CARACTÉRISTIQUES

Brasserie : Engel Brauerei	**Teneur en alcool :** 7,4 % vol.
Situation : Schwäbisch Gmünd, Bade-Wurtemberg	**Température de service :** 8-10 °C
Type : doppelbock	**Accompagnement :** veau
Robe : jaune orangé profond et doré	

Tyrolian Bräu

La Tyrolian Bräu est une autre bière à la présentation particulière produite par la brasserie Engel dans la ville de Schwäbisch Gmünd, fondée au milieu du XIIe siècle et réputée pour son travail de l'or et de l'argent.

Cité libre impériale jusqu'en 1803, elle fut alors intégrée au Wurtemberg. Le nom de cette bière est toutefois inspiré par la province autrichienne du Tyrol, situé à deux pas du Bade-Wurtemberg, de l'autre côté de la frontière. La bière n'est pas aussi originale que son conditionnement : il s'agit d'une pilsner d'un type assez courant.

CARACTÉRISTIQUES

Brasserie : Engel Brauerei	**Température de service :** 8-9 °C
Situation : Schwäbisch Gmünd, Bade-Wurtemberg	**Accompagnement :** bifteck
Type : pilsner	
Robe : jaune d'or profond	
Teneur en alcool : 5 % vol.	

Vamp' Beer

La brasserie Engel produit une gamme étendue de bières qui se distinguent principalement par leur conditionnement « à thème ».

Ces bières étant le plus souvent brassées à la demande, plusieurs d'entre elles sont simplement des versions reconditionnées du même produit, même si la brasserie élabore différents styles de bières sous des appellations telles que La Cervoise des Ancestres (dans une bouteille de grès), une bière ambrée sombre appelée Queen Molly Pale Ale, la Nova Scotia Stout et une lager sombre et maltée, baptisée Voodoo Dark. La Vamp' Beer est une pilsner sans histoire présentée dans une flasque métallique portant une étiquette suggestive, bien en rapport avec son nom.

CARACTÉRISTIQUES

Brasserie : Engel Brauerei
Situation : Schwäbisch Gmünd, Bade-Wurtemberg
Type : pilsner
Robe : jaune d'or
Teneur en alcool : 5 % vol.
Température de service : 7-8 °C
Accompagnement : saucisses-purée

Erdinger Weissbier

Erdinger s'affirme comme le plus gros brasseur de bière de froment du monde ; c'est aussi l'un des plus anciens, puisque cette brasserie a été fondée en 1886 à Erding par un homme du cru, Johann Kienle ; reprise en 1935 par Franz Brombach, elle est dirigée depuis 1975 par son fils Werner.

La Erdinger Weissbier, non filtrée et présentée en bouteilles, demeure le produit phare de cette brasserie. Il s'agit d'une classique bière de froment bavaroise, au goût suave et malté agrémenté d'une légère amertume houblonnée. Le catalogue de cette brasserie comprend sept autres variétés, dont une Kristallweiss claire et finement filtrée, une bière sombre traditionnelle à la saveur riche, onctueuse et légèrement épicée, ainsi qu'une bière bock forte et sombre à la maturation exceptionnellement longue.

CARACTÉRISTIQUES

Brasserie : Erdinger Weissbräu
Situation : Erding, Bavière
Type : bière de froment/Weissbier
Robe : jaune pâle et trouble
Teneur en alcool : 5,3 % vol.

Température de service : 10-12 °C
Accompagnement : délicieuse en apéritif

Hacker-Pschorr Weisse

La brasserie Hacker a été fondée en 1417 comme une affaire familiale, ce qu'elle est demeurée pendant près de quatre siècles. Elle devint Hacker-Pschorr en 1813, lorsque Joseph Pschorr épousa Thérèse Hacker. Homme d'affaires avisé, Pschorr allait présider à la vigoureuse expansion de l'entreprise.

En 1820, il entreprit la construction de vastes caves afin de conserve la bière au frais, ce qui rendit possible la production d'une bière d qualité régulière tout au long de l'année. Dans les années 1840, s brasserie était la plus importante de Munich. Le site de la brasser originale est aujourd'hui un bar très apprécié, à l'enseigne de « Al Hackerhaus ». Hacker-Pschorr est toujours l'un des plus gros bras seurs munichois, qui produit actuellement une gamme étendue d bières, dont cette bière de froment fruitée, non filtrée, modérémer corsée.

On note aussi une Kristall Weiss claire et filtrée ainsi qu'une Dunkl Weiss sombre à la douce saveur maltée. Hacker-Pschorr produit éga lement ses propres versions de la classique bière de Munich, une lag crémeuse, onctueuse et sombre à la saveur épicée, mais aussi un lager claire douce et maltée et une Märzen pour la célèbre Oktoberfes de la ville.

L'influence culturelle de la famille Pschorr s'étend au-delà de l bière : en 1864, Josephine Pschorr épousa Fran Strauss, dont elle eut un fils, Richard Strauss, l célèbre compositeur. Celui-ci dédia son opéra *De Rosenkavalier* à la brasserie, en signe de gratitud pour l'aide financière qu'elle lui avait apportée ses débuts.

CARACTÉRISTIQUES
Brasserie : Hacker-Pschorr Bräu
Situation : Munich, Bavière
Type : Hefe-Weizen / Weissbier
Robe : jaune d'or trouble
Teneur en alcool : 5,5 % vol.
Température de service : 10-12 °C
Accompagnement : veau à la munichoise (ou blanquette), saucisses à la moutarde, bretzels

Früh Kölsch

Cette bière d'une belle couleur ambré clair produit une fine mousse blanche.

Ses arômes mêlent le malt et le pain, avec une pointe d'épices houblonnées et un soupçon de baies rouges. La saveur est très rafraîchissante, parfaitement équilibrée, dominée par de jolies notes de malt très nettes. On distingue à peine une amertume fruitée et houblonnée qui cependant complète à la perfection le tableau. Cette bière agréable, légère, est très réussie. Kölsch est l'appellation des bières de fermentation hautes brassées exclusivement à Cologne.

CARACTÉRISTIQUES

Brasserie : Brauerei P.J. Früh

Situation : Cologne, Rhénanie du Nord-Westphalie

Type : Kölsch

Robe : jaune citron ambré

Teneur en alcool : 4,8 % vol.

Température de service : 5 °C

Accompagnement : saucisse, pain de seigle

Hannen Alt

Intégrée au groupe danois Carlsberg depuis 1988, Hannen fut fondée en 1725. Sa classique Altbier (bière à l'ancienne) est encore brassée sur son site d'origine à Mönchengladbach, près de Düsseldorf.

L'Altbier, spécialité de cette région, est une ale de fermentation haute, de couleur cuivrée, qui bénéficie d'une longue période de maturation à froid et tire son nom du fait que ce style est antérieur aux plus modernes pils. La version de Hannen, douce et crémeuse, possède un caractère de fruits rouges aussi bien dans l'arôme qu'au palais, avec une légère amertume herbacée et houblonnée en finale. Hannen brasse aussi les bières Carlsberg en Allemagne.

CARACTÉRISTIQUES

Brasserie : Hannen Brauerei GmBH

Situation : Mönchengladbach, Rhénanie du Nord-Westphalie

Type : Altbier

Robe : rouge cuivré sombre

Teneur en alcool : 4,8 % vol.

Température de service : 6-8 °C

Accompagnement : Hamburgers ou saucisses

Hasseröder Premium Pils

La brasserie Hasseröder a été fondée en 1872 dans la ville médiévale de Wernigerod, haut lieu touristique qui s'enorgueillit de ses maisons à colombages et des murailles de la vieille ville.

Reprise en 1882 par Ernst Schreyer in 1882, elle devint bientôt l'une des plus importantes brasseries d'Allemagne. Ayant passé des années derrière le rideau de fer, Hasseröder est revenue au premier plan après la réunification allemande de 1990, pour figurer aujourd'hui dans le « Top 5 » des meilleures ventes de pilsners du marché allemand. Cette brasserie ne produit qu'une bière, celle qu'elle a toujours brassée, une riche pilsner dorée à la douce saveur rafraîchissante.

CARACTÉRISTIQUES

Brasserie : Hasseröder Brauerei

Situation : Wernigerode, Saxe-Anhalt

Type : pilsner

Robe : jaune doré clair

Teneur en alcool : 4,8 % vol.

Température de service : 6-8 °C

Accompagnement : salade verte

Aecht Schlenkerla Rauchbier

La taverne-brasserie historique Schlenkerla, fondée en 1678, est située au cœur de la ville ancienne de Bamberg, l'une des plus remarquables cités productrices de bière d'Allemagne, où neuf brasseries desservent quelque 70 000 personnes (à son apogée, au début du XIXᵉ siècle, Bamberg comptait une soixantaine de brasseries). La Aecht Schlenkerla Rauchbier est la plus célèbre des bières de la ville, initialement brassée dans la taverne, mais produite depuis le XIXᵉ siècle sur la colline de Stephansberg, hors de la ville, où aujourd'hui comme hier la bière subit plusieurs mois de maturation dans des caves creusées dans le grès. Dans la taverne, la bière est directement tirée de fûts de chêne, mais elle est également disponible en bouteilles.

La brasserie produit son propre malt, fumé sur feu de hêtre. Ce procédé confère à la bière un arôme et une saveur nettement fumés, qui perdurent jusqu'à la longue et sèche finale. Trois versions de cette bière sont brassées : outre la Märzen normale, une bière de froment au goût plus léger et la forte Urbock pour les mois d'hiver. Officiellement baptisée Heller-Bräu, la brasserie-taverne appartenait jadis à la famille Heller ; après plusieurs changements de propriétaires, elle appartient aujourd'hui à la famille Trum. Parmi ses anciens propriétaires figurait Andreas Graser, qui en prit les rênes en 1877. Handicapé, il avait une démarche « brimbalante » (en allemand, *schlenkern*), et depuis lors la brasserie est connue sous le nom de Schlenkerla.

CARACTÉRISTIQUES

Brasserie : Heller-Bräu

Situation : Bamberg, Franconie, Bavière

Type : Rauchbier

Robe : chocolat noir

Teneur en alcool : 4,8 % vol.

Température de service : 9 °C

Accompagnement : jambon et saucisse fumés

HAB Henninger Export Classic

Les origines de Henninger remontent à 1655, date à laquelle la brasserie Stein fut fondée à Francfort.

Elle demeura aux mains de la même famille pendant deux siècles, puis fut reprise par Christian Henninger en 1873, à la mort de Johannes Stein ; elle est depuis lors devenue l'une des cinq plus grosses brasseries d'Allemagne.

Henninger se spécialise dans la production de lagers de fermentation basse. La marque phare de cette brasserie est la Kaiser Pilsner, bière distinctement sèche et houblonnée, mais la gamme comprend aussi une Export de type pilsner corsée, présentée ici, ainsi qu'une bière fumée baptisée Highlander, élaborée avec du malt grillé sur tourbe.

La Henninger Premium Lager est l'une des bières allemandes les plus répandues aux États-Unis, en boîtes ou à la pression.

CARACTÉRISTIQUES

Brasserie : Henninger Bräu AG
Situation : Francfort-sur-le-Main, Hesse
Type : pilsner
Robe : jaune doré clair et vif
Teneur en alcool : 4,8 % vol.
Température de service : 6-7 °C
Accompagnement : salade verte

Hopf Helle Weisse

La brasserie Hopf, fondée en 1910 dans la ville de Miesbach, à une cinquantaine de kilomètres au sud de Munich, sur les contreforts des Alpes bavaroises, est actuellement dirigée par la troisième génération des membres de la famille Hopf.

Cette famille élabore huit variétés de bières de froment, selon des méthodes traditionnelles et, néanmoins, une approche novatrice. Le produit phare de la maison est une bière de froment de fermentation haute, trouble et dorée, à l'arôme fruité certes, mais qui met le houblon plus en avant que la plupart des autres exemples de ce style. De même, la bière de froment sombre met le houblon en évidence dans son arôme, ainsi qu'un soupçon de levure, de poire et de banane ; au palais, elle se signale par son caractère malté, fruité et rafraîchissant. Quant à la Weisser Bock, c'est une bière forte et sombre, brassée pour l'hiver, chaleureuse avec sa teneur en alcool de 7 % alc./vol.

CARACTÉRISTIQUES

Brasserie : Hopf
  Weissbierbrauerei
Situation : Miesbach, Bavière
Type : bière de froment/Weissbier
Robe : jaune doré

Teneur en alcool : 5,3 % vol.
Température de service : 6-7 °C
Accompagnement : risotto
  et plats de pâtes

Jever Pilsener

La Friesisches Brauhaus de Jever, dans le nord de l'Allemagne, qui produit cette célèbre lager, s'appuie sur une tradition qui remonte à un siècle et demi.

Cette bière est probablement la plus amère des pilsners d'Allemagne septentrionale. Elle offre un arôme de résine, de houblon et de malt très affirmé, produit une mousse d'une blancheur parfaite, et se montre gazeuse juste comme il faut. La saveur est d'herbes, de résine, de houblon, bien soutenue par le malt. Sur l'étiquette, on lit : « *Friesisch Herb* », ce qui signifie « fraîche et sèche », et il en va précisément ainsi (le mot « *Herb* » peut aussi avoir le sens d'« amer », comme c'est ici le cas). Cette bière est d'une fraîcheur renversante, sèche en raison de sa forte teneur en houblon, sans que cela ne nuise au palais. La saveur se prolonge jusqu'à une finale houblonnée durablement rafraîchissante.

CARACTÉRISTIQUES

Brasserie : Friesisches Bauhaus
Situation : Jever, Frise orientale
Type : pilsner
Robe : dorée
Teneur en alcool : 4,9 % vol.
Température de service : 5 °C
Accompagnement : fromages
  et pain complet

Prinzregent Luitpold

Le nom Prinzregent Luitpold désigne une gamme de bières de froment produites par la brasserie Kaltenburg.

Elles comprennent une bière dorée au goût léger, une bière sombre plus riche aux notes de clou de girofle et de chocolat, ainsi qu'une version « kristall » (filtrée). Elles portent le nom du prince Luitpold, qui n'est pas un personnage historique mais le patron actuel de la brasserie, sise en son idyllique château au cœur de la Bavière, à quarante kilomètres à l'ouest de Munich. Le château originel fut construit par le duc Rodolphe de Bavière en 1292, mais l'édifice actuel date de la fin du XVIIe siècle.

CARACTÉRISTIQUES

Brasserie : Kaltenberg
Situation : Kaltenberg, Bavière
Type : bière de froment/Weissbier
Robe : jaune-orangé doré

Teneur en alcool : 5,5 % vol.

Température de service : 9-12 °C
Accompagnement : foie aux oignons

Edel Premium

Les origines de la brasserie Kaufbeuren, déjà bien établie en 1618, remonteraient en fait au moins au début du XIVe siècle : des documents de 1308 révèlent qu'un propriétaire de la région légua à l'hôpital tous ses biens, dont sa salle de brassage.

La brasserie débuta son expansion en 1799, date de son acquisition par Jonas Daniel Walch, qui la transféra dans de nouveaux locaux en 1807. Elle produit aujourd'hui une gamme étendue de bières, dont cette pilsner classique, à l'arôme houblonné de fleurs fraîches avec des notes de pomme et de foin, à la saveur bien équilibrée entre malts légers évoquant le pain d'une part et houblon sec et amer d'autre part ; cette saveur s'achève en une finale suave et maltée.

CARACTÉRISTIQUES

Brasserie : Aktienbrauerei Kaufbeuren
Situation : Kaufbeuren, Bavière
Type : pilsner
Robe : jaune paille clair
Teneur en alcool : 5 % vol.
Température de service : 6-8 °C
Accompagnement : salades aux saveurs subtiles

Jubiläums Pils

Le houblon Tettnanger apporte à cette classique pilsner bavaroise de la brasserie Kaufbeuren un arôme et un goût caractéristiques, secs et floraux.

L'étiquette porte la date de 1907, année où cette bière fut brassée pour la première fois. C'est vers cette époque que la brasserie Kaufbeuren gagna les faveurs du prince Ludwig ; cette année-là aussi qu'elle fit l'acquisition de la brasserie Löwen (le Lion), ce qui en fit la principale productrice de bière de la région. Malgré certains revers au cours du XXᵉ siècle, la brasserie Kaufbeuren finit par asseoir sa domination pour devenir l'unique brasserie de sa ville.

CARACTÉRISTIQUES

Brasserie : Aktienbrauerei Kaufbeuren

Situation : Kaufbeuren, Bavière

Type : pilsner

Robe : jaune paille clair

Teneur en alcool : 5 % vol.

Température de service : 8-10 °C

Accompagnement : bière très désaltérante, à boire seule par grande chaleur

St. Martin Doppelbock

Sa longue maturation procure à cette double bock classique de couleur acajou sombre un caractère rond, onctueux et corsé ainsi que de complexes saveurs maltées.

L'arôme de cette bière de qualité est suave et terreux, avec un chaleureux caractère de malt grillé et des senteurs de figue, de prune et de caramel. Le malt grillé est également présent au palais, nuancé de chocolat, de caramel et d'un soupçon de fumée qui précèdent une finale houblonnée rafraîchissante, sèche et épicée. Très charpentée, cette bière est épaisse en bouche (elle donne presque la sensation qu'on la mâche), sans être trop lourde : elle se boit facilement en dépit de sa forte teneur en alcool (7,5 % alc./vol.).

CARACTÉRISTIQUES

Brasserie : Aktienbrauerei Kaufbeuren

Situation : Kaufbeuren, Bavière

Type : double bock sombre

Robe : acajou sombre (brun rougeâtre

Teneur en alcool : 7.5 % vol.

Température de service : 10-13 °C

Accompagnement : desserts aux fruits

Steingadener Weisse Dunkel

**La Steingadener Weisse
Dunkel est une bière
de froment de type
monastique, non filtrée,
conditionnée en
bouteilles, compagne de
la Weizen Anno 25, bière
de froment claire produite
par la même brasserie.**

Elle se caractérise par un arôme de fruit, de noix, de pain et de mal
que nuancent des notes sous-jacentes de caramel. Le caramel et le
fruits rouges sont présents au palais pour conférer une nette suavit
à cette bière, qui en raison de sa légèreté et de son effervescence de
meure cependant rafraîchissante en été. La Steingadener est l'une de
bières de froment ordinaires de la brasserie Kaufbeuren, qui produi
aussi une gamme de bières « premium » présentées dans des bou
teilles à bouchon de porcelaine à étrier.

Parmi celles-ci, mentionnons la Hefetrübes Weissbier, brassée depui
1885, année où Kaufbeuren devint une société anonyme par actions
Son nom provient de l'allemand *Hefe*, « levure », ce qui indique qu
la bière est non filtrée, et de *trüb*, « trouble ». Autre bière de cett
gamme, la Naturtrubes Kellerbier vise à recréer le type de lager qu
la brasserie aurait élaboré à ses débuts – c'est pour
quoi son étiquette porte la date de 1308.

De même, la Urbayrisch Dunkel (Bavaroise
sombre originale) cherche à retrouver le caractère
authentique des bières d'autrefois, alors que la Edle
Radler est un panaché de lager et de limonade
conçu comme une boisson rafraîchissante et éner
gisante destinée aux cyclistes (le mot *Radler* désigne
un cycliste en dialecte allemand méridional, et un
cycliste figure sur l'étiquette de la bouteille).

CARACTÉRISTIQUES

Brasserie : Aktienbrauerei
  Kaufbeuren

Situation : Kaufbeuren, Bavière

Type : bière de froment sombre

Robe : brun doré, trouble

Teneur en alcool : 5,1 % vol.

Température de service : 10 °C

Accompagnement : pizzas
  ou pâtes

Weizen Anno 25

Cette bière de froment spéciale de tradition bavaroise, vive et fraîche représentante du style, doit son nom à l'année où elle fut brassée pour la première fois – en 1925.

La Weizen Anno 25 présente un savoureux goût de levure avec des nuances de banane, de pomme et de clou de girofle perçant à travers l'arôme de fruit, de malt et de céréale. Naturellement très gazeuse, elle est délicieusement effervescente, charpentée aussi ; sa saveur d'ensemble est ronde, complexe et fruitée, sa finale sèche et épicée. Cette bière est issue de la plus ancienne brasserie de Kaufbeuren, qui produit une large gamme de bières dont diverses bières de froment (parmi lesquelles une version hypocalorique et sans alcool portant le nom du Kaiser Maximilien Ier).

CARACTÉRISTIQUES

Brasserie : Aktienbrauerei Kaufbeuren

Situation : Kaufbeuren, Bavière

Type : bière de froment/Weissbier

Robe : jaune d'or trouble

Teneur en alcool : 5,8 % vol.

Température de service : 8 °C

Accompagnement : pâtes au fromage

EKU Pils

Produit phare de la gamme de bières EKU, cette pilsner classique est présentée dans la longue bouteille à mince col qui fait partie intégrante de l'image d'EKU.

D'un jaune d'or éclatant, elle se signale par un revigorant arôme de foin frais coupé, que nuance une suavité maltée. Sa saveur est nette, d'une rafraîchissante amertume, la finale est sèche avec une subtile amertume houblonnée. La gamme EKU comprend aussi une lager maltée claire, une export dorée et corsée, ainsi qu'une Festbier saisonnière au puissant arôme de houblon, sans oublier un très original panaché bière-cola qui constitue une alternative douce et peu alcoolisée.

CARACTÉRISTIQUES

Brasserie : Kulmbacher Brauerei

Situation : Kulmbach, Franconie, Bavière

Type : pilsner

Robe : or clair

Teneur en alcool : 4,9 % vol.

Température de service : 6-8 °C

Accompagnement : plats végétariens

EKU 28

Depuis le milieu du XIXᵉ siècle, la petite ville de Kulmbach, dans la région de Bavière appelée la Franconie, est réputée pour ses bières sombres et fortes ainsi que pour sa fête de la bière annuelle, organisée à la fin du mois de juillet, qui se pose en rivale de l'Oktoberfest munichoise.

Malheureusement, l'industrie de la bière locale, jadis prospère, a récemment subi des bouleversements majeurs, avec pour conséquence que les brasseries survivantes ont fusionné sous la bannière du groupe Kulmbacher Brauerei. Les gammes de bières proposées par les composantes du groupe ont été rationalisées, même si plusieurs des anciens styles individuels demeurent au répertoire de Kulmbacher, ainsi la célèbre Eisbock produite par la brasserie Reichelsbrau. Autre brasserie absorbée lors de la fusion, EKU (Erste Kulmbacher Unionbrauerei, soit Premières brasseries unies de Kulmbach), produit toujours plusieurs bières, dont la EKU 28, qui se targue d'être la bière la plus forte du monde ; en réalité, depuis qu'elle a été créée, elle a certainement été dépassée par d'autres, mais cette EKU 28 demeure une boisson très alcoolisée.

Le « 28 » qui figure dans son nom fait référence à la densité de son moût, qui selon le système allemand de mesure signifie qu'elle est brassée avec environ deux fois plus de sucres fermentescibles qu'une bière forte « normale ». Du fait de cette densité originale exceptionnellement élevée, le produit fini présente une structure épaisse, lourde, presque sirupeuse. La EKU 28 n'en est pas moins étonnamment facile à boire. Elle offre un goût complexe à base de zeste d'orange et une finale fraîche, sèche et nette.

CARACTÉRISTIQUES

Brasserie : Kulmbacher Brauerei
Situation : Kulmbach, Franconie, Bavière
Type : doppelbock
Robe : rouge rubis sombre
Teneur en alcool : 13,5 % vol.
Température de service : 9 °C
Accompagnement : desserts aux fruits tels que tarte aux pommes

Kapuziner

Kapuziner est le nom de la gamme des bières de froment produites par le groupe Kulmbacher, dont le siège se trouve dans la petite ville de Kulmbach en Franconie, au cœur de l'Allemagne brassicole.

Cette gamme comprend six variétés différentes de bière de froment, dont la plus appréciée est cette ale dorée non filtrée classique. Cette bière trouble à l'arôme et au goût légers constitue une bonne boisson rafraîchissante pour l'été. La Kapuziner existe aussi en version filtrée (Kristallweiss), en version sombre (Schwarz) plus riche, florale et maltée, en version hivernale aussi, forte et riche, ronde en bouche, et de saveur épicée et maltée.

CARACTÉRISTIQUES

Brasserie : Kulmbacher Brauerei
Situation : Kulmbach, Franconie, Bavière
Type : bière de froment/Weissbier
Robe : jaune-orange doré

Teneur en alcool : 5,4 % vol.
Température de service : 8 °C
Accompagnement : salade grecque avec feta et olives noires

Kulmbacher Premium Pils

Le groupe Kulmbacher résulte de la fusion de cinq brasseries indépendantes de Kulmbach, petite ville surnommée la « capitale de la bière » ; la Kulmbacher Premium Pils, lager classique au goût léger, en est le produit phare.

Après la fusion, la production de bière fut transférée sur un site unique, mais nombre des recettes particulières ont été conservées. L'étiquette Kulmbacher est apposée sur plusieurs bières célèbres, dont la Reichelbräu Eisbock 24 (dont le processus d'élaboration comprend une période dans la glace), qui lutta autrefois pour le titre de bière la plus forte du monde.

CARACTÉRISTIQUES

Brasserie : Kulmbacher Brauerei
Situation : Kulmbach, Franconie, Bavière
Type : pilsner
Robe : jaune paille clair

Teneur en alcool : 4,9 % vol.
Température de service : 6-8 °C
Accompagnement : salades estivales

Krombacher Pils

La brasserie Krombacher est sise dans la petite ville de Krombach, dans le Siegerland, en Rhénanie du Nord-Westphalie, région caractérisée par ses vallées couvertes de luxuriantes forêts.

Cette Pils, brassée avec l'eau cristalline d'une source locale, est qualifiée de « perle de la nature ». Elle présente une texture crémeuse et une saveur douce où s'équilibrent le malt et le houblon. Légèrement plus sucrée que certaines pilsners, elle offre néanmoins une finale houblonnée sèche et amère tout à fait caractéristique. La Krombacher Pils existe aussi en version sans alcool, et la brasserie propose également une Altbier sombre de fermentation haute appelée Rhenania. Toutes les bières Krombacher sont brassées selon les règles de pureté de la *Rheinheitsgebot*.

CARACTÉRISTIQUES
Brasserie : Krombacher Brauerei
Situation : Kreuztal-Krombach, Rhénanie du Nord-Westphalie
Type : pilsner
Robe : jaune doré
Teneur en alcool : 4,8 % vol.
Température de service : 6-8 °C
Accompagnement : délicieuse en apéritif

Lauterbacher Hefeweizen

Fondée en 1651, peu après la fin de la guerre de Trente Ans, la brasserie Lauterbacher a pour devise : « La Tradition est notre inspiration. »

Sa classique bière de froment dorée, non filtrée, est une ale de fermentation haute pleine de vivacité, au délicat arôme de banane et de citron caractéristique de la forte teneur en houblon et de la levure utilisée (la même depuis 1888). La saveur de cette bière s'équilibre entre malt (notes de céréales), froment (onctuosité) et houblon (amertume). Le répertoire de la brasserie compte neuf variétés de bière de froment, dont la Bayerische Hiasl, ainsi nommée d'après un ancien héros populaire bavarois (à la réputation comparable à celle de Robin des Bois), ainsi que la Brotzeitbier présentée ici, savoureuse, onctueuse et épicée.

CARACTÉRISTIQUES
Brasserie : Privatbrauerei Lauterbach L. Ehnle
Situation : Lauterbach, Hesse
Type : bière de froment/Weissbier
Robe : jaune-orange doré
Teneur en alcool : 5,1 % vol.
Température de service : 8 °C
Accompagnement : steak à la sauce au bleu

Maisel's Weisse Original

La ville de Bayreuth est surtout réputée pour son festival annuel d'opéra wagnérien, qui se déroule à l'Opéra dessiné par Richard Wagner en personne. Elle est aussi appréciée des connaisseurs de bière pour ses cinq brasseries, dont Maisel est la plus importante. Toujours détenue par la famille Maisel, elle a été créée en 1874. L'ancienne salle de brassage est aujourd'hui un immense musée (l'un des plus vastes musées de la brasserie au monde) qui abrite le matériel original de la brasserie ainsi que d'autres objets, depuis d'énormes machines à vapeur jusqu'à une collection de verres et de chopes.

Au Goldener Löwe, juste à côté du musée, on peut savourer à la pression toutes les bières Maisel. Ces bières sont cependant disponibles en bouteilles également. La célèbre spécialité traditionnelle de Maisel est la Dampfbier (« bière vapeur »), ale ambrée de fermentation haute à la riche saveur maltée. Depuis quelques années, la brasserie concentre ses efforts sur la promotion de ses bières de froment, déclinées en six variétés. La Maisel's Weisse Original est une bière de froment bavaroise classique, non filtrée, contenant de la levure fraîche, ce qui lui confère une riche coloration dorée, légèrement brumeuse, et lui permet de poursuivre son évolution dans la bouteille. Elle possède un arôme de levure et de banane ainsi qu'une saveur onctueuse et fruitée et une finale houblonnée nette et sèche. La gamme comprend aussi une bière de froment sombre de pleine saveur fruitée, une version sans alcool et une bière de froment d'hiver à la riche saveur épicée.

CARACTÉRISTIQUES

Brasserie : Brauerei Gebrüder Maisel

Situation : Bayreuth, Bavière

Type : bière de froment/weissbier

Robe : jaune-orange doré, trouble

Teneur en alcool : 5,7 % vol.

Température de service : 8-10 °C

Accompagnement : pâté en croûte

Löwenbräu

Selon certaines sources – controversées toutefois – la création de Löwenbräu (Brasserie du Lion) daterait de 1383.

Löwenbräu fut rachetée par Georg Brey en 1818, et sous sa houlette elle devint la plus grosse brasserie de Munich, avant de fusionner finalement avec Spaten, en 1997. La Löwenbräu Original est une lager munichoise classique, douce, maltée et légèrement houblonnée. La brasserie propose aussi une Premium Pilsner sèche et houblonnée, une bière sans alcool et une bière de froment bavaroise dorée, non filtrée, ainsi qu'une bière forte, spécialité de l'Oktoberfest.

CARACTÉRISTIQUES

Brasserie : Löwenbräu AG
Situation : Munich, Bavière
Type : lager de Munich
Robe : jaune doré

Teneur en alcool : 5,2 % vol.
Température de service : 8 °C
Accompagnement : nouilles chinoises

Paulaner Original Münchner

Depuis le début du XIXᵉ siècle, les brasseries de Munich produisent une bière de fermentation basse de couleur brune, connue sous le nom de Münchner.

À partir des années 1920, de nombreuses brasseries se sont mises à élaborer une version plus claire de la lager de Munich (Münchner helles) ; on attribue généralement à Paulaner le mérite d'avoir lancé cette tendance. La version de base de cette bière offre un arôme subtilement floral et houblonné ainsi qu'une saveur ronde et maltée, équilibrée par une amertume houblonnée nette et rafraîchissante. Est également disponible la Urtyp légèrement plus sombre, un peu plus alcoolisée (5,5 % alc./vol.), au goût malté plus affirmé.

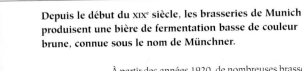

CARACTÉRISTIQUES

Brasserie : Paulaner GmbH
Situation : Munich, Bavière
Type : lager claire de Munich
Robe : jaune-orange doré
Teneur en alcool : 4,9 % vol.
Température de service :
7-9 °C
Accompagnement : côtes d'agneau

Paulaner Hefe-Weissbier

La ville de Munich a reçu son nom en 1158 du duc Henri le Lion ; il signifie « le lieu des moines », ce qui traduit l'existence depuis le VIIIe siècle de nombreuses communautés monastiques dans la région. Le monastère Paulaner fut fondé sur une colline des environs de Munich par des adeptes de la règle de saint François de Paula, au XVIe siècle. Comme tous les monastères, il entreprit bientôt de brasser la bière pour fournir les moines en boissons rafraîchissantes, le surplus étant vendu aux tavernes locales.

Le premier document officiel faisant état de l'existence de la brasserie Paulaner date de 1634. Bien que la brasserie soit traditionnellement réputée pour ses lagers, depuis quelques années, elle concentre ses efforts sur la production de bières de froment, dont certaines sont des plus savoureuses. La Hefe-Weizbier, classique bière dorée non filtrée, possède un arôme d'épices (de clous de girofle), une douceur miellée avec des notes de bananes ; au palais, sa saveur est nette, fraîche, fruitée. La brasserie produit aussi une version sombre et une autre filtrée (Kristallklar) ; en 1987, elle a en outre lancé la première bière de froment sans alcool du monde.

CARACTÉRISTIQUES

Brasserie : Paulaner GmbH

Situation : Munich, Bavière

Type : bière de froment/Weissbier

Robe : jaune-orange doré

Teneur en alcool : 5,5 % vol.

Température de service : 9-12 °C

Accompagnement : tourte à la volaille et aux légumes

Salvator Doppelbock

La Salvator produite par la brasserie Paulaner de Munich est la Doppelbock originale dont toutes les autres se sont inspirées, non seulement pour brasser leurs bières mais aussi pour les baptiser.

Les moines qui au départ brassèrent ce « pain liquide » fortement alcoolisé pour se sustenter lors du carême lui donnèrent le nom de Salvator (en latin, le Sauveur). À une époque, le nom de Salvator fut largement adopté pour désigner toute bière d'un style comparable mais finalement ces bières prirent le nom de Dopplebocks (double bocks), le nom de Salvator ayant été déposé en 1894 par la brasserie Paulaner, seule désormais à pouvoir l'employer pour désigner sa bière. D'autres brasseries donnèrent à leurs versions des noms se terminant en « -ator », tels qu'Optimator, Fortunator, Kulminator et Triumphator.

La Salvator est toujours brassée chaque année en vue d'une commercialisation au printemps, peu avant le début du carême. Elle produit une mousse aussi riche et épaisse que de la crème fouettée et dégage un arôme complexe, de beurre, de cake et de malt, équilibré par une délicate pointe de houblon. En bouche, sa saveur pleine et maltée se caractérise par des notes de caramel, de fruits rouges et de pain grillé, même si le taux élevé d'alcool tempère cette douceur par une abrupte sècheresse et si la teneur en houblon, étonnamment élevée, confère une finale sèche et amère.

Cette bière d'exception se savoure de préférence au début du printemps dans les *Biergärten* (brasseries en extérieur) de Munich, lorsque les gelées hivernales ont cessé et que les habitants de la ville reviennent à leur passe-temps favori, consistant à boire en amicale compagnie. Fort heureusement pour ceux d'entre nous qui ne peuvent se rendre à Munich, la Salvator se trouve aisément en bouteilles.

CARACTÉRISTIQUES

Brasserie : Paulaner GmbH
Situation : Munich, Bavière
Type : doppelbock
Robe : brun ambré profond
Teneur en alcool : 7,5 % vol.
Température de service : 9 °C
Accompagnement : un repas à elle seule

Pinkus Organic Hefe Weizen

La ville de Münster comptait jadis plus de cent cinquante brasseries, dont seule subsiste aujourd'hui Pinkus Müller.

Créée en 1816 par Johannes Müller pour les besoins de l'auberge familiale, qu'elle sert aujourd'hui encore, cette brasserie est dirigée par la même famille depuis cinq générations ; elle a été rebaptisée du nom de Carl Pinkus Müller, patron de l'établissement de 1944 à 1979. Elle continue de brasser ses bières selon les méthodes traditionnelles et les recettes originales, même si aujourd'hui elle emploie surtout des ingrédients de culture biologique. Sa bière de froment bio, non filtrée, est brassée avec 60 % de malt de froment et 40 % de malt de houblon ; elle présente un arôme de citron et de levure, alors qu'en bouche une saveur de froment vive et nette domine.

CARACTÉRISTIQUES

Brasserie : Brauerei Pinkus Müller
Situation : Münster, North Rhine-Westphalia
Type : bière de froment biologique
Robe : jaune doré, trouble

Teneur en alcool : 5,1 % vol.
Température de service : 8 °C
Accompagnement : le soir, en apéritif

Plankstettener Dinkel

Fondée en 1866 et aujourd'hui dirigée par la quatrième génération des Krieger, la brasserie Riedenburger se concentre depuis 1994 sur la production exclusive de bières bio.

Parmi celles-ci figurent les bières de type monastique produites sous l'étiquette Plankstettener en vertu d'un accord conclu en 1997 avec le monastère bénédictin de Plankstetten (fondé au XIIᵉ siècle). Les céréales utilisées pour l'élaboration de ces bières sont cultivées sur le domaine de l'abbaye. Elles entrent dans la composition d'une lager sombre appelée Dunkels, à ne pas confondre avec la très originale Dinkel. Cette dernière est brassée avec 50 % de malt d'épeautre, ce qui lui confère une saveur caractéristique, très riche, un arôme rafraîchissant d'orange et d'abricot ; en bouche, elle évoque les céréales, le pain même.

CARACTÉRISTIQUES

Brasserie : Riedenburger Brauhaus
Situation : Riedenberg, Bavière
Type : bière d'épeautre biologique
Robe : orange doré trouble
Teneur en alcool : 4,9 % vol.
Température de service : 8 °C
Accompagnement : pizza pepperoni

Plankstettener Spezial

La Plankstettener Spezial est une bière ambrée brassée avec mélange de malts clairs et sombres, à laquelle une longue maturation confère une saveur à la fois onctueuse et épicée.

Non filtrée et non pasteurisée, elle présente une turbidité naturelle qui rappelle les bières de froment bavaroises de fermentation haute, alors qu'il s'agit d'une lager de fermentation basse. Outre les bières Plankstettener, Riedenburger propose une gamme de bières sous son propre label : une bière de froment sombre, une autre claire, une bière de froment « export » plus forte, une lager claire classique dans le style de Munich, ainsi que des spécialités plus inhabituelles, telle la 5-Korn Urbier, brassée avec un mélange de malts de cinq céréales différentes.

CARACTÉRISTIQUES

Brasserie : Riedenburger Brauhaus
Situation : Riedenberg, Bavière
Type : bière biologique
Robe : orange ambré soutenu
Teneur en alcool : 5,3 % vol.
Température de service : 8-10 °C
Accompagnement : rosbif

Rostocker Pilsener

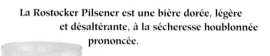

La Rostocker Pilsener est une bière dorée, légère et désaltérante, à la sécheresse houblonnée prononcée.

Elle provient de la brasserie hanséatique historique de Rostock, dont les origines remontent au moins à 1258 et qui était déjà une exportatrice de bières bien établie en 1878, lorsqu'elle fut reprise par Georg Mahn et Friedrich Ohlerich. Elle connut alors une vigoureuse expansion, grâce notamment à la création de sa propre malterie et de ses installations de réfrigération. Lors de la Deuxième Guerre mondiale, la brasserie fut démantelée par les troupes soviétiques, mais elle effectua ensuite un stupéfiant rétablissement : reconstruite et de retour en activité en 1947, elle continua de prospérer malgré un incendie survenu en 1967. La brasserie Rostocker s'est agrandie en 2001 ; elle produit aujourd'hui une gamme de quatre bières, dont des bocks de types clair et sombre ainsi qu'une « export » plus forte.

CARACTÉRISTIQUES

Brasserie : Rostocker Brauerei
Situation : Rostock, Mecklembourg-Poméranie-Occidentale
Type : pilsner
Robe : jaune doré
Teneur en alcool : 4,9 % vol.
Température de service : 6-8 °C
Accompagnement : riz au curry

Altenmünster Premium

Altbier » est un terme allemand qui désigne une ale
e fermentation haute, généralement de couleur cuivrée.
outefois, cette bière douce et facile à boire présente un
spect jaune doré plus caractéristique des lagers claires.

cet égard, elle est comparable aux « Kölsch » de Cologne (seules les
ères produites à Cologne même ont droit à cette appellation). Son arôme
t riche et fruité, alors que son goût délicatement malté rappelle les
asts beurrés et que sa finale est douce et sèche à la fois. La brasserie
ailer produit des bières variées dans la gamme Altenmünster, dont des
ères de froment ainsi qu'une Rauchbier.

CARACTÉRISTIQUES

Brasserie : Privatbrauerei Franz
　Joseph Sailer
Situation : Marktoberdorf, Bavière
Type : Altbier
Robe : jaune d'or pâle, mousse
　légère et abondante

Teneur en alcool : 4,9 % vol.
Température de service : 9-10 °C
Accompagnement : une bière
　à boire en société

Oberdorfer Weissbier

**La brasserie Oberdorfer plonge ses racines au début du
XVIᵉ siècle : elle desservait à l'origine une taverne de la
ville de Bavière dont elle tire son nom :
Marktoberdorf, en Souabe.**

La Oberdorfer Weissbier est disponible en deux
variétés, une sombre et une claire. Celle-ci présente un arôme de froment et d'épice, de banane et de levure, avec un soupçon de girofle,
d'herbe et de houblon. En bouche, son caractère aigrelet s'associe à une saveur maltée évoquant le chewing-gum pour donner une bière
de bel équilibre. La bière de froment sombre
offre un riche arôme fruité à base de raisin, de
banane et de pomme, avec un soupçon de caramel
et de malt. En bouche, elle est vive, acidulée, avec des
notes de citron et de clou de girofle sur une suavité maltée.

CARACTÉRISTIQUES

Brasserie : Privatbrauerei Franz
　Joseph Sailer
Situation : Marktoberdorf,
　Bavière
Type : bière de froment/weissbier
Robe : jaune doré clair
Teneur en alcool : 4,9 % vol.
Température de service :
　9-12 °C
Accompagnement : pizza
　épicée

Rauchenfelser Steinbier

Si cette bière de froment de fermentation haute très particulière n'est brassée que depuis 1983, elle n'en représente pas moins la renaissance de méthodes de production fort anciennes, ce que traduit son nom – Rauchenfelser signifie « pierres fumantes », et celles-ci constituent un élément clef du processus de brassage.

Avant l'introduction des cuves de cuivre, toutes les étapes du bra[ssage se déroulaient dans des récipients de bois. Ceux-ci ne pouvaie[nt] être placés directement sur le feu (pour des raisons évidentes), de so[rte] que pour faire bouillir le moût (le liquide sucré soutiré après l'emp[â]tage/brassage du malt et de l'eau), on chauffait à blanc des pier[res] dans un fourneau, avant de les placer dans la chaudière à houblo[n]ner. Les pierres chaudes faisaient allègrement bouillir le moût, et da[ns] le même temps une partie des sucres du liquide caramélisaient à le[ur] surface. Après fermentation, on laisse fermenter jusqu'à trois mois [le] moût contenant toujours les pierres enrobées de sucre, ce qui conf[ère] à la bière une saveur de fumée et de mélasse ainsi qu'un arôme [de] fumée prononcé.

Par rapport aux Rauchbier (bières fumées) de fermentation bas[se] de Bamberg en Franconie, fortement aromatisées (élaborées avec [du] malt fumée, elles sont très sombres), cette bière est claire, légère [et] facile à boire ; elle présente un caractère plutôt effervescent. La fum[ée] et le caramel brûlé perdurent au-delà d'une finale à la fois dou[ce] et sèche.

CARACTÉRISTIQUES	
Brasserie : Privatbrauerei Franz Joseph Sailer	
Situation : Marktoberdorf, Bavière	
Type : Steinbier	
Robe : brun-rouge, cristalline, mousse épaisse et crémeuse	
Teneur en alcool : 4,9 % vol.	
Température de service : 9 °C	
Accompagnement : viandes au barbecue	

Jubelbier

brasserie Franz Joseph Sailer de Marktoberdorf, dans
sud de l'Allemagne, produit un gamme étendue de bières,
mprenant l'Oberdorfer, l'Altenmunster, la Rauchenfels
einbier et la Napoleon. Un packaging plein de créativité
ue un rôle crucial dans la politique commerciale de cette
asserie, dont le propriétaire et maître brasseur Gerd
rges a dessiné des bouteilles spéciales puisant leur
spiration dans les citrouilles d'Halloween ou les
tronautes de la Nasa.

s origines de la Privatbrauerei Franz Joseph Sailer remontent aux
nées 1630, même si elle ne porte le nom de la famille Sailer
que » depuis 1850 environ. Dans les années 1960, cette brasse-
 s'est modernisée, a fusionné avec une autre, puis obtenu
 1982 le droit de produire la Rauchenfels Steinbier.
La Jubelbier est la version proposée par Sailer des fortes bières
altées produites chaque année à Munich à l'occasion de
)ktoberfest. Cette Jubelbier, pour sa part disponible toute
nnée, est présentée dans une bouteille spéciale avec bou-
on de céramique à étrier. Elle offre un riche arôme suave
malté, au caractère fruité évoquant la prune ; très onc-
euse au palais, elle se caractérise par sa suavité caramé-
ée.

CARACTÉRISTIQUES

Brasserie : Privatbrauerei Franz
Joseph Sailer

Situation : Marktoberdorf,
Bavière

Type : Märzen/Oktoberfest

Robe : brun-rouge foncé

Teneur en alcool : 5,5 % vol.

Température de service : 10 °C

Accompagnement : canard
ou poulet grillé

Schneider Aventinus

La brasserie Schneider a été créée en 1855 par le premier Georg Schneider : repreneur de la Weisse Hofbräuhaus de Munich, il entreprit de brasser de la bière de froment.

La brasserie s'installa dans ses locaux actuels de Kelheim en 192... l'affaire était alors dirigée par le quatrième Georg Schneider (arriè... petit-fils du premier). Elle l'est aujourd'hui par le sixième Geo... Schneider, qui travaille à la brasserie depuis 1982. L'unique memb... de la famille à diriger la brasserie sans s'appeler Georg fut Mathil... Schneider, femme du troisième Georg, qui en prit les rênes à la su... du décès prématuré de son époux, au début du XXᵉ siècle.

C'est elle qui introduisit la bière de froment « double bock », ext... ordinairement forte, au répertoire de la brasserie. Sa saveur comple... est richement maltée, avec des notes de raisins secs, de figue et ... prune, un caractère épicé (évoquant la cannelle et le clou de girof... et chaleureux du fait de sa teneur élevée en alcool (8 % alc./vol.), ... lui confère une finale sèche et poivrée. D'une remarquable efferve... cence naturelle, elle rappelle à cet égard le champagne.

L'Aventinus tient son nom de la rue de Munich – Aventine Stras... – où se situait la brasserie d'origine. Il existe aussi un lien av... Johannes Thurmayr d'Abensberg, historien et latiniste érudit ... XVIᵉ siècle plus communément connu sous le nom d'Aventinu... son portrait figure sur l'étiquette de cette bière.

CARACTÉRISTIQUES

Brasserie : Privat Weissbierbrauerei G. Schneider & Sohn

Situation : Kelheim, Bavière

Type : double bock de froment

Robe : rouge rubis sombre

Teneur en alcool : 8 % vol.

Température de service : 9-10 °C

Accompagnement : soupes ou pâtes en sauce légère

Schneider Weisse

L'histoire de la brasserie Schneider recoupe largement celle de la bière de froment en Allemagne. Lorsque Georg Schneider reprit la Weisse Hofbräuhaus de Munich, en 1855, et se mit à brasser de la bière de froment, ce type de bière n'était déjà plus en vogue – il allait d'ailleurs décliner encore à la fin du XIXᵉ siècle.

Puis, en 1872, Georg acquit du roi Louis II une licence lui permettant de brasser de la bière de froment, qu'il sauva ainsi de l'extinction. Son entreprise connut une rapide expansion, avant de faire en 1927 l'acquisition des brasseries de bières de froment de Straubing et Kelheim. Cette dernière abrite aujourd'hui encore les activités de brassage de Schneider (la brasserie originelle de Munich fut détruite lors de la Deuxième Guerre mondiale) ; elle est désormais la plus ancienne brasserie de bière de froment de Bavière – elle assure depuis 1607 une production continue. Depuis quelques années, elle s'est complètement modernisée.

Brassée selon la recette qu'utilisait le premier Georg Schneider il y a un siècle et demi, la Schneider Weisse est généralement considérée comme la plus pure représentante du style Hefe-Weizen ; non filtrée, elle doit aux dépôts de levure sa turbidité naturelle (*Hefe* signifie « levure » en allemand). Cette bière, qui produit une mousse généreuse, offre un arôme complexe et fruité, dominé par le malt, avec des nuances de clous de girofle, de muscade et de pomme. Son goût est corsé et rafraîchissant, le malt et le fruit laissent place à une finale d'une délicate amertume et à un arrière-goût légèrement aigre.

CARACTÉRISTIQUES

Brasserie : Privat Weissbierbrauerei G. Schneider & Sohn

Situation : Kelheim, Bavière

Type : bière de froment

Robe : acajou, ambrée

Teneur en alcool : 5,4 % vol.

Température de service : 9-12 °C

Accompagnement : poulet grillé

Franziskaner

Le nom « Franziskaner » est lié au monastère franciscain qui se trouvait en face de la vieille brasserie de bière de froment, dans le centre de Munich.

L'existence de la brasserie est attestée dès 1363 : elle s'appelait alors Seidel Vaterstetter. Les deux productions habituelles de Franziskaner – Helles (claire) et Dunkel (sombre) – sont deux bières de froment traditionnelles, non filtrées, de fermentation haute, très savoureuses. Les bières de froment sont généralement brassées avec environ 50 % de froment et 50 % d'orge malté, mais les Franziskaner présentent la particularité de l'être avec 75 % de froment malté. La Helles possède un arôme léger, fruité et épicé qui continue de dominer en bouche avec un soupçon de clous de girofle et de banane, alors que la Dunkel présente une saveur plus riche, plus pleine, avec un caractère malté et crémeux agrémenté de notes de chocolat.

CARACTÉRISTIQUES

Brasserie : Spaten-Franziskaner-Bräu

Situation : Munich, Bavière

Type : bière de froment/Weissbier

Robe : jaune doré clair

Teneur en alcool : 5 % vol.

Température de service : 10-12 °C

Accompagnement : poulet légèrement relevé

Spaten Oktoberfestbier

La lager claire originale de Munich est son principal produit, mais cette brasserie propose aussi deux bières de saison au caractère plus affirmé.

La première est une bière de l'Oktoberfest brassée au printemps e prévision de « la plus grande fête populaire du monde » – Spaten es l'une des six brasseries autorisées à vendre ses bières lors de l'Okto berfest officielle de la Theresienweisen. Son autre bière saisonnièr est la Premium Bock, une bière maltée, corsée, légèrement houblon née, brassée pour célébrer l'arrivée du printemps – et le retour du plai sir de consommer sa boisson favorite en plein air, dans un *Biergarten* Parmi d'autres bières brassées pour des occasions particulières, men tionnons la Champagner Weisse, une bière de froment originale pro duite pour la première fois en 1964 en vue de l'Oktoberfest.

CARACTÉRISTIQUES

Brasserie : Spaten-Franziskaner-Bräu

Situation : Munich, Bavière

Type : bock

Robe : jaune d'or soutenu

Teneur en alcool : 6,5 % vol.

Température de service : 8-10 °C

Accompagnement : cacahuètes, chips et autres amuse-gueules

Spaten Original Munich Beer

Spaten fut la première brasserie de Munich à brasser une lager de type pilsner, qu'elle lança en 1894 dans l'intention de l'exporter vers l'Allemagne du Nord – mais qui fut rapidement proposée aussi sur le marché local.

Cette même bière, aujourd'hui commercialisée sous le nom de Spaten München (Münchner Hell), présente un arôme délicatement épicé et une saveur légère, douce et rafraîchissante. Bien que sa bière phare soit donc d'origine relativement récente, la brasserie est bien plus ancienne, et date de 1397 – période à laquelle Hans Welser fonda la brasserie Welser Prew dans la Neuhausergasse de Munich. Au cours des cent vingt-cinq années qui suivirent, l'établissement changea de mains à de nombreuses reprises, avant de connaître une relative stabilité : de 1522 à 1807, trois dynasties successives en prirent les rênes, dont la famille Spatt (de 1622 à 1704), de qui la brasserie tient son identité (*Spaten* signifie « pelle » en allemand).

En 1807, la brasserie fut rachetée par Gabriel Sedlmayer, maître brasseur auprès de la cour royale de Bavière. C'était à l'époque l'une des plus petites brasseries de Munich, mais en 1867, à la suite de diverses fusions et acquisitions, elle était devenue la plus grosse, position qu'elle conserva jusque dans les années 1890. Elle reprit la première place en 1922 de par sa fusion avec la brasserie Franziskaner, possession d'une autre branche de la famille Sedlmayer. En 1997, après avoir célébré le 600e anniversaire de sa création, la brasserie Spaten a fusionné avec Löwenbräu.

CARACTÉRISTIQUES

Brasserie : Spaten-
Franziskaner-Bräu

Situation : Munich, Bavière

Type : pilsner

Robe : jaune doré clair

Teneur en alcool : 5.2 % vol.

Température de service :
6-8 °C

Accompagnement : quiche
au saumon fumé

HB Münchner Kindl

Les initiales « HB », pour Hofbräuhaus, traduisent le statut passé de cette institution en tant que brasserie royale officielle. Elle fut fondée en 1589 par Guillaume V, duc de Bavière. Jusqu'alors, les bières destinées à la maison royale venaient d'Einbeck car la qualité des bières de Munich était jugée insuffisante.

Le fils et héritier de Guillaume, Maximilien Ier, n'appréciait guère la bière brune de la brasserie, de sorte qu'en 1602 il fit basculer la production en faveur de sa bière de froment favorite.

Dans le même temps, il interdit à toutes les autres brasseries de Bavière de brasser de la bière de froment ; le monopole ainsi établi au profit de son propre établissement allait durer près de deux siècles. Naturellement, la conséquence fut une concentration de la demande pour la bière de froment : en 1607, le duc fit bâtir sur la place de la ville une nouvelle brasserie qui s'y trouve encore aujourd'hui – elle est désormais propriété du Land de Bavière. La bière de froment classique, remise à l'honneur dans les années 1970, porte le nom de HB Münchner Kindl. Elle offre un vif arôme de levure et une rafraîchissante saveur fruitée. Elle existe aussi dans une version sombre appelée Schwarz Weissebier (dont la traduction littérale, quelque peu paradoxale, est « Bière blanche noire »). Nettement effervescente, elle présente un goût épicé avec des nuances de réglisse. La brasserie royale fut à l'origine de la création de la célèbre Oktoberfest de Munich, dont la tradition remonte au mariage du prince héritier Louis avec la princesse Thérèse de Saxe.

CARACTÉRISTIQUES

Brasserie : Staatliches Hofbräuhaus

Situation : Munich, Bavière

Type : bière de froment/ Weissbier

Robe : jaune doré

Teneur en alcool : 5,1 % vol.

Température de service : 6-8 °C

Accompagnement : poisson à chair blanche, poché ou à la vapeur

Keiler Weissbier Dunkel

La ville de Lohr am Main est située dans l'extrême nord-ouest de la Bavière, plus près de Francfort que de Munich ; elle n'en possède pas moins un caractère typiquement bavarois, tout comme sa brasserie dirigée par la famille Stumpf depuis 1878 – c'est à cette date que Pleikard Stumpf, arrière-grand-père de l'actuel propriétaire, racheta l'établissement à Franz Stephan Vogt.

La Keiler Hell (claire), bière de froment de la brasserie Stumpf, est étonnamment complexe, avec un arôme aux notes de chewing-gum et de clous de girofle nuancées d'acidité citronnée. En bouche, la saveur est vive et rafraîchissante, avec un caractère d'agrumes équilibré par une note de douceur caramélisée ; la finale est intensément sèche et amère. La Keiler Weissbier Dunkel ici présentée (dans une bouteille fermée par un bouchon à étrier) est l'un des exemples les mieux affirmés de son style.

Vanille, banane et chewing-gum dominent un arôme caractéristique de la souche de levure utilisée par la brasserie. Au palais, elle se signale par une onctuosité chocolatée et caramélisée, avec un soupçon de vanille. Une bière légèrement houblonnée, au goût onctueux, suave et malté, appelée Urtyp et brassée pour la première fois en 1978, à l'occasion du centenaire de la brasserie, figure aussi dans la gamme de Stumpf.

CARACTÉRISTIQUES

Brasserie : Privatbrauerei Stumpf

Situation : Lohr am Main, Bavière

Type : bière de froment sombre

Robe : brun-rouge sombre

Teneur en alcool : 4,9 % vol.

Température de service : 10 °C

Accompagnement : dessert aux pommes

Lohrer Pils

La Lohrer Pils de la brasserie familiale Stumpf est une authentique pilsner de type traditionnel, élaborée avec des malts pâles et un type de levure de fermentation basse.

Mais c'est par-dessus tout le houblon qui caractérise une pilsner classique ; or, la Lohrer Pils l'offre en abondance, ce qui lui donne un puissant arôme d'herbes et une rafraîchissante amertume en bouche. La gamme, fort étendue, de cette brasserie comprend aussi une lager Dortmunder Export plus douce, plus sucrée et plus maltée, bien ronde en bouche, ainsi qu'une Märzen sombre baptisée Lohrer Schwarze, créée en 1955 pour célébrer trois anniversaires : les sept cents ans de la ville de Lohr, les six cents ans de l'église Sainte-Marie et le cinquantenaire de la fête annuelle de la ville.

CARACTÉRISTIQUES

Brasserie : Privatbrauerei Stumpf

Situation : Lohr am Main, Bavière

Type : pilsner

Robe : jaune doré

Teneur en alcool : 4,8 % vol.

Température de service : 8 °C

Accompagnement : plats de pâtes

Thurn und Taxis Pilsener

Les Thurn und Taxis, issus au milieu du XVe siècle de l'union de deux familles princières, possédaient deux brasseries, l'une à Ratisbonne (Regensburg) et l'autre dans un ancien couvent du XIIIe siècle dans la ville voisine de Schierling.

À la fin du XIXe siècle, cette brasserie fut la première de Bavière à brasser une pilsner. C'est une bonne bière, au puissant arôme houblonné, à la fraîche saveur sèche, épicée et amère. En 1996, Paulaner a fait l'acquisition de la brasserie, dont toutes les activités de brassage ont été concentrées sur le site de Regensburg, notamment la production de l'originale Roggen (bière de seigle), au goût épicé, légèrement fumé.

CARACTÉRISTIQUES

Brasserie : Thurn und Taxis

Situation : Ratisbonne, Bavière,

Type : pilsner

Robe : jaune doré

Teneur en alcool : 4,9 % vol.

Température de service : 6-8 °C

Accompagnement : pâtes en sauce relevée

Weihenstephaner

La brasserie Weihenstephan, qui serait la plus vieille du monde, est implantée dans la ville universitaire de Freising, près de Munich en Bavière.

Elle a été fondée en 1040 en tant que brasserie du monastère bénédictin, l'abbé Arnold ayant obtenu une licence lui permettant de brasser et de vendre de la bière. Au fil des ans, le monastère fut quatre fois détruit par des incendies et, en maintes autres occasions, ravagé par la peste, la famine, la guerre et un séisme. La communauté monastique fut dissoute en 1803 ; la propriété des bâtiments revint alors à l'État de Bavière. La brasserie se tient toujours sur l'illustre site au sommet de la colline de Weihenstephan. Depuis 1852, elle abrite aussi la plus grande école de brassage du monde, où nombre des meilleurs brasseurs ont appris leur métier.

Si cette brasserie est l'une des plus traditionnelles qui soient, c'est aussi l'une des plus modernes, qui fait appel à des techniques dernier cri. Elle produit aujourd'hui une gamme étendue de bières, dont une lager pâle qui doit sa douce saveur à sa longue maturation. Elle possède un arôme délicatement floral et un goût léger, rafraîchissant, à la finale sèche et subtilement houblonnée. Dans la gamme figure aussi une Hefe-Weissbier d'une saveur pleine, épicée et fruitée, d'une couleur d'ambre doré naturellement trouble.

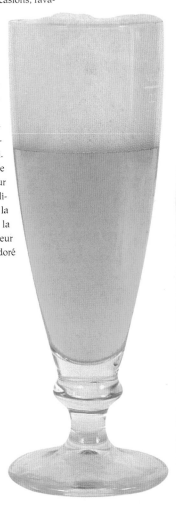

CARACTÉRISTIQUES

Brasserie : Brauerei Weihenstephan

Situation : Freising

Type : lager « Helles » de Munich

Robe : jaune pâle, légèrement trouble

Teneur en alcool : 5,1 % vol.

Température de service : 8 °C

Accompagnement : soupes riches et ragoûts

Warsteiner Premium Verum

Warsteiner, fondée il y a plus de deux cent cinquante ans, est à maints égards une brasserie profondément traditionaliste, qui produit toutes ses bières dans le cadre des très anciennes lois allemandes de la Reinheitsgebot.

Warsteiner cède cependant aux tendances modernes en présentant sa classique pilsner dans une mince bouteille à long col, afin de répondre à l'habitude qu'ont les jeunes gens de boire leur bière au goulot plutôt que dans un verre. La Premium Verum est une pilsner authentique, au puissant arôme d'herbes et à la saveur rafraîchissante, sèche et amère. Elle est également proposée dans des versions parfumées au cola, au citron et à l'orange, ainsi qu'en version sans alcool. La brasserie Warsteiner entretient des liens avec le sport, qui sponsorise plusieurs équipes de football allemandes en vue.

CARACTÉRISTIQUES	
Brasserie : Warsteiner Brauerei	
Situation : Warstein, Rhénanie du Nord-Westphalie	
Type : pilsner	
Robe : jaune doré	
Teneur en alcool : 4,8 % vol.	
Température de service : 7-8 °C	
Accompagnement : à boire seule	

Weltenburger

Le monastère bénédictin de Weltenburg fut fondé en l'an 610 par saint Eustache.

Il jouit d'une situation spectaculaire, près des gorges du Danube. On ne sait pas exactement quand la brasserie fut créée, mais elle est mentionnée dans des documents dès 1050. Peut-être est-elle légèrement plus récente que Weihenstephan. Toutefois, alors que cette dernière est devenue brasserie indépendante du monastère au XIXe siècle, la brasserie Weltenburg fait aujourd'hui encore partie de son monastère. Elle produit une gamme de bières variée, dont « la plus ancienne bière de froment sombre du monde », mais aussi cette version claire, à l'arôme de levure frais et épicé, à la ronde saveur fruitée. Mentionnons aussi l'Asam Bock, ainsi baptisé du nom des architectes épris de baroque qui rénovèrent le monastère au XVIIIe siècle.

CARACTÉRISTIQUES	
Brasserie : Weltenburg Klosterbrauerei	**Teneur en alcool :** 5,4 % vol.
	Température de service : 7-8 °C
Situation : Kelheim, Bavière	**Accompagnement :** mets mexicains
Type : bière de froment/Weissbier	
Robe : jaune doré	

Wernesgrüner

C'est en 1436 que l'activité de brassage de la bière arriva dans la ville de Steinberg-Wernesgrün, quand les frères Schorer reçurent le droit de l'y pratiquer.

La ville posséda jusqu'à cinq brasseries, mais après la Deuxième Guerre mondiale l'une d'elles absorba les autres, puis prit le nom de Wernesgrüner. S'il s'agit à maints égards d'une brasserie traditionelle, elle s'enorgueillit cependant de recourir à certaines techniques modernes. Contrairement à d'autres brasseries, elle ne produit qu'une bière, une pilsner classique ; belle représentante de ce style, elle offre un arôme houblonné affirmé ainsi qu'une saveur douce où s'équilibrent malt et houblon.

CARACTÉRISTIQUES

Brasserie : Wernesgrüner
   Brauerei GmbH

Situation : Wernesgrün/OT
   Steinberg, Saxe

Type : pilsner

Robe : jaune d'or pâle

Teneur en alcool : 4,9 % vol.

Température de service : 7-8 °C

Accompagnement : poulet tikka
   (poulet indien)

Wieninger

La pittoresque petite cité alpine de Teisendorf est située à l'extrême sud de l'Allemagne, près de la frontière autrichienne.

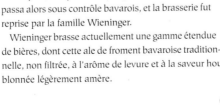

La première mention de l'existence d'une brasserie dans la ville date de 1600 : on sait que cette année-là le brasseur local Tobias Shaidinger fut épinglé pour défaut de paiement des taxes dues à la principauté de Salzbourg. Finalement, en 1666, le comte Guidobald de Salzbourg acquit la brasserie et lui commanda de brasser de la bière de froment pour la maison royale, ce qu'elle fit jusqu'en 1810. La région passa alors sous contrôle bavarois, et la brasserie fut reprise par la famille Wieninger.

Wieninger brasse actuellement une gamme étendue de bières, dont cette ale de froment bavaroise traditionnelle, non filtrée, à l'arôme de levure et à la saveur houblonnée légèrement amère.

CARACTÉRISTIQUES

Brasserie : Privatbrauerei
   Wieninger

Situation : Teisendorf, Bavière

Type : bière de froment/
   Weissbier

Robe : jaune doré pâle

Teneur en alcool : 5,3 % vol.

Température de service :
   6-7 °C

Accompagnement : plat
   de lentilles et pain chaud

Les vins italiens sont réputés dans le monde entier, mais avec la diffusion internationale de bières telles que Peroni et Nastro Azzurro, la compétence des Italiens dans le domaine de la production de bière est de plus en plus reconnue. Les brasseurs italiens excellent dans l'élaboration de lagers classiques, claires et nettes, idéales pour une consommation détendue dans les cafés-bars telle que l'apprécient les Italiens et les visiteurs de leur beau pays.

Italie

L'Italie est avant tout un pays producteur de vin, qui se classe parmi les derniers en Europe pour la consommation de bière. Toutefois, certaines régions de ce pays, dans le Nord principalement, possèdent une forte tradition brassicole, due à l'influence autrichienne exercée à l'époque où les royaumes d'Italie du Nord faisaient partie du puissant empire des Habsbourg.

L A LOMBARDIE ET LA VÉNÉTIE, en particulier, ont connu un afflux régulier de négociants et hommes d'affaires autrichiens qui s'installèrent là en apportant leurs coutumes. Le brassage de la bière demeura cependant une activité domestique à petite échelle jusqu'en 1829, date à laquelle la première brasserie commerciale d'Italie fut créé à Brescia par un Autrichien du nom de Peter Wührer. Le type de bière dominant est aujourd'hui encore une lager dorée, maltée et facile à boire, typiquement autrichienne.

À la fin du XIXᵉ siècle, l'Italie comptait une centaine de brasseries commerciales ; puis, au XXᵉ siècle, une concentration du secteur se produisit : de grosses entreprises telles que Peroni absorbèrent de nombreuses brasseries régionales, de plus petite taille. À l'orée des années 1980, la plupart des grands brasseurs européens étaient implantés sur un marché italien désormais dominé par le géant néerlandais Heineken. Le brasseur danois Carlsberg racheta Poretti, et Peroni noua des liens avec le Français Kronenbourg.

Si la consommation demeure relativement faible, depuis quelques années la bière suscite un certain engouement chez les jeunes Italiens, qui apprécient notamment les bières importées d'Angleterre et d'Allemagne. Par ailleurs, des micro-brasseries telles que Le Baladin élaborent et vendent des produits artisanaux sans doute plus intéressants. De nombreux Italiens, adeptes du mouvement « Slow Food », se rebellent contre les aliments industriels produits en masse. Malgré la situation fort modeste du pays dans le domaine de la consommation de bière, l'avenir de cette boisson semble plus brillant en Italie que dans bien d'autres pays à la tradition brassicole plus établie.

STATISTIQUES

Production annuelle : 13,672,000 hectolitres

Consommation par an et par habitant : 29 litres

Principales brasseries : Birra Peroni Industriale, Castello di Udine, Dreher, Pedavena, Poretti, Spezialbier-Brauerei Forst, Theresianer Alte Brauerei Triest

Bières réputées : Birra Moretti, Crystall Peroni, Forst Sixtus, Nastro Azzurro, Pedavena, Peroni Gran Reserva, Splügen

Le Baladin Super

La Super fut la première bière créée par Le Baladin, lorsque le propriétaire Teo Musso Materino se fit brasseur dans son café historique du village de Piozzo, en 1996.

Materino ayant appris le métier en Belgique, la Super est une *doppio malto* (double malt) de fermentation haute inspirée par les bières d'abbaye belges. Elle se caractérise par son arôme intensément floral avec des notes d'abricot, de banane mûre et d'amande amère ; son goût est bien équilibré, avec des nuances d'abricot et d'agrumes. Elle a reçu le titre de « Best Italian Ale » lors de sa première apparition au Great British Beer Festival, en 2000. Sous le nom de Kikke Baladin, Le Baladin propose aussi divers produits élaborés à partir de ses bières, dont une gelée de bière à servir sur des fromages et des viandes froides.

CARACTÉRISTIQUES

Brasserie : Le Baladin
Situation : Piozzo, Piémont
Type : double malt d'abbaye belge
Robe : ambrée
Teneur en alcool : 8 % vol.
Température de service : 10-12 °C
Accompagnement : fromages et pâtisseries

Le Baladin Wayan

Le petit village de Piozzo, où est établie la brasserie Le Baladin, se niche au cœur des vignobles des Langhe, dans le nord-ouest de l'Italie.

Elle a cela d'inhabituel parmi les brasseries italiennes qu'elle ne produit que des ales de fermentation haute. Plus originale, cette bière bio (la première d'Italie) est brassée dans le style d'une « saison » belge : il s'agit d'une bière de froment claire, désaltérante, à boire en été. Elle offre un arôme doux avec des notes de camomille, de bergamote et autres agrumes, et un assortiment soigneusement sélectionné d'épices, y compris la coriandre, lui confère une saveur délicatement poivrée, associée à une nette amertume houblonnée.

CARACTÉRISTIQUES

Brasserie : Le Baladin
Situation : Piozzo, Piémont
Type : saison belge
Robe : paille dorée claire
Teneur en alcool : 5,8 % vol.

Température de service : 8-10 °C
Accompagnement : excellente en apéritif, ou avec poisson ou salade

Crystall Peroni

L'une des plus reconnaissables parmi les bières italiennes « premium », en Italie comme à l'étranger : la Crystall Peroni est une lager dorée désaltérante, à laquelle un mélange sélectionné de malts et de houblons aromatiques donnent arôme subtile et harmonieuse et délicate saveur maltée.

La Crystall Peroni fait partie de la gamme « Winning » des bières « premium » de Peroni, qui sous l'appellation Picnic produit aussi des bières de tous les jours, dont la plus connue d'Italie, la Birra Peroni, réputée pour son effervescence comme pour sa saveur fraîche et bien équilibrée de houblon et de malt.

CARACTÉRISTIQUES

Brasserie : Birra Peroni Industriale
Situation : Rome, Latium
Type : lager
Robe : jaune doré

Teneur en alcool : 5,6 % vol.
Température de service : 7-9 °C
Accompagnement : pain
et fromage

Itala Pilsen

Cette pilsner dorée classique offre un goût et un arôme houblonnés caractéristiques du genre, secs et amers.

Cette bière, la plus diffusée dans le nord-ouest de l'Italie, était à l'origine produite par la brasserie Cappellari de Padoue, l'une des plus importantes brasseries italiennes indépendantes du XIXᵉ siècle, qui ensuite absorba plusieurs établissements de moindre envergure, jusqu'à devenir en 1916 le quatrième groupe de brasserie d'Italie. Dans les années 1970, Cappellari fut à son tour absorbé par le groupe Peroni, devenu le plus gros du pays, mais la marque Itala Pilsen fut conservée en tant que spécialité régionale.

CARACTÉRISTIQUES

Brasserie : Birra Peroni
Industriale
Situation : Rome, Latium
Type : pilsner
Robe : jaune doré
Teneur en alcool : 4,7 % vol.
Température de service : 9-10 °C
Accompagnement : viandes
blanches ou poissons grillés

Nastro Azzurro

Le nom de Nastro Azzurro signifie « Ruban bleu », ce qui traduit bien le statut de cette bière en tant que première « premium » d'Italie – c'est aussi l'une des bières italiennes les plus connues à l'étranger.

Elle s'est assurée cette position à la suite d'une grande opération de mise au goût du jour menée en 2002, qui a abouti à l'introduction d'un nouveau matériel de brassage dernier cri et à un relookage des étiquettes, désormais métallisées. Cette bière bénéficie également de son association avec le champion du monde motocycliste Valentino Rossi, ainsi que de ses autres liens de parrainage sportif (avec le golf et la voile, notamment). La bière elle-même est une lager typiquement italienne, claire, effervescente, rafraîchissante, un peu plus alcoolisée que la moyenne. Elle est brassée avec un mélange de malts spéciaux obtenus à partir d'un orge de qualité supérieure, semé au printemps.

La Nastro Azzurro a été élaborée pour la première fois dans les années 1960, même si la brasserie Peroni (du nom de son fondateur Francesco Peroni) fut créée dès 1846 dans la petite ville Vigevano, près de Milan, dans le nord de l'Italie. Elle connut une expansion rapide, transféra le gros de sa production à Rome, puis s'étendit en Italie en reprenant maintes brasseries plus petites, pour finalement fusionner avec Wührer en 1988. Depuis lors, ses opérations de brassage ont été concentrées dans une poignée de sites de taille modérée, à Rome, Padoue, Naples et Bari. Jusqu'en 1996 Peroni a tenu le premier rang des brasseurs italiens, avant d'être dépassé par la fusion de Dreher et Moretti qui tous deux appartiennent à Heineken.

CARACTÉRISTIQUES

Brasserie : Birra Peroni Industriale
Situation : Rome, Latium
Type : lager
Robe : jaune paille clair
Teneur en alcool : 5,2 % vol.
Température de service : 7-9 °C
Accompagnement : pâté de
   foie, viandes fumées,
   saucisses sèches

Peroni Gran Riserva

La Peroni Gran Riserva, lancée en 1996 à l'occasion du 150ᵉ anniversaire de la brasserie Peroni, a remporté de grandes récompenses, notamment lors de la International Beer & Cider Competition de 1999 ainsi qu'aux Brewing Industry International Awards en 2000. Présentée dans une élégante bouteille à étiquette dorée ornée du portrait du fondateur de la brasserie, Giovanni Peroni, elle serait brassée selon une recette mise au point par Peroni en personne. Classée comme *doppio malto* (double malt), elle est élaborée selon un style voisin de celui d'une Maibock allemande (lager forte et d'une pâle couleur ambrée, brassée pour célébrer l'arrivée du printemps) ; la version de Peroni est cependant disponible tout au long de l'année.

Elle est brassée uniquement avec des malts de pilsner, ce qui confère à cette bière sa caractéristique couleur d'ambre doré, selon un complexe processus de brassage par double décoction destiné à soutirer le plus de matière fermentescible que possible. Elle est ensuite aromatisée avec du houblon de type Saaz, avant de subir deux mois de maturation. Le produit fini est une bière ronde, délicatement équilibrée, possédant un caractère malté, de noix et de fruits, ainsi qu'un corps exceptionnellement ferme et onctueux auquel une fine effervescence apporte une jolie vivacité. En bouche, de suaves sensations de malt dominent, l'arrière-goût laissant poindre l'amertume houblonnée ; la finale est nette, vive, sèche, alcoolisée.

CARACTÉRISTIQUES

Brasserie : Birra Peroni Industriale

Situation : Rome, Latium

Type : maibock

Robe : jaune doré soutenu

Teneur en alcool : 6,6 % vol.

Température de service : 9 °C

Accompagnement : plats de porc, fromages à pâte molle

Raffo

La brasserie Raffo a été fondée en 1919 à Tarente, par Vintantonio Raffo, qui souhaitait doter les régions méridionales de l'Italie d'une brasserie capable de rivaliser avec celles du Nord.

Cette entreprise fut appréciée. La bière Raffo, lager dorée classique à l'arôme frais et houblonné, à la saveur houblonnée d'une amertume modérée, ne tarda pas à s'imposer au niveau régional. La brasserie a été reprise par Peroni en 1961, mais la bière Raffo est demeurée au répertoire de Peroni : elle est aujourd'hui encore la plus populaire dans tout le sud de l'Italie.

CARACTÉRISTIQUES
Brasserie : Birra Peroni Industriale
Situation : Rome, Latium
Type : lager
Robe : jaune doré
Teneur en alcool : 4,7 % vol.
Température de service : 8-9 °C
Accompagnement : fruits de mer, thon grillé

Wührer

Cette pilsner claire et houblonnée offre un délicat arôme herbacé et un goût légèrement sucré s'achevant en une finale sèche.

Bien que la marque appartienne à ce jour à Peroni, Wührer a quelques raisons de prétendre avoir été la première grande brasserie d'Italie : elle a en effet été fondée en 1829 à Brescia, dans le nord-est du pays, par un Autrichien du nom de Peter Wührer. À cette époque, la Lombardie-Vénétie appartenait à l'empire des Habsbourg et à ce titre accueillait de nombreux Autrichiens. La région intégra le royaume indépendant d'Italie en 1866, mais la bière est restée appréciée de la population locale. La brasserie Wührer est demeurée indépendante jusqu'en 1988.

CARACTÉRISTIQUES	
Brasserie : Birra Peroni Industriale	**Température de service :** 9-10 °C
Situation : Rome, Latium	
Type : pilsner	**Accompagnement :** pain et jambon blanc, pizzas
Robe : jaune doré	
Teneur en alcool : 4,7 % vol.	

Birra Moretti La Rossa

De toutes les bières italiennes, la Moretti La Rossa (« La Rousse ») est certainement l'une de celles qui ont le plus de caractère. Elle doit ses teintes rubis à l'emploi de malt de type viennois, évoquant les bières qui suscitèrent un vif engouement dans la capitale de l'Autriche au XIXᵉ siècle. Toutefois, elle est actuellement classée comme *doppio malto* (double malt), brassée qu'elle est dans le style d'une doppelbock (double bock) allemande – ces bières fortes sont élaborées en vue d'une consommation printanière. La Rossa présente un arôme riche et suave ; en bouche, sa texture est épaisse, crémeuse ; son goût est plein, robuste, avec un caractère malté dont les sensations de caramel sucré et riche en beurre sont tempérées par des nuances de chocolat amer.

Sa teneur relativement élevée en alcool lui confère une finale épicée, qui dessèche le palais. La Rossa était à l'origine brassée par Moretti, établissement créé en 1859 par Luigi Moretti dans le Frioul, au nord de Venise. Cette brasserie est restée la propriété de la famille Moretti pendant plus d'un siècle, mais elle a récemment changé de mains pour intégrer la division italienne du grand groupe Heineken. Elle a été rebaptisée Castello di Udine mais, en dépit de ces changements, Heineken s'est engagé à maintenir cette brasserie historique et à continuer de produire sa gamme de bières traditionnelles.

CARACTÉRISTIQUES

Brasserie : Castello di Udine

Situation : Udine, Frioul-Vénétie-Julienne

Type : doppelbock

Robe : roux ambré

Teneur en alcool : 7,2 % vol.

Température de service : 9 °C

Accompagnement : pizzas

Birra Moretti Sans Souci

Sans Souci est le nom donné par la brasserie Castello d'Udine à sa gamme de lagers destinés aux jeunes consommateurs ; les méthodes de production n'en maintiennent pas moins les qualités traditionnelles qui sont la marque de fabrique de cette brasserie historique.

La Sans Souci est tout à fait typique du style de lagers clairs, dorés, qui dominent le marché italien. Son arôme est léger, de malt et de céréale avec un soupçon de houblon ; au palais, le malt légèrement sucré est équilibré par les herbes et le houblon ; le corps est léger, délicatement effervescent. Outre la Sans Souci « normale », la brasserie propose une Sans Souci Ice et une Sans Souci Export. Cette dernière est brassée dans le style d'une Dortmunder Export. Son goût est plus plein, dominé par le malt grillé mais équilibré par une suavité de miel et un soupçon de sécheresse et d'amertume houblonnées. La Sans Souci Ice est partiellement gelée avant maturation, puis une partie des cristaux de glace sont retirés, ce qui lui donne un corps plus onctueux et un goût vif, net et sec. La gamme Moretti comprend aussi une lager pur malt « premium » baptisée Baffo d'Oro, dont l'arôme évoque la levure et les agrumes et dont le goût associe le malt et une agréable amertume de houblon. Plus inhabituelle, la Birra Friulana est une bière de froment à la pâle couleur dorée, à l'arôme et à la saveur vifs et frais, marqués par l'acidité caractéristique du froment.

CARACTÉRISTIQUES

Brasserie : Castello di Udine

Situation : Udine, Frioul-Vénétie-Julienne

Type : lager

Robe : jaune doré

Teneur en alcool : 5,6 % vol.

Température de service : 5-7 °C

Accompagnement : saucisse « cotecchino » et lentilles

Dreher

La première brasserie Dreher a été fondée en 1773 à Vienne par Franz Anton Dreher, membre d'une famille originaire de Bohême qui brassait la bière depuis le XVIIᵉ siècle.

En 1865, l'entreprise étendit ses activités à l'Italie, où elle ouvrit une brasserie à Trieste, dans le nord du pays. En 1974, elle fut reprise par le géant néerlandais de la brasserie Heineken, devenant ainsi la première pièce du puzzle Heineken Italia. Sa bière phare est une lager dorée classique à l'arôme légèrement houblonné, à la saveur équilibrée, sèche et légèrement amère en finale.

CARACTÉRISTIQUES

Brasserie : Dreher
Situation : Milan, Lombardie
Type : lager
Robe : jaune doré
Teneur en alcool : 4,7 % vol.

Température de service : 5-7 °C
Accompagnement : salade
poulet–mozzarelle

Menabrea 150 Anniversario

Brassée pour la première fois en 1996 à l'occasion des 150 ans de la brasserie, c'est une lager classique, sans complexité, au goût bien équilibré de malt et de houblon.

Elle est produite par Menabrea, qui se considère fièrement comme une brasserie sarde plutôt qu'italienne. Elle fut fondée en 1846 par les frères Gian Battista et Antonio Caraccio, qui la vendirent en 1854 à Jean Joseph Menabrea et Anton Zimmerman, déjà associés dans la brasserie Zimmerman d'Aoste ; en 1872, Zimmerman regagna Aoste, laissant l'affaire entre les mains de Menabrea et de ses fils. Depuis, elle est devenue la plus grosse brasserie de Sardaigne.

CARACTÉRISTIQUES

Brasserie : Menabrea
Situation : Biella, Sardaigne
Type : lager
Robe : jaune doré soutenu
Teneur en alcool : 4,8 % vol.
Température de service :
6-8 °C
Accompagnement : viandes blanches, fromages au goût délicat

Splügen

Vers la fin des années 1980, la brasserie Poretti a lancé une agressive campagne de marketing pour promouvoir sa gamme historique de bières spéciales Splügen, brassées depuis 1902.

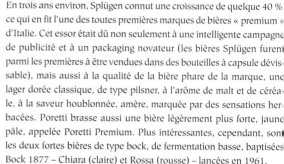

En trois ans environ, Splügen connut une croissance de quelque 40 % ce qui en fit l'une des toutes premières marques de bières « premium » d'Italie. Cet essor était dû non seulement à une intelligente campagne de publicité et à un packaging novateur (les bières Splügen furent parmi les premières à être vendues dans des bouteilles à capsule dévissable), mais aussi à la qualité de la bière phare de la marque, une lager dorée classique, de type pilsner, à l'arôme de malt et de céréale, à la saveur houblonnée, amère, marquée par des sensations herbacées. Poretti brasse aussi une bière légèrement plus forte, jaune pâle, appelée Poretti Premium. Plus intéressantes, cependant, sont les deux fortes bières de type bock, de fermentation basse, baptisées Bock 1877 – Chiara (claire) et Rossa (rousse) – lancées en 1961.

Le succès de Splügen contribua à replacer Poretti, fondée en 1877, parmi les brasseries indépendantes les plus prospères d'Italie. Elle a toujours son siège à Induno Olona, près de Varèse, au nord de Milan (en Lombardie), mais n'est plus indépendante car elle a été reprise par le groupe danois Carlsberg.

CARACTÉRISTIQUES

Brasserie : Poretti
Situation : Induno Olona,
Varèse, Lombardie
Type : pilsner
Robe : jaune doré
Teneur en alcool : 4,5 % vol.
Température de service :
7-8 °C
Accompagnement : pizzas,
en-cas relevés

Pedavena

Cette pilsner fut brassée pour la première fois par la brasserie Pedavena en 1897, l'année où la brasserie fut créée par la famille Luciani.

Il s'agit d'une bière équilibrée, à l'agréable arôme de houblon et au goût houblonné d'une délicate amertume. Sise à Trente, la brasserie Pedavena doit son nom à la pittoresque région qui s'étend au nord de Vérone, sur les contreforts des Dolomites. Depuis le milieu des années 1970, Pedavena appartient à Heineken Italia, à capitaux néerlandais. Cette brasserie produit aussi une Weizen (bière de froment) de type bavarois, de couleur ambrée, rafraîchissante et corsée, ainsi que diverses bières saisonnières et spéciales.

CARACTÉRISTIQUES

Brasserie : Pedavena
Situation : Trente, Trentin-Haut Adige
Type : pilsner
Robe : jaune doré profond

Teneur en alcool : 5 % vol.
Température de service : 4-6 °C
Accompagnement : thon grillé

Forst Kronen

Le village de Lagundo se trouve à l'ouest de Merano dans le Haut Adige (Sud-Tyrol), région montagneuse du nord de l'Italie, historiquement très influencée par l'Autriche.

Cette influence est notamment sensible dans les bières de la brasserie Forst (en allemand, « forêt »), propriété d'une famille d'origine autrichienne, les Fuchs. La Forst Kronen (« couronne ») est caractéristique des lagers dorées appréciées à Vienne, avec une riche saveur maltée et un usage délicat du houblon apportant de l'équilibre et une rafraîchissante finale sèche et légèrement amère.

CARACTÉRISTIQUES

Brasserie : Spezialbier-Brauerei Forst
Situation : Lagundo, Trentin-Haut Adige
Type : lager
Robe : jaune doré
Teneur en alcool : 5,2 % vol.
Température de service : 8 °C
Accompagnement : saucisses et viandes fumées

Forst Sixtus

Brassée en 1901, et toujours élaborée selon la même recette plus d'un siècle après, la Forst Sixtus est une *doppio malto* (double malt) baptisée en l'honneur de saint Sixte, dont la statue se dresse dans une église de Munich, en Bavière, où fut créé le type doppelbock.

Cette bière possède un doux arôme malté avec des notes de sucre bru et un soupçon de fumée de tourbe caractéristiques des malts sombres longuement touraillés. Au palais, elle présente une texture ronde et épaisse, avec des saveurs maltées, caramélisées, qui laissent place à une amertume houblonnée croissante dans une finale persistante. Forst brasse une gamme de bières qui toutes témoignent d'influences autrichiennes, dont la Forst VIP, créée en 1967 pour commémorer les soixante ans du propriétaire de la brasserie, Luis Fuchs, alors maire du village de Lagundo. Il s'agit d'une pilsner classique (son nom signifie « Very Important Pils ») à l'agréable arôme houblonné et à la saveur d'une rafraîchissante amertume de houblon. La gamme de la brasserie est complétée par la Forst Premium, une lager dorée bien équilibrée, brassée selon la même recette depuis le seconde moitié du XIXᵉ siècle, connue à l'origine sous le nom de Forster Bayrisch (Forêt bavaroise). Bien que Forst ne soit pas une brasserie particulièrement importante, elle doit à ses activités de sponsoring sportif une belle notoriété nationale.

CARACTÉRISTIQUES
Brasserie : Spezialbier-Brauerei Forst
Situation : Lagundo, Trentin-Haut Adige
Type : doppelbock
Robe : brun foncé
Teneur en alcool : 6,5 % vol.
Température de service : 10-12 °C
Accompagnement : desserts légers aux noix ou aux amandes

Theresianer Pale Ale

Implantée à Trévise, la brasserie Theresianer fut créée en 1766 dans la cosmopolite cité portuaire de Trieste, dans l'extrême nord-est de l'Italie. Elle tient son nom d'un quartier de la ville, Borgo Teresiano, baptisé ainsi en l'honneur de la princesse Marie-Thérèse, impératrice d'Autriche.

La brasserie fut fondée par M. Lenz, Autrichien venu à Trévise pour fournir en bière l'importante population de ses compatriotes, marchands et hommes d'affaires. Malgré ses liens avec l'Autriche, la Theresianer « pale ale » est une bière typiquement anglaise, d'un type popularisé au milieu du XIXᵉ siècle ; elle se caractérise par son arôme de fruit et de levure et sa saveur équilibrée, marquée d'une désaltérante amertume de houblon.

CARACTÉRISTIQUES

Brasserie : Theresianer Alte
Brauerei Triest

Situation : Trévise, Vénétie

Type : pale ale anglaise

Robe : jaune ambré

Teneur en alcool : 6,5 % vol.

Température de service : 8 °C

Accompagnement : lapin à la
tomate et au vin blanc

Theresianer Vienna

Cette lager cuivrée de type viennois est brassée à Trieste depuis le début du XXᵉ siècle. Elle présente un caractère agréable, évident, avec une saveur douce qui équilibre soigneusement malt et houblon.

La brasserie Theresianer produit une gamme étendue de bières traditionnelles, comprenant une pilsner dorée classique, de fermentation basse, une Weizen (bière de froment) de type bavarois et une forte ale ambrée à la puissante saveur de houblon. Le symbole de la brasserie, représenté sur les étiquettes des bouteilles, est le phare de Barbour, qui est aussi l'emblème de la ville de Trieste où se trouvait à l'origine la brasserie, aujourd'hui transférée dans de nouveaux locaux à Trévise.

CARACTÉRISTIQUES

Brasserie : Theresianer Alte
Brauerei Triest

Situation : Trévise, Vénétie

Type : viennois

Robe : rouge cuivré

Teneur en alcool : 5,3 % vol.

Température de service :
8 °C

Accompagnement : desserts
au chocolat

CI-DESSUS

La Kaiser Bier, pilsner claire assez typique, est la lager la plus vendue d'Autriche. Si son degré d'alcool de 5 % vol. est comparable à celui de la plupart des blondes européennes, les bières autrichiennes sont souvent bien plus fortes : de 7 % à 12 % vol. et même au-delà. Toute la difficulté, lorsque l'on brasse des bières aussi alcoolisées, est de faire en sorte qu'une telle puissance ne masque ni la saveur ni l'arôme.

Autriche

On brasse en Autriche des bières de types très variés, et dans maintes petites brasseries avec beaucoup de talent et de soin. Au total, le pays compte quelque 65 ou 70 brasseries – ce chiffre est en légère augmentation depuis quelques années, du fait de la création de quelques micro-brasseries et autres bistrots-brasseries. Si l'Autriche ne connaît pas encore de « révolution brassicole » comme aux États-Unis et au Royaume-Uni, cette tendance n'en est pas moins fort encourageante.

L A PLUS GRANDE CONCENTRATION de brasseries se situe en Oberösterreich (Haute-Autriche), qui compte près d'un tiers du total. Ce Land est frontalier de la Bavière, avec laquelle il entretient de nombreux liens historiques et culturels. En conséquence, la tradition dans le domaine de la bière y est plus forte qu'ailleurs en Autriche (ce que traduit la forte concentration de brasseries locales et régionales). Dans les contrées de l'est et du sud du pays, les producteurs sont à la fois moins nombreux et généralement plus gros, plus industriels – Vienne et Graz possèdent cependant des bistrots-brasseries récemment installés.

La gamme étendue des styles de bière comprend presque tous ceux du sud de l'Allemagne, avec souvent toutefois de subtiles différences ; en outre, quelques bières sont spécifiquement autrichiennes, même si l'on ne trouve plus de véritables exemples de la classique lager ambrée viennoise, mise au point par Anton Dreher au XIXe siècle. Les bières ne sont considérées comme fortes en Autriche que si elles dépassent 12 degrés Plato. En moyenne, la teneur en alcool des bières autrichiennes est parmi les plus élevées du monde : on n'en trouve aucune à moins de 5 % alc./vol. et des bières de plus de 4 % alc./vol. sont étiquetées « leicht » (légères).

La réputation de la bière autrichienne a longtemps été éclipsée par celle de la bière allemande. Cette situation est injuste, dans la mesure où de nombreuses bières autrichiennes peuvent largement rivaliser en qualité avec leurs homologues allemandes. Les lagers claires et fortes sont assurément appréciées en Autriche, mais cela ne doit pas faire oublier les styles de bière plus originaux ; ainsi, les Zwickl ou Keller non filtrées sont aussi intéressantes que savoureuses.

STATISTIQUES

Production annuelle : 8 891 000 hectolitres

Consommation par an et par habitant : 107 litres

Principales brasseries : Brau Union Österreich, Brauerei Schwechat, Brauerei Zipf, Fohrenburger, Hirter Brauerei, Ottakringer

Bières réputées : Fohrenburger No.1, Gold Fassel, Hirter Privat Pils, Kaiser, Schwechater Zwick

Schloss Eggenberg Hopfenkönig

La Hopfenkönig de Schloss Eggenberg est une excellente pilsner brassée avec du houblon de réputation mondiale, le Saaz ou Saazer. Cette bière présente un arôme houblonné très sec, avec des notes amères et maltées.

Le corps est plein, avec une sècheresse houblonnée et une bonne dose de malt riche et fruité. L'amertume est perceptible, sans être très puissante. Le goût épais, rappelant les malts allemands, évoque le pain. L'arrière-goût est malté, un peu grillé, avec une suavité de miel et de houblon aromatique. Des bulles microscopiques donnent une effervescence très délicate. L'abondance du malt confère à cette bière une forte densité en bouche.

Selon la brasserie elle-même, la Hopfenkönig est la bière de Schloss Eggenberg la plus appréciée sur le marché autrichien. Cette bière de fermentation haute de type pilsner, au caractère à la fois onctueux et amer/houblonné, est soumise à une lente maturation. La Hopfenkönig n'est brassée qu'avec des ingrédients naturels, conformément à la *Reinheitsgebot*, loi allemande de pureté des ingrédients de 1516.

Le magnifique Schloss Eggenberg est situé dans les faubourgs ouest de Graz. Ce château fut construit par le prince Hans Ulrich von Eggenberg (1538-1634), principal ministre de l'empereur Ferdinand II. Son architecture est fortement influencée par les philosophes de son temps, tels Johannes Kepler et Giordano Bruno. Le Schloss Eggenberg est depuis plus de deux siècles la propriété de la famille Forstinger-Stöhr, et l'on brasse là de la bière depuis le XIVe siècle, la production commerciale ayant démarré en 1681.

CARACTÉRISTIQUES
Brasserie : Schloss Eggenberg
Situation : Vorchdorf
Type : pilsner
Robe : dorée
Teneur en alcool : 5,1 % vol.
Température de service : 6-8 °C
Accompagnement : servir en apéritif avec des canapés

Fohrenburger Jubiläum

La brasserie Fohrenburger a été fondée en 1881 dans la ville de Bludenz, dans l'ouest de l'Autriche, par un cafetier du nom de Ferdinand Gassner, qui avait promis à ses clients une bière de qualité. Le succès fut immédiat. Moins d'un an après l'inauguration, la brasserie s'agrandissait déjà. Aujourd'hui, Fohrenburger est l'un des plus gros brasseurs d'Autriche, qui chaque année produit quelque 33 millions de litres de bière ; cette entreprise possède des brasseries dans tout le pays, ainsi qu'en Suisse et dans le nord de l'Italie. Fohrenburger propose aussi une gamme étendue de jus de fruits, de boissons non alcoolisées et d'alcools forts, outre sa quinzaine de bières.

La Fohrenburger Jubiläum est une bière de saison, brassée chaque printemps pour célébrer l'anniversaire de la brasserie. Elle possède une structure onctueuse, crémeuse et une saveur nette, épicée et houblonnée avec des notes plus douces de malt. Les autres bières au catalogue de cette brasserie comprennent la Fohrenburger Goldmärzen 1881, bière dorée pleine de corps, brassée selon une recette originale aussi ancienne que la brasserie elle-même ; une Oktoberfest couleur d'or pâle, d'un degré d'alcool de 7,2 %, dans le style traditionnel de Munich ; et une bock forte et sombre, brassée avec des malts sombres et caramélisés qui lui confèrent une couleur brun foncé et une saveur maltée, pleine et onctueuse. Mentionnons aussi la Kellerbier, lager non filtrée à l'arôme et à la saveur d'épices et de levures.

CARACTÉRISTIQUES

Brasserie : Fohrenburger

Situation : Bludenz

Type : bock

Robe : jaune doré

Teneur en alcool : 5,5 % vol.

Température de service :
   10 °C

Accompagnement : jambon
   et viandes fumés

Ratsherrn Trunk

On produit de la bière dans l'ancienne cité de Freistadt depuis que le duc Rodolphe IV accorda à ses habitants le droit de brasser leur propre bière, en 1363.

En 1770 fut entreprise dans les faubourgs de la ville la construction d'une brasserie appelée à être la propriété collective des 149 foyers de la ville et des autorités municipales, et destinée à fournir ces foyers en bière (les parts de chaque famille dans l'affaire prenant la forme de baquets de bière. Ainsi naquit la Bräucommune de Freistadt, plus ancienne entreprise du genre en Europe. Ses bières sont toujours brassées avec l'eau du puits Sankt-Peter de la ville, du houblon de provenance locale (Muehlviertel) ou bavaroise, et des malts d'orge cultivé par les paysans de Zistersdorf.

La brasserie produit sept bières différentes, dont la plus connue est la Ratsherrn Trunk (la Gorgée de l'Édile). C'est une « Vollbier », ce qui selon la classification allemande reposant sur la teneur en alcool fait référence à une lager rouge doré plutôt sombre, fortement houblonnée et à la saveur pleine, qui équilibre l'amertume du houblon par la suavité du malt. La Ratsherrn Trunk, riche, savoureuse et charpentée, est un bel exemple de ce style. La brasserie produit également une Weihnachtsbock (bock de Noël), une Märzen dans le style munichois, une bière plus douce appelée Midium, ainsi que la seule Rauchbier (bière fumée) autrichienne.

CARACTÉRISTIQUES

Brasserie : Bräucommune in Freistadt

Situation : Freistadt

Type : vollbier

Robe : rouge sombre

Teneur en alcool : 5,3 % vol.

Température de service : 8-10 °C

Accompagnement : ragoûts relevés (goulasch, par exemple)

Hirter Privat Pils

La brasserie Hirter, située en Carinthie, non loin de la cité historique de Friesach, affirme être en mesure de retracer ses origines jusqu'en 1270, date à laquelle elle était la brasserie de la Taverna Ze Hurde dans la petite ville de Hirt ; le bar Braukeller fonctionne toujours dans cette ville. Les bières Hirter sont brassées selon les méthodes traditionnelles ; non pasteurisées, elles subissent une filtration à froid qui les purifie en conservant les saveurs caractéristiques de la bière.

Le produit phare de la brasserie est sa Privat Pils, brassée selon une ancienne recette de Bohême et soumise à une longue maturation qui lui confère une saveur ronde et onctueuse au caractère délicatement houblonné (le houblon des pilsners allemandes est plus en évidence). Hirter produit également une gamme étendue d'autres bières, dont la Morchl, faite avec des malts brun foncé et caramélisées ainsi qu'une abondance de houblon pour une saveur « facile » et équilibrée ; une ale cuivrée à l'ancienne appelée Hirter 1270 ; une Weizen (bière de froment) dorée, naturellement trouble, brassée avec du froment et du houblon bio – elle possède un arôme pleine de fraîcheur, aux sensations de levure et de banane et donne en bouche une nette saveur de blé. Autre bière bio, la Hirter Biobier est élaborée selon une recette traditionnelle qui apporte un goût malté, doux et fruité. La brasserie a également créé une eau-de-vie aromatisée au houblon, sous le nom de Braumeisterbrand.

CARACTÉRISTIQUES

Brasserie : Hirter Brauerei

Situation : Hirt, Carinthie

Type : pilsner

Robe : dorée

Teneur en alcool : 5,2 % vol.

Température de service : 8 °C

Accompagnement : boulettes de viande d'agneau épicées

Gösser Märzen

Une excellente Bock, un peu plus légère peut-être que les bières comparables. Elle présente un agréable arôme fruité, une structure plaisante, une riche saveur, un arrière-goût persistant, légèrement amer. En résumé, une bonne boisson à savourer devant le feu par une sombre journée d'hiver.

La première mention de la brasserie Gösser dans les registres de Leoben apparaît en 1459. Cette brasserie est située dans l'enceinte d'un ancien couvent (aujourd'hui transformé en site culturel) avec lequel son histoire est intimement liée. On sait que le houblon était déjà cultivé dans la région au XIIᵉ siècle. Le document de 1459 révèle que les nonnes se voyaient attribuer de généreuses rations de « pain liquide ».

CARACTÉRISTIQUES

Brasserie : Gösser (Brau Union AG)
Situation : Leoben
Type : bock
Robe : ambrée
Teneur en alcool : 7,1 % vol.
Température de service : 9 °C
Accompagnement : chips, fromages, biscuits salés

Edelweiss Weissbier

Cette bière limpide, dorée, produit une épaisse mousse crémeuse. L'arôme initial est légèrement soufré. On note une saveur prononcée de froment, avec une nuance de houblon.

Johann Elsenhaimer, homme de loi et maire de Salzbourg, fonda la brasserie Hofbräu Kaltenhausen en 1475. Sise à une quinzaine de kilomètres de Salzbourg, c'est la plus ancienne brasserie du Land du même nom et l'une des plus anciennes d'Autriche. Peu de temps après sa création, elle entra en la possession du prince-archevêque de Salzbourg (elle prit le nom de Brasserie de la Cour de Kaltenhausen en 1498) et demeura pendant plus de trois siècles sous le contrôle d'archevêques successifs. Vers la fin du XVᵉ siècle, l'archevêque décida que dans tout l'État de Salzbourg seule la bière de Kaltenhausen pouvait être commercialisée, ce qui mit un terme à la concurrence bavaroise.

CARACTÉRISTIQUES

Brasserie : Hofbräu Kaltenhausen (Brau Union AG)
Situation : Hallein
Type : Kristallweizen
Robe : dorée
Teneur en alcool : 5,5 % vol.
Température de service : 6-8 °C
Accompagnement : à servir en apéritif

Kapsreiter Landbier Hell

L'une des meilleurs bières autrichiennes. D'une pâle couleur jaune paille, elle produit une mousse blanche qui évoque les œufs en neige et laisse quelques anneaux de dentelle blanche sur le verre.

L'arôme léger mêle les herbes et le houblon à un malt pâle et sec ; un soupçon de vanille et de melon est également perceptible. Une douce saveur florale se fond dans un goût de pain grillé sur lequel l'on aurait étalé un peu de miel doux aux clous de girofle. Cette bière fait montre d'un excellent équilibre entre l'abondance de houblon épicé et la saveur persistante de malt clair et doux. La Landbier Hell (Légère), produit phare de cette brasserie, est présentée dans une bouteille à bouchon de porcelaine à étrier.

CARACTÉRISTIQUES

Brasserie : Kapsreiter

Situation : Schärding

Type : lager

Robe : doré profond

Teneur en alcool : 5.3 % vol.

Température de service :
6-8 °C

Accompagnement : saucisses

Kaiser

Le plus grand groupe de production de bière d'Autriche est né en 1921 avec la création de Braubank AG, née de la fusion de plusieurs brasseries régionales de moindre envergure.

Ce groupe a continué de grandir tout au long du XXᵉ siècle par l'acquisition d'autres brasseries à travers l'Autriche, de sorte qu'aujourd'hui ses bières représentent un tiers environ de la consommation nationale. Son produit phare est la Kaiser à la pression, numéro un des ventes en Autriche. Il s'agit d'une lager dorée à l'arôme fruité (avec des nuances d'orange) et au goût équilibré, suave et malté d'abord, mais s'achevant par une longue finale sèche et amère.

CARACTÉRISTIQUES

Brasserie : Brau Union
Österreich

Situation : Linz

Type : lager

Robe : jaune doré

Teneur en alcool : 5 % vol.

Température de service : 7-9 °C

Accompagnement : thon
ou espadon grillé

Ottakringer Helles

Cette bière dorée de type pilsner donne une fine mousse blanche et crémeuse. Son arôme est nettement malté, tout comme sa douce saveur où ne perce qu'un soupçon d'amertume. Cete bière extrêmement agréable possède un goût de blé et un corps léger. Très désaltérante, elle ne laisse pas d'arrière-goût métallique comme certaines bières de cette catégorie.

Fondée en 1838, l'Ottakringer Brauerei est une brasserie viennoise traditionnelle, bien connue pour sa large gamme de types de bières : lagers, bières sombres et plus claires, légères, ainsi que des bières « Spezial » ; elle commercialise aussi une bière sans alcool baptisée Null Komma Josef, ce qui signifie littéralement « Zéro Virgule Joseph – c'est-à-dire, en argot viennois, « Presque Rien » !

CARACTÉRISTIQUES
Brasserie : Ottakringer
Situation : Vienne
Type : pilsner
Robe : dorée
Teneur en alcool : 5,2 % vol.
Température de service : 6-8 °C
Accompagnement : à servir à l'apéritif

Goldfassl

Ottakringer conserve aujourd'hui encore une identité locale de brasseur viennois : cette entreprise est la plus grosse brasserie indépendante qui demeure en Autriche.

La Goldfassl Pils est une bière légère, à l'arôme frais et floral, à la saveur maltée bien équilibrée. La brasserie produit aussi une autre bière plus forte sous l'étiquette Goldfassl : cette Goldfassl Spezial présente une saveur pleine et maltée, avec une finale de plus en plus sèche et amère. Parmi les bières produites sous la marque Ottakringer, mentionnons la Helles, une pâle lager de mars (Märzen) dans le style munichois, à la saveur délicate et équilibrée, ainsi que la Dunkles, une lager sombre traditionnelle de type viennois, à la couleur rougeâtre caractéristique, et à la saveur douce et maltée.

CARACTÉRISTIQUES
Brasserie : Ottakringer
Situation : Vienne
Type : pilsner
Robe : jaune doré profond
Teneur en alcool : 4,6 % vol.
Température de service : 9 °C
Accompagnement : porc ou poulet grillé

Puntigamer Almradler

Cette bière fruitée très agréable, or pâle, donne une mousse blanche et crémeuse. Son nom de « Radler »(« cycliste »), indique bien que sa teneur en alcool est faible.

Elle est sucrée sans exagération, et l'on y sent bien le houblon. Cette bière est composée pour moitié d'Almdudler, mélange d'eau, de sucre et d'essences d'herbes aromatiques, stocké dans des fûts de chêne, ce qui lui confère une saveur caractéristique. L'autre moitié est constituée de bière Puntigamer. Cette boisson très désaltérante est bien meilleure que la plupart des autres bières fruitées, sucrées à l'excès. La brasserie Puntigamer, située dans la belle et ancienne ville de Graz, élabore aussi diverses lagers claires, ambrées et sombres.

CARACTÉRISTIQUES

Brasserie : Puntigamer
Situation : Graz
Type : bière fruitée (Radler)
Robe : or pâle
Teneur en alcool : 2,5 % vol.

Température de service : 6-8 °C
Accompagnement : à servir en rafraîchissement

Stiegl Pils

Cette classique pilsner de type allemand est une bière vive et délicate à la fois, dont le bouquet provenant d'un houblon Saaz de toute première qualité est propre à stimuler les sens. Cette bière couleur de paille produit une mousse blanche qui déborde allègrement du verre.

CARACTÉRISTIQUES

Brasserie : Stiegl
Situation : Salzbourg
Type : pilsner
Robe : jaune paille clair
Teneur en alcool : 4,9 % vol.
Température de service :
  6-8 °C
Accompagnement : viandes fumées

L'arôme d'herbes laisse poindre un soupçon de houblon. La saveur est d'herbe aussi. Le malt n'est pas très présent et la finale se signale par une petite pointe d'amertume houblonnée. En bouche, la vivacité est rendue presque excessive par l'effervescence. La première mention de l'existence d'une brasserie à Stiegl date de 1492, (année où Christophe Colomb partit vers le Nouveau Monde), et l'on brasse la bière depuis 1863 dans ses locaux actuels.

Schwechater Zwickl

La Zwickl est une bière non filtrée, non pasteurisée. La version qu'en donne Schwechat est d'un jaune doré trouble ; elle présente une saveur douce, évidente presque, et un frais arôme houblonné.

La brasserie Schwechat produit également une viennoise traditionnelle au caractère fruité et malté, ainsi qu'une bière baptisée Hopfenperle, au goût et à l'arôme riches, complexes et intensément houblonnés. Schwechat est l'une des plus anciennes brasseries d'Autriche : ses origines remontent à plus de trois siècles et demi, à sa fondation en 1632 sous le nom de brasserie Klein-Schwechat. En 1760, un ambitieux garçon de café viennois du nom de Franz Anton Dreher racheta le bail de la brasserie Ober-Lanzendorf ; en 1782 il ajouta une deuxième brasserie à son affaire, puis fit en 1796 l'acquisition de la brasserie Klein-Schwechat et de la ferme qui lui était rattachée, pour la somme de dix-neuf mille florins. La brasserie fut plus tard reprise par le fils de Franz, Anton, qui apprit le métier de brasseur à Munich et en Angleterre.

La brasserie entreprit de produire une lager de fermentation basse en 1841 ; Vienne adopta bientôt avec enthousiasme la Klein-Schwechater Lagerbier. Le type de bière créé par Dreher, désigné par la suite sous l'appellation de lager de Vienne (ou « Vienna »), était brassé au moyen d'un malt rougeâtre particulier (malt de Vienne). À la mort du dernier membre de la famille Dreher, en 1921, la brasserie fut vendue au groupe plus tard appelé Brau Union Österreich, le nom de Dreher étant désormais une marque appartenant à Heineken.

CARACTÉRISTIQUES
Brasserie : Brauerei Schwechat
Situation : Schwechat
Type : Zwickelbier
Robe : jaune doré
Teneur en alcool : 5,4 % vol.
Température de service : 8 °C
Accompagnement : plats de pâtes et de riz, sandwiches

Zipfer Märzen

Cette agréable bière dorée donne une bonne mousse compacte. Son arôme est abondamment houblonné, son goût suave et malté. Onctueuse, plaisante à boire, cette Zipfer est très désaltérante. La finale est gentiment amère, un peu aqueuse peut-être.

La brasserie Zipfer a été fondée en 1858, lorsqu'un dynamique agent de change viennois ouvrit un établissement de cures thermales à Zipf et construisit une petite brasserie pour en accroître l'attrait auprès du public. Bien que produite dans une brasserie moderne selon les critères autrichiens, la bière Zipfer n'en devait pas moins subir un vieillissement : on la stocka donc dans des caves naturellement fraîches, creusées dans les collines derrière la brasserie. Plus tard, en 1899, la réfrigération artificielle fit son apparition. La brasserie adopta cette innovation technique, mais le refroidissement naturel en cave se révéla supérieur.

CARACTÉRISTIQUES

Brasserie : Zipfer (Brau Union AG)

Situation : Zipf

Type : Oktoberfest Märzen

Robe : dorée

Teneur en alcool : 5 % vol.

Température de service : 6-8 °C

Accompagnement : pâtisseries, en-cas

Zwettler Dunkles

Cette bière brun foncé produit une mousse blanc cassé et présente un arôme suave et malté. Très effervescente (elle rappelle à cet égard les colas), elle possède un goût sucré évoquant les céréales. Elle sera jugée exagérément gazeuse par certains amateurs de bière.

La brasserie Zwettler est située dans la vallée de la Kamp, en Basse-Autriche, dans une contrée où existent des risques d'inondation. Elle fut tout près d'être détruite par une crue en 1959, et de nouveau inondée en 2002. Cette brasserie propose différentes bières en bouteilles, dont l'une des plus appréciées est la Zwettler Original 1890, une pilsner plutôt sucrée ; mentionnons aussi une bière à la pression, la Zwettler Zwickl Bock, brassée à l'occasion de Noël et de Pâques.

CARACTÉRISTIQUES

Brasserie : Brauerei Zwettl Karl Schwarz

Situation : Zwettl

Type : lager sombre

Robe : brun foncé

Teneur en alcool : 3,2 % vol.

Température de service : 10 °C

Accompagnement : viandes rôties

CI-DESSUS

Des consommateurs tchèques apprécient leur bière à la terrasse d'un café. L'industrie brassicole tchèque a connu des heures difficiles au cours du XXᵉ siècle,

en raison des deux guerres mondiales et de l'instauration d'un régime communiste. Depuis quelques années, elle a retrouvé sa réputation de productrice de lagers

de toute première qualité, destinées à la consommation intérieure mais aussi internationale : la République tchèque est désormais un grand exportateur de bière.

République tchèque

Le secteur de la bière tchèque a connu des bouleversements depuis l'effondrement du bloc communiste. Cette industrie a été radicalement transformée par la fermeture de nombreuses brasseries, par l'arrivée de nouvelles techniques et par des prises de contrôle étrangères. Tous ces changements n'ont pas eu que des effets positifs.

CI-DESSUS

La consommation de bière est un passe-temps national en République tchèque. Les amateurs de bière tchèques se passionnent pour la qualité de leur breuvage favori.

ON NE PEUT PAS NIER que la qualité des lagers brassées en Tchéquie soit l'une des plus élevées – sinon la plus élevée – au monde, et que le choix des styles y soit excellent. Même dans une grande ville où l'on trouve plusieurs brasseries locales d'importance, comme Prague par exemple, on dispose d'un éventail de bières provenant de toute la République tchèque. D'aucuns estiment toutefois que la qualité des lagers tchèques s'est dégradée depuis que l'industrie a été privatisée et que les vieilles brasseries « familiales » sont entrées dans le giron de grands groupes internationaux. À Prague, par exemple, les trois grandes brasseries – Staropramen, Braník et Mestan – étaient intégrées dans un même groupe, Prazské Pivovary, et avaient le même propriétaire. En novembre 1996, ce propriétaire – la firme britannique Bass – porta sa participation à 51 %. Lorsque Bass décida d'abandonner le secteur, ces brasseries furent transmises à la multinationale d'origine belge Interbrew.

L'industrie de la bière tchèque peut aujourd'hui s'appuyer sur l'ancienne tradition du pays en matière de brassage. La production de houblon en Bohême est attestée depuis au moins l'an 859, et la première brasserie tchèque fut fondée à Cerhenice en 1118. Cette industrie connut une expansion rapide et joua un rôle de plus en plus important dans l'économie du pays. Au début du XVIe siècle, certaines villes tiraient jusqu'à 80 % de leurs revenus municipaux de la production de bière. Quant aux exportations de bière et de houblon de Bohême, elles prospéraient déjà avant la fin du Moyen Âge. La Guerre de Trente Ans (1618-1648) porta un rude coup à l'industrie de la bière tchèque, qui ne se rétablit qu'au XIXe siècle. Le XXe siècle fut lui aussi marqué par des guerres, ainsi que par la prise de pouvoir communiste au lendemain de la Deuxième Guerre mondiale ; le régime communiste entreprit de « promouvoir » la bière en la rendant particulièrement bon marché, trop souvent au détriment de la qualité. Depuis l'effondrement du communisme en Europe à la fin des années 1980, la bière tchèque a connu une véritable renaissance et retrouvé sa réputation mondiale d'excellence.

STATISTIQUES

Production annuelle : 18 548 000 hectolitres
Consommation par an et par habitant : 159 litres
Principales brasseries : Budejovicky Budvar, Lobkowicz, Pilsner Urquell, Pivovar Staropramen Prazské Pivovary
Bières réputées : Budweiser Budvar, Lobkowicz Special, Pilsner Urquell, Staropramen

Bernard Polotmavy

Cette dunkel très séduisante, de couleur cuivrée, donne une mousse abondante ; son arôme évoque le malt et le caramel – caramel que l'on retrouve dans la saveur, marquée aussi par une suavité de fruits rouges. Cette bière n'est pas exagérément sucrée, mais au contraire vive et désaltérante, avec une finale sèche et légère.

La brasserie Bernard utilise les eaux pures des hautes terres de Bohême-Moravie pour brasser ses bières, élaborées au moyen d'ingrédients propres aux recettes de la famille Bernard. Cette brasserie produit diverses lagers tchèques traditionnelles, dont des bières claires de trois forces différentes, une « grenat » semi-sombre et une forte bière de saison, la Holiday.

CARACTÉRISTIQUES

Brasserie : Bernard Family Brewery (Moortgat)
Situation : Humpolec
Type : dunkel (sombre)
Robe : cuivrée, sombre
Teneur en alcool : 4,5 % vol.
Température de service : 10 °C
Accompagnement : tourte à la viande

Bohemia Regent Tmavy Lezak

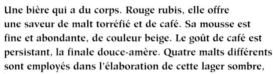

Une bière qui a du corps. Rouge rubis, elle offre une saveur de malt torréfié et de café. Sa mousse est fine et abondante, de couleur beige. Le goût de café est persistant, la finale douce-amère. Quatre malts différents sont employés dans l'élaboration de cette lager sombre, ronde et onctueuse qui figure parmi les meilleurs dunkels. Elle est brassée dans des cuves ouvertes.

La brasserie Regent, la plus ancienne de Tchéquie, est située à Trebon, dans le sud de la Bohême, sur l'emplacement historique d'un ancien arsenal des Rosenberg.

CARACTÉRISTIQUES

Brasserie : Bohemia Regent
Situation : Trebon
Type : dunkel (sombre)
Robe : rouge rubis
Teneur en alcool : 4,4 % vol.
Température de service : 10 °C
Accompagnement : viandes froides, pickles

Budweiser Budvar

La Budweiser Budvar, brassée dans le sud de la Tchéquie, à Budejovice, est une forte lager dorée, à la saveur à la fois légère et onctueuse, plus maltée que les pilsners classiques (produites dans la ville de Pilsen, dans le nord du pays). Elle est élaborée avec du houblon Saaz, du malt d'orge de Moravie et de l'eau provenant des propres puits artésiens de la brasserie ; elle parvient à maturité en soixante jours dans les traditionnels bacs de garde très peu profonds. La Budweiser Budvar, qui ne doit pas être confondue avec la Budweiser produite par le brasseur américain Anheuser-Busch, tient son nom de Budweis, forme allemande de Budejovice, berceau de la brasserie Budvar en République tchèque.

En raison d'une querelle portant sur les droits à l'appellation Budweiser, la bière tchèque est désignée aux États-Unis sous le nom de Crystal, alors que la bière américaine est connue dans certains pays d'Europe sous sa forme abrégée, Bud. Une controverse existe quant à la primeur du nom Budweiser, mais il semble malvenu d'empêcher une bière venue de Budejovice de s'appeler Budweiser.

Anheuser-Busch a vu le jour en 1875, vingt ans avant la brasserie tchèque, créée en 1895 sous le nom de Cesky akciovy pivovar. Celle-ci regroupait cependant des brasseurs disposant de privilèges et de licences remontant au XIIIe siècle – c'est à cette époque que l'on commença à brasser dans la ville. La brasserie sous sa forme actuelle date de 1967, date à laquelle le ministère tchèque de l'agriculture constitua la Budejovicky Budvar en tant qu'héritière directe de Cesky akciovy pivovar. Cette brasserie est depuis lors devenue l'une des plus grandes exportatrices du pays : près de la moitié de sa production est en effet exportée, vers plus de soixante pays de par le monde.

CARACTÉRISTIQUES

Brasserie : Budejovicky Budvar

Situation : Ceské Budejovice

Type : lager

Robe : jaune ambré doré

Teneur en alcool : 5 % vol.

Température de service : 9 °C

Accompagnement : rosbif

Cerná Hora Black Hill

Cette bière apéritive d'une agréable couleur ambrée produit une mousse blanche épaisse et persistante. Son arôme est très épicé ; le gingembre est extrêmement présent et persistant, à tel point que cette bière sucrée et très relevée ressemble à du pain d'épices liquide ! L'arrière-goût de cette bière au corps de structure légère à moyenne, est suave, caramélisé.

La brasserie Cerná Hora est l'une des dernières de Moravie et de Bohême à avoir été préservée telle qu'elle fut bâtie par ses fondateurs, il y a près de cinq siècles. Le premier document écrit faisant état de cette brasserie date du 28 octobre 1530, mais l'on pense que la brasserie existait bien avant cela.

CARACTÉRISTIQUES

Brasserie : Pivovar Cerná Hora
Situation : Cerná Hora
Type : bière apéritive
Robe : ambrée
Teneur en alcool : 5,5 % vol.
Température de service : 10 °C
Accompagnement : à servir en apéritif

Eggenberg Svetle Vicepui Pivo

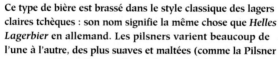

Ce type de bière est brassé dans le style classique des lagers claires tchèques : son nom signifie la même chose que *Helles Lagerbier* en allemand. Les pilsners varient beaucoup de l'une à l'autre, des plus suaves et maltées (comme la Pilsner Urquell) aux plus sèches et houblonnées (telle Budvar). Elles ont toutes en commun d'être élaborées avec du houblon Saaz, à l'arôme très plaisant. Cette bière est douce, avec une légère amertume houblonnée en arrière-plan.

La tradition de la production de bière à Cesky Krumlov remonte à 1336, date à laquelle une charte autorisa les citoyens à faire du malt et à brasser et à vendre de la bière. En 1560 fut construite une nouvelle brasserie utilisant une eau de grande qualité. En 1622, la famille Eggenberg prit le contrôle de Krumlov, et en 1625-1630 la brasserie fut transférée dans ses locaux actuels. Sous la houlette de la famille Schwarzenberg (à partir de 1719), l'édifice fut transformé dans le style baroque, et la brasserie elle-même fut rénovée.

CARACTÉRISTIQUES

Brasserie : Pivovar Eggenberg
Situation : Cesky Krumlov
Type : pilsner
Robe : dorée
Teneur en alcool : 4 % vol.
Température de service : 6-8 °C
Accompagnement : à servir en apéritif

Flekovsky Tmavy Lezák

Cette dunkel brun sombre produit une mousse dense et dégage un arôme de malt grillé et fumé. La saveur se compose de malt, de chocolat noir, de café et de caramel au beurre. L'arrière-goût est un peu aigre. Cette bière, disponible à la pression ou en bouteilles, est la seule qu'élabore la célèbre brasserie U Fleku, située dans le centre de la capitale tchèque.

On dit que les propriétaires acquirent le droit d'y brasser de la bière en 1499, mais en fait la brasserie remonte certainement aux années 1360. Sa bière, la sombre Flekovsky lezák produite à U Fleku en vertu de la licence de 1499, est l'une des plus anciennes de Prague. Le nom actuel de l'établissement date du XVIIIe siècle : en 1762 un certain Jakub Flekovskych et sa femme en firent l'achat et donnèrent à la taverne le nom de U Flekovskych, depuis lors abrégé.

CARACTÉRISTIQUES

Brasserie : Pivovar U Fleku
Situation : Prague
Type : dunkel
Robe : brun foncé
Teneur en alcool : 4,6 % vol.
Température de service : 10 °C
Accompagnement : saucisses, viandes froides

Gambrinus Svetle Pivo

L'une des lagers les plus populaires en République tchèque, et même en Europe de l'Est. La Gambrinus Svetle Pivo présente un agréable arôme malté et une saveur amère qui la distingue des autres bières de type comparable.

Elle produit une mousse crémeuse, persistante, qui dessine une dentelle sur le verre. On la sert aussi bien en apéritif que dans les soirées. Elle est disponible en bouteilles aussi bien qu'en boîtes (la première version étant sans doute plus appréciée).

CARACTÉRISTIQUES

Brasserie : Plzensky Prazdroj (SABMiller)
Situation : Plzn
Type : pilsner
Robe : jaune
Teneur en alcool : 4,1 % vol.
Température de service : 6-8 °C
Accompagnement : à servir en apéritif

Herold Svetlé

Cette pilsner délicate et équilibrée, d'une belle couleur dorée donne une mousse fine et crémeuse. Son arôme est légèrement herbacé, floral, citronné et houblonné. Sa saveur est bien structurée, crémeuse avec un arrière-plan malté. La finale est sèche et houblonnée.

La brasserie Herold exporte ses produits vers la Russie, la Biélorussie, l'Ukraine, la Mongolie, l'Allemagne, la Finlande, la Suède et Cuba. L'une de ses bières, une brune à 13 % alc./vol., a remporté le premier prix dans la catégorie Bières brunes dans une grande manifestation internationale organisée à Stockholm en 1996, ce prix lui ayant été décerné par un jury indépendant d'experts et de journalistes.

CARACTÉRISTIQUES

Brasserie : Pivovar Herold
Situation : Breznice
Type : pilsner de Bohême
Robe : dorée
Teneur en alcool : 5 % vol.
Température de service :
6-8 °C
Accompagnement : viandes
froides, en-cas

Kozel Premium Lager

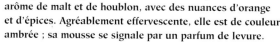

Cette pilsner au goût onctueusement amer présente un arôme de malt et de houblon, avec des nuances d'orange et d'épices. Agréablement effervescente, elle est de couleur ambrée ; sa mousse se signale par un parfum de levure.

L'amertume est persistante, jusque dans l'arrière-goût. Dans l'ensemble, il s'agit d'une bonne pilsner. La brasserie est située à une petite quinzaine de kilomètres de Prague. Des visites guidées y sont organisées. Elle produit une gamme de lagers claires et sombres appréciées tant localement qu'internationalement. Les bières de cette brasserie sont également brassées dans la ville russe de Kaluga.

CARACTÉRISTIQUES

Brasserie : Velkopopovicky
Kozel (SABMiller)
Situation : Prague
Type : pilsner de Bohême
Robe : ambrée
Teneur en alcool : 5 % vol.
Température de service :
6-8 °C
Accompagnement : saucisses,
viandes fumées

Krusovice Imperial

Cette pilsner de Bohême, de couleur dorée, offre un goût nettement amer et produit une excellente mousse. L'arôme est fortement houblonné et malté, l'impression en bouche est fraîche et vive. L'Imperial est brassée selon un procédé technique classique, qui cependant fait appel aux équipements les plus modernes pour garantir la meilleure qualité. Ses ingrédients comprennent du malt tchèque, une eau de source provenant des bois de Kfiivoklát et du houblon de la région de Îatec.

La Kralovsky Pivovar Krusovice (Brasserie royale de Krusovice) est l'une des plus anciennes brasseries de Tchéquie. Elle a été créée en 1517, quand le Pacte de Svatovsclavsks autorisa la noblesse à brasser la bière sur ses propres domaines. Jiri Birka, de Nasile, ayant hérité d'un domaine à Krusovice, fonda une brasserie, rachetée en 1583 par le roi Rodolphe II.

CARACTÉRISTIQUES

Brasserie : Kralovsky Pivovar Krusovice

Situation : Krusovice

Type : pilsner

Robe : dorée

Teneur en alcool : 5 % vol.

Température de service : 6-8 °C

Accompagnement : à servir en apéritif

Lobkowicz

Fondée en 1466, la brasserie de la ville tchèque de Vysoky Chlumec fut acquise huit ans plus tard par la famille Lobkowicz, qui en garda les rênes jusqu'à la Deuxième Guerre mondiale ; elle fut alors confisquée par les nazis, et la famille contrainte à s'exiler en Grande-Bretagne.

Au lendemain de la guerre, la famille revint en Tchécoslovaquie, mais la brasserie fut alors réqui-sitionnée par les communistes. En 1992 enfin, la famille Lobkowicz retrouva le contrôle de son patri-moine. William Lobkowicz, né aux États-Unis, prit en mains les opérations de brassage. Le principal produit de la brasserie est une lager sombre classique au goût de malt et de caramel avec des nuances de chocolat qu'équilibre une rafraîchissante finale houblon-née. Cette bière est vendue aux États-Unis sous le nom de Lobkowicz Baron.

CARACTÉRISTIQUES

Brasserie : Lobkowicz

Situation : Vysoky Chlumec

Type : lager

Robe : ambre doré soutenu

Teneur en alcool : 5 % vol.

Température de service : 8 °C

Accompagnement : saucisses, viandes séchées et fumée

Pilsner Urquell

Si le nom de pilsner est utilisé comme un terme générique pour désigner une bière dorée, forte et houblonnée de fermentation basse, dans son sens le plus strict il désigne une bière provenant de la ville tchèque de Pilsen (ou Plzen). La bière qui a donné son nom à ce style est la Pilsner Urquell originale.

En République tchèque, cette bière est appelée Plzensky Prazdroj, mais au XIXᵉ siècle la ville de Pilsen faisait partie de l'Empire austro-hongrois, dont la langue officielle était l'allemand, de sorte que le nom de la Pilsner Urquell provient de l'allemand signifiant « Pilsner de la source originelle ». Elle a été créée en 1842 par Josef Groll. Jusqu'alors, les bières étaient le plus souvent sombres et troubles, mais les conditions de brassage à froid, l'eau locale, le malt clair obtenu à partir d'orge de culture locale et la levure de fermentation basse utilisée par Groll se combinèrent pour donner une lager claire et dorée, qui acquit une grande popularité en raison d'une tendance croissante à boire la bière dans des verres plutôt que dans des chopes en terre cuite ou en étain. Cette bière fit son apparition à Prague trois ans plus tard, puis bientôt l'on se mit à l'exporter vers l'Allemagne, où le type pilsner (ou pils) fut largement adopté.

Rares sont les imitateurs qui ont réussi à se hisser au niveau de l'original. Le mélange de malt de Moravie et de houblon aromatique Saaz confère à cette bière un excellent équilibre et une saveur aussi nette que rafraîchissante. L'arôme est dominé par un caractère floral, épicé et houblonné ; la saveur, douce tout d'abord, s'achève en une finale sèche et amère.

CARACTÉRISTIQUES

Brasserie : Pilsner Urquell
Situation : Pilsen, Moravie
Type : pilsner
Robe : jaune ambré doré
Teneur en alcool : 4,4 % vol.
Température de service : 9 °C
Accompagnement : à servir en apéritif

U Medvidku Old Gott

La bière bouteille Old Gott se situe quelque part entre une lager rousse de type Vienna et une pilsner. Elle présente une forte saveur maltée ; son arôme mêle les épices et le miel, avec des nuances sous-jacentes plus subtiles.

La finale est amère – le houblon s'impose alors. La Pivovar U Medvidku, dont l'histoire remonte à 1466, fait partie des grandes attractions touristiques pragoises. La brasserie originelle fut transformée au siècle dernier en brasserie-taverne, la plus vaste de la ville ; on y trouvait aussi le premier cabaret de Prague. Aujourd'hui, le restaurant adjacent U Medvidku est un établissement très fréquenté.

CARACTÉRISTIQUES

Brasserie : Pivovar U Medvidku

Situation : Prague

Type : pilsner

Robe : doré foncé

Teneur en alcool : 5,1 % vol.

Température de service : 6-8 °C

Accompagnement : en-cas et boulettes traditionnelles tchèques

Platan Práchenská Perla

Cette lager « premium » de couleur paille, donne une délicate mousse blanche. Son arôme fleure la paille et les herbes, et le houblon est très présent.

La saveur est simple et suave, évoquant les céréales, le miel et le malt grillé. En fin de bouche, un goût doux-amer se dessine nettement. Cette bière de bel équilibre est très agréable à boire. La Pivovar Protivin est une micro-brasserie appartenant au groupe Pivovar Platan, implanté dans le sud de la Bohême. La Pivovar Platan (brasserie du platane) est située dans un parc arboré de quatorze hectares qui appartint à la famille Schwarzenburg de 1711 à 1947. Certains documents témoignent de l'existence d'une brasserie dans cette région dès 1598.

CARACTÉRISTIQUES

Brasserie : Pivovar Protivin (Mestsky Pivovar Platan)

Situation : Protivin

Type : lager

Robe : dorée

Teneur en alcool : 6 % vol.

Température de service : 6-8 °C

Accompagnement : poulet, porc

Radegast Klasik

Cette lager légère et dorée produit une mousse peu abondante mais persistante. L'arôme est herbacé avec une nuance d'orange, et la saveur est herbacée aussi, avec une touche de houblon. La finale est métallique et abrupte.

Curieusement, cette brasserie commercialise deux lagers de Bohême, la Klasik et l'Original, qui sont pratiquement identiques, ainsi qu'une Premium, plus forte. Elle brasse aussi la Birell, maltée et sans alcool. Nosovice, où est implantée la brasserie Radegast, se situe dans le nord de la Moravie.

CARACTÉRISTIQUES

Brasserie : Radegast (SABMiller)
Situation : Nosovice
Type : pilsner
Robe : dorée
Teneur en alcool : 3,6 % vol.
Température de service :
6-8 °C
Accompagnement : à servir avec en-cas et sandwiches

Starobrno Cerne

Cette riche dunkel présente de nets parfums de caramel, de café et de sucre brun. Elle produit une mousse brun pâle, moyennement dense et abondante. Sa saveur sucrée persiste jusque dans l'arrière-goût. D'une effervescence modérée et agréable, cette bière est l'une des meilleures dunkels d'Europe orientale.

L'histoire de la brasserie Starobrno remonte à 1872, date de sa fondation par Mandel et Hayek. Elle appartient aujourd'hui au groupe Heineken et produit une gamme de bières comprenant la Black Drak, la Cerveny Drak et la Baron Trenck, brassée selon une formule particulière.

CARACTÉRISTIQUES

Brasserie : Starobrno
Situation : Brno
Type : dunkel
Robe : rubis sombre
Teneur en alcool : 3,8 % vol.
Température de service : 10 °C
Accompagnement : viandes froides, ragoûts, boulettes

Staropramen Braník

La Braník est une bière tchèque typique, au goût très rafraîchissant, d'une grande vivacité, et à l'arôme nettement houblonné. Elle est dorée, produit une fine mousse blanche et présente une saveur nette de malt et de houblon. En résumé, cette bière au corps de moyenne structure est une bonne lager, sans le moindre soupçon de levure. La Braník est brassée depuis 1900.

Des techniques très modernes sont employées aujourd'hui à la brasserie Braník, qui figure parmi les plus avancées et les plus efficaces de toute la République tchèque. La Braník est une bière bien fermentée, à forte teneur en gaz carbonique, ce qui lui confère une belle vivacité. Cette bière modérément amère est proposée en boîtes comme en bouteilles.

CARACTÉRISTIQUES

Brasserie : Staropramen Brewries (InBev)

Situation : Prague

Type : lager classique

Robe : dorée

Teneur en alcool : 4,1 % vol.

Température de service : 6-8 °C

Accompagnement : mets épicés

Staropramen Granat

Cette lager sombre, couleur de caramel, produit une mousse légère, blanc cassé, très persistante. L'arôme est malté, avec une note métallique de houblon et des nuances de rhum et de caramel au beurre.

La saveur est dominée par le caramel, avec un soupçon de malt et d'amertume. La finale est demi-sèche, avec une note automnale de feuilles mortes et de bois mouillé. L'arrière-goût est puissant, amer et persistant. Cette excellente bière en bouteilles est de celles que l'on boit autour d'un feu de camp à l'issue d'une fructueuse partie de pêche.

CARACTÉRISTIQUES

Brasserie : Staropramen Breweries (InBev)

Situation : Prague

Type : viennois

Robe : rouge orangé

Teneur en alcool : 4,8 % vol.

Température de service : 6-8 °C

Accompagnement : salades, poisson

Staropramen Lezak

Autre pilsner de Bohême brassée par Staropramen, la Lezak présente une jolie couleur dorée et un arôme aux francs accents de terre. Le houblon est très présent dans la saveur comme dans l'arrière-goût. Cette bière équilibrée présente un corps bien structuré.

L'histoire de la brasserie de Smíchov remonte au 23 octobre 1869, date à laquelle un technicien du nom de Gustav Noback soumit ses plans aux principaux actionnaires de la brasserie ; ces plans ayant été approuvés, la construction de la brasserie démarra sur la rive gauche de la Vltava. Malgré toutes les difficultés dues à la crise économique des années 1930, en 1939 quelque 860 000 hectolitres de bière furent vendus. En 1945, la brasserie fut nationalisée. Depuis 2004, Staropramen appartient au grand groupe international InBev.

CARACTÉRISTIQUES

Brasserie : Staropramen Breweries (InBev)
Situation : Prague
Type : pilsner
Robe : dorée
Teneur en alcool : 5 % vol.
Température de service : 6-8 °C
Accompagnement : à servir à l'apéritif, avec du pain complet et des olives

Staropramen Svetly

Cette pilsner de Bohême typique, d'une pâle couleur dorée, produit une belle mousse blanche.

Le parfum du malt ressort avec force, sur un fond d'amertume. Cette lager de type pilsner, proposée en bouteilles, en boîtes ou à la pression est bon marché. La brasserie Staropramen est située à Prague Smíchov, sur la rive gauche de la Vltava, non loin du centre ville, à deux pas d'un nouveau centre d'affaires. Une telle situation fait de cette brasserie l'un des hauts lieux de Smíchov, qui tient parfaitement son rang dans l'ambiance pragoise.

CARACTÉRISTIQUES

Brasserie : Staropramen Breweries (InBev)
Situation : Prague
Type : pilsner
Robe : dorée
Teneur en alcool : 4 % vol.

Température de service : 6-8 °C
Accompagnement : à servir en apéritif

Zlatopramen 11

Il s'agit d'une pilsner suave, maltée, au corps de structure moyenne, bien équilibrée, sans excès de houblon. Elle produit une mousse abondante et bulleuse. Son arôme est légèrement piquant, mais cette âcreté disparaît rapidement pour laisser place à un goût très satisfaisant.

Cette bière est très légère et onctueuse, avec une agréable amertume en finale. La brasserie Zlatopramen, anciennement Burgess, remonte au moins à 1249, date à laquelle le roi Václav Ier accorda le droit de brasser la bière à la ville d'Usti, où se situe la brasserie. La Compagnie de brassage Burgess fit l'acquisition de l'affaire en 1893 (un consortium de 84 associés créa pour cela une société par actions). Zlatopramen est entrée dans le groupe DrinksUnion en 1997.

CARACTÉRISTIQUES

Brasserie : Zlatopramen
(DrinksUnion)

Situation : Usti nad Labem

Type : pilsner de Bohême

Robe : dorée

Teneur en alcool : 5,1 % vol.

Température de service :
6-8 °C

Accompagnement : en-cas,
fromage

273

CI-DESSUS

Le château de Bratislava et le Danube, vus ici au crépuscule. L'identité de la Slovaquie a connu bien des turbulences dès l'avant-guerre et depuis lors, mais ce pays n'en a pas moins maintenu une certaine tradition de brassage de bières de toute première qualité. Paradoxalement, l'intégration dans l'Union européenne constitue la plus grande menace qui pèse sur les bières traditionnelles slovaques.

274

Slovaquie

Au Moyen Âge, la production de bière à domicile était interdite dans les villages de la future Slovaquie, ce, au profit des brasseries officiellement autorisées dans les villes, alimentées par des impôts que les serfs devaient payer sous forme de houblon et d'orge. Les paysans qui aimaient la bière étaient contraints de l'acheter à ces monopoles régionaux. Cela explique sans doute que des siècles durant la bière passa, dans le cœur de nombreux Slovaques, après les eaux-de-vie distillées à domicile telles que la slivovica (alcool de prune).

AVEC LA CRÉATION DE LA TCHÉCOSLOVAQUIE en 1918, l'influence des bières brassées dans le style propre à la Bohême fut absolue sur la bière slovaque. Lorsque les brasseries furent nationalisées, lors de la montée du communisme à l'après-guerre, le principal établissement d'enseignement technique formant les futurs brasseurs – celui vers qui se tournaient les brasseries de toute la Tchécoslovaquie pour recruter leurs cadres – se trouvait à Prague. Pendant des années, l'industrie de la bière slovaque resta à la traîne de son homologue tchèque. Les communistes construisirent plusieurs grandes brasseries neuves dans les années 1950 et 1960 pour tenter de remédier à cette situation – les cinq plus grandes brasseries slovaques existant actuellement sont nées de cette initiative. Les fermetures d'entreprises indépendantes ont fait que la Slovaquie ne possède plus que quatre brasseries fondées avant 1950. La plus importante brasserie slovaque est SABMiller, propriétée de Pivovar Saris.

Le 1er mai 2004, la Slovaquie a rejoint l'Union européenne. Les producteurs slovaques de boissons alcoolisées se sont dès lors trouvés confrontés à une concurrence nouvelle, les droits de douane frappant les importations en provenance de l'Union européenne ayant été abolis. Tout comme en République tchèque, cette situation a été fort mal accueillie par les brasseries indépendantes qui s'efforcent de commercer avec le reste de l'Europe.

Sur le marché intérieur, les producteurs de bière slovaques n'ont en fait guère à redouter de l'ouverture européenne, car les marques de bières slovaques sont très appréciées de la population et les consommateurs sont très fidèles à leurs marques favorites. La seule véritable concurrence provient de la République tchèque, mais les bières tchèques sont généralement plus onéreuses et vendues en tant que « premiums ».

CI-DESSUS

Bouteilles à la chaîne à la brasserie Saris ; située à Velky Saris, dans le nord-est de la Slovaquie, cette brasserie, propriété de SABMiller, produit une gamme de bières désaltérantes.

STATISTIQUES

Production annuelle : 4 676 000 hectolitres
Consommation par an et par habitant : 93 litres
Principales brasseries : Corgon, Popper, Saris, Topvar
Bières réputées : Zlaty Bazant, Palatin

Corgon Svetly Leziak

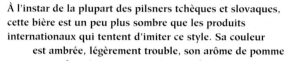

À l'instar de la plupart des pilsners tchèques et slovaques, cette bière est un peu plus sombre que les produits internationaux qui tentent d'imiter ce style. Sa couleur est ambrée, légèrement trouble, son arôme de pomme et de pain est un peu piquant ; la pomme persiste dans la saveur, où perce aussi, avec subtilité, le houblon ; on note une légère amertume. Cette bière tend à devenir poisseuse en tiédissant, et pourtant elle est aqueuse en bouche.

Corgon était un être mythique doué d'immenses pouvoirs. Svetly leziak signifie simplement « lager légère ». Nitra, où est implantée la brasserie, est une ville à l'ouest de la Slovaquie, à quelque soixante-dix kilomètres au nord-ouest de la capitale Bratislava. Elle s'étend sur les rives de la Nitra, affluent du Danube, dans la riche région agricole des basses terres danubiennes.

CARACTÉRISTIQUES

Brasserie : Pivovar Corgon (Heineken)
Situation : Nitra, Slovaquie
Type : lager
Robe : ambrée
Teneur en alcool : 4,9 % vol.
Température de service : 6-8 °C
Accompagnement : à servir en apéritif

Popper 16% Palatin

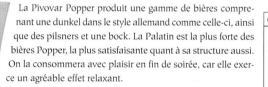

Cette riche dunkel à l'arôme chocolaté présente une saveur sucrée évoquant les prunes. La mousse brun clair laisse une dentelle abondante sur le verre. La Palatin se signale par une légère amertume, une impression de grillé et un corps de structure moyenne. La finale, un peu poisseuse, rappelle les colas « light ».

La Pivovar Popper produit une gamme de bières comprenant une dunkel dans le style allemand comme celle-ci, ainsi que des pilsners et une bock. La Palatin est la plus forte des bières Popper, la plus satisfaisante quant à sa structure aussi. On la consommera avec plaisir en fin de soirée, car elle exerce un agréable effet relaxant.

CARACTÉRISTIQUES

Brasserie : Pivovar Popper
Situation : Bytca, Slovakia
Type : dunkel
Robe : noire
Teneur en alcool : 6 % vol.
Température de service : 10 °C
Accompagnement : viandes rouges

Saris Premium

Cette pilsner rafraîchissante, facile d'accès, d'une belle couleur dorée, produit une mousse abondante qui se dissipe rapidement. Elle présente un arôme à base de céréale et de farine, avec un peu de houblon. L'agréable saveur est à la fois maltée et herbacée, avec un caractère piquant et un léger goût de beurre. L'effervescence est immédiate et plaisante. Cette bière d'une belle richesse laisse en bouche une sensation houblonnée persistante.

La brasserie est implantée à Velky Saris, capitale administrative de l'ancienne province de Saris, dans le nord-est de la Slovaquie. L'un des hauts lieux touristiques de la ville est un château du XIIᵉ siècle en ruines. Velky Saris possède également une chapelle gothique édifiée au milieu du XIVᵉ siècle.

CARACTÉRISTIQUES

Brasserie : Pivovar Saris (SABMiller)
Situation : Velky Saris, Slovaquie
Type : pilsner
Robe : dorée
Teneur en alcool : 4,6 % vol.
Température de service : 6-8 °C
Accompagnement : à servir en apéritif ou avec des en-cas

Steiger 11% Tmavé

Cette bière sombre, qui produit une mousse fine et peu abondante est très sucrée pour une bière peu alcoolisée. Elle offre une saveur pleine, fortement marquée de réglisse, d'une chaleureuse richesse, avec en arrière-plan des notes de pommes au four.

Les « Trois Grands » – Heineken, Saris et Topvar – s'arrogent 86 % du marché de la bière slovaque ; ce sont les plus grosses brasseries du pays. Le reste du marché est dévolu à de petites brasseries – produisant moins de 200 000 hectolitres de bière – telles que Steiger, Stein, Tatrab et Popper. Tout comme les autres petites brasseries slovaques, Steiger a durement ressenti l'augmentation des taxes imposée en 2003. Trois brasseries et deux producteurs de malt ont fermé leurs portes depuis lors, et les ventes de bière ont diminué en moyenne de 15 % par an.

CARACTÉRISTIQUES

Brasserie : Pivovar Steiger
Situation : Vyhice, Slovaquie
Type : dunkel
Robe : brun foncé
Teneur en alcool : 4 % vol.
Température de service : 10 °C
Accompagnement : viandes fumées, pain et fromage

Stein 12%

Commercialisée en bouteilles, cette pilsner de Bohême typique, dorée et produisant une mousse fort peu abondante, présente un arôme fruité, de houblon, de malt et de pain. Sa saveur est légèrement sucrée, fruitée et florale. Délicatement crémeuse en bouche, elle est très effervescente. La finale est légèrement amère.

La Stein Pivovar est une micro-brasserie située dans l'ancienne et superbe ville de Bratislava, capitale de la République slovaque indépendante. Elle brasse une gamme de pilsners plus ou moins fortes, afin de satisfaire des goûts variés. Cette brasserie produit de la bière depuis 1873.

CARACTÉRISTIQUES
Brasserie : Stein Pivovar
Situation : Bratislava
Type : pilsner
Robe : dorée
Teneur en alcool : 4,5 % vol.
Température de service : 6-8 °C
Accompagnement : en-cas et sandwiches

Topvar 10% Svetlé

La micro-brasserie Topvar, fondée en 1964, est entrée dans le giron du groupe SABMiller en 2005. Cette pilsner dorée présente un agréable arôme houblonné et herbacé. Son goût est plutôt sucré pour commencer, mais l'arrière-goût est légèrement houblonné, avec une agréable sécheresse. Cette bière d'une belle vivacité présente un caractère houblonné très plaisant.

Topvar, fière de la capacité qu'a sa 10% Svetlé de produire une mousse abondante, recommande de la boire à la température de 6 °C pour pleinement profiter de sa saveur. Les bières Topvar sont exportées dans vingt-deux pays, dont l'Italie, la Hongrie, les États-Unis, le Canada et l'Australie.

CARACTÉRISTIQUES
Brasserie : Pivovar Topvar (SABMiller)
Situation : Topolcany, Slovaquie
Type : pilsner
Robe : dorée
Teneur en alcool : 4,3 % vol.
Température de service : 6-8 °C
Accompagnement : fruits de mer

Topvar 12% Tmavé-Marína

Cette stout sucrée, brun sombre et à la mousse brun clair, offre un arôme de malt et de caramel, avec des nuances de houblon et d'herbes ; son goût est modérément suave, avec une touche d'amertume. Cette suavité s'estompe en finale, et l'on note alors une note acide. Cette bière qui dispense des sensations de céréales est vivement effervescente.

Malgré une chute des ventes dues à un accroissement des taxes en 2003, la brasserie réalise de belles performances à l'export. Ses exportations se sont élevées à quelque 22 700 hectolitres, dont la majeure partie est destinée à la République tchèque et à l'Allemagne.

CARACTÉRISTIQUES

Brasserie : Pivovar Topvar (SABMiller)
Situation : Topolcany, Slovaquie
Type : Schwarzbier (stout)
Robe : brun foncé
Teneur en alcool : 5 % vol.
Température de service : 10 °C
Accompagnement : fromage et pain de seigle

Zlaty Bazant (Golden Pheasant)

La Zlaty Bazant est le produit phare de Heineken Slovensko, brasserie créée en 1968 à Hurbanovo en tant qu'entreprise nationalisée ayant pour fonction d'approvisionner en bière l'ouest de la Slovaquie. Heineken s'en est emparé en 1995 : ce fut là le premier investissement de ce type réalisé par un grand brasseur international après la chute du communisme.

La Zlaty Bazant est également produite à Nitra, au nord-est de Bratislava. Ces deux usines produisent au total quelque deux millions d'hectolitres de bière par an, ce qui représente 42 % de la consommation nationale. Cette pilsner présente un arôme doux et floral ainsi qu'un robuste caractère malté avec des notes de caramel.

CARACTÉRISTIQUES

Brasserie : Zlaty Bazant (Heineken)
Situation : Hurbanova, Slovaquie
Type : pilsner
Robe : dorée
Teneur en alcool : 4,5 % vol.
Température de service : 6-8 °C
Accompagnement : viandes rôties

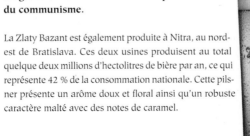

Un café de Budapest. Cette ville fut, entre les deux guerres, réputée pour ses cafés que l'on comparait aux clubs britanniques. Si nombre d'entre eux ont aujourd'hui disparu, la tradition a été perpétuée, et les cafés demeurent des lieux très fréquentés. On trouve également de nombreux bars à bière dans la capitale hongroise.

Hongrie

Peter Schmidt a créé la première brasserie commerciale de Hongrie à Budapest en 1845. À l'apogée de l'Empire austro-hongrois, le quartier Kobánya Budapest devint le haut lieu de l'industrie brassicole hongroise. La brasserie Dreher – du nom d'Anton Dreher, créateur du type de lager « Vienna » – vit le jour à Budapest en 1862. Elle allait dominer le marché hongrois avant la Deuxième Guerre mondiale.

A UJOURD'HUI, LA HONGRIE ne compte plus que cinq grands brasseurs, qui produisent surtout des lagers (Világos) et des bières sombres de type allemand (Barna). SABMiller possède désormais la brasserie Dreher (Kobánya) à Budapest. Ses principales bières sont la Dreher Classic et l'Arany Ászok, lagers brassées dans le style pilsner, mais elle produit aussi la Kobányai Világos, la Dreher Lager et la Dreher Bak. Cette dernière est une double bock, soit une lager très forte, traditionnellement brassée à l'automne et consommée au printemps, après maturation.

Interbrew possède 69 % de la brasserie Borsod. Outre les marques locales Borsodi Világos, Borsodi Barna, Borsodi Bivaly et Borostyán, elle brasse sous licence les Stella Artois et Rolling Rock. La brasserie Pécs, majoritairement détenue par Ottakringer, produit les Pécsi Szalon, Szalon Barna, Tavaszi Sör (« Bière de printemps »), Három Királyok (« Trois rois » et sous licence, Gold Fassl.

Brau Union Hungária, contrôlée par Brau AG d'Autriche, possède des brasseries à Sopron, Martfu et Komárom. Parmi ses marques, mentionnons Soproni Ászok, Talléros, Arany Hordó (« Tonneau doré »), Soproni Kinizsi, Sárkány Sör (« Bière du dragon ») et, sous licence, Amstel, Gösser, Heineken, Kaiser et Zlaty Bazant.

La brasserie Nagykanizsa produit de la bière sous les marques Kanizsai Világos, Kanizsai Kinizsi, Balatoni Világos et Paracelsus. Un certain nombre de petites et micro-brasseries sont également apparues en Hongrie au cours de ces dernières années, parmi lesquelles Ilzer et Blonder.

CI-DESSUS

Dreher est une brasserie hongroise de réputation très ancienne : elle produit depuis 1796 certaines des bières les plus appréciées du pays. Implantée à Budapest, elle est aujourd'hui propriété de SABMiller.

STATISTIQUES

Production annuelle : 4 676 000 hectolitres
Consommation par an et par habitant : 73 litres
Principales brasseries : Arany, Borsodi, Dreher
Bières réputées : Borsodi Bivaly, Borsodi Sör, Dreher Classic

Soproni Ászok

Cette bière hongroise légère, conditionnée en bouteilles, est d'une couleur jaune pâle ; elle donne une mousse blanche qui laisse rapidement place à une fine dentelle sur le verre. L'arôme est malté sans excès, légèrement houblonné aussi ; cette bière est un peu sucrée, avec une note d'amertume.

Le corps est aqueux, léger, l'effervescence modeste. La moderne brasserie Soproni est l'héritière de la brasserie et malterie Sopron, fondée en 1895. Celle-ci fut gravement endommagée durant la Deuxième Guerre mondiale – la production ne reprit qu'en 1947. La malterie cessa son activité dans les années 1960.

Le nom d'Ászok dérive du mot hongrois désignant les fûts ou barriques dans lesquels la bière est stockée pour sa fermentation secondaire.

CARACTÉRISTIQUES

Brasserie : Brau Union Hungaria Sörgyarak
Situation : Sopron
Type : lager
Robe : dorée
Teneur en alcool : 4,5 % vol.
Température de service : 8 °C
Accompagnement : en-cas, fruits de mer

Dreher Bak

Cette bière brun foncé produit une mousse brun clair. Le malt y est bien en évidence, sans être envahissant. Cette bière de caractère très germanique est simple et suave. Ses arômes de malt et de caramel sont persistants, et l'on note une nuance de chocolat. Sa teneur en alcool de 7,3 % alc./vol. est parfaite pour une bock.

La brasserie, fondée en 1855 par Antal Dreher, s'appelait à l'origine Kobanya. Dreher fut un pionnier de la fermentation basse, ce qui lui valut une grande réputation dans toute l'Europe. La Première Guerre mondiale perturba la production, qui ne reprit dans des conditions normales qu'en 1923.

CARACTÉRISTIQUES

Brasserie : Dreher Sörgyar (SABMiller)
Situation : Budapest
Type : bock
Robe : brun foncé
Teneur en alcool : 7,3 % vol.
Température de service : 9 °C
Accompagnement : saucisses et viandes fumées

Dreher Classic

Cette pilsner très pure, d'une belle couleur dorée, donne une fine mousse blanche. Sa saveur est douce et maltée, avec des notes de houblon et une discrète amertume.

Son arôme, légèrement aigre mais fort plaisant, évoque le malt, le blé et les épices. La société Dreher possède deux brasseries, à Budapest et Nagykanizsa, ainsi qu'une filiale basée à Budapest, qui centralise les ventes et la distribution. Dreher brasse la bière dans le respect des plus grandes traditions hongroises, mais en utilisant des techniques de pointe, ce qui donne des bières de grande qualité. Le répertoire de ce brasseur comprend aussi des bières « premium » produites en Hongroie sous licence, telles l'allemande Hofbrau et la danoise Tuborg, ainsi que des bières importées comme la Guinness et la Kilkenny irlandaises.

CARACTÉRISTIQUES

Brasserie : Dreher Sörgyar

Situation : Budapest

Type : pilsner

Robe : jaune d'or pâle

Teneur en alcool : 5,5 % vol.

Température de service : 8 °C

Accompagnement : poissons, en-cas salés

Arany Ászok

Autre bière de la gamme Dreher, cette lager hongroise vaut avant tout pour son caractère désaltérant. Jaune pâle, elle produit une fine mousse blanche. Son arôme doux et malté laisse percer des nuances de blé et de houblon.

La saveur est également douce et maltée, avec des accents de blé. L'effervescence, très vive, n'est pas du goût de tout le monde. Cette bière légère donne une finale satisfaisante, avec une amertume prononcée. En résumé, une lager de type pilsner tout à fait agréable. Elle est déclinée en version « sans alcool » (à la teneur en alcool de seulement 0,5 %). Toutes deux remportent un succès commercial considérable.

CARACTÉRISTIQUES

Brasserie : Dreher Sörgyar (SABMiller)

Situation : Budapest

Type : pilsner

Robe : jaune pâle

Teneur en alcool : 4,7 % vol.

Température de service : 6 °C

Accompagnement : porc, poulet, en-cas

Borsodi Barna

La Barna fait partie d'une gamme de bière populaires produites par Borsodi. Cette bière en bouteilles, brun foncé, produit une mousse beige. Elle présente une saveur de café grillé, avec une nuance chocolatée. Elle est moins forte que d'autres bocks. En 1991, Borsodi est entré dans le giron d'Interbrew, qui occupe la cinquième place parmi les grands groupes de brasseries du monde.

Borsodi Sör est le plus grand nom dans le domaine de la bière hongroise, et Barna l'un de ses produits les plus réputés. Autres marques à succès produites par cette société : Borsodi Polo, Borsodi Kinizsi et Rakoczi, à quoi s'ajoute une gamme en expansion de bières brassées sous licence, dont Spaten, Holsten, l'américaine Rolling Rock et la belge Stella Artois.

CARACTÉRISTIQUES

Brasserie : Borsodi Sörgyar (InBev)
Situation : Budapest
Type : bock
Robe : brun foncé
Teneur en alcool : 6,7 % vol.
Température de service : 9 °C
Accompagnement : viandes rouges, gibier

Borsodi Bivaly

C'est sans doute la plus forte lager hongroise. Couleur d'or sombre, elle produit une fine mousse blanche. Son arôme est légèrement malté, avec un léger parfum de houblon. Le goût de cette bière au corps robuste est malté, avec ensuite des notes métalliques.

L'alcool se fait nettement sentir. Les critiques spécialisés sont enthousiastes au sujet de cette bière, qu'ils rangent parmi les meilleures qui soient brassées en Hongrie. (Le mot *bivaly* signifie « buffle » en hongrois). Borsodi, qui est maintenant une filiale du groupe InBev (réputé pour ses marques de bières fortes), produit également la Borsodi Sör, une lager traditionnelle (brassée dans le village de Bocs, dans le nord-ouest de la Hongrie), ainsi qu'une lager pâle sans alcool, la Borsodi Polo.

CARACTÉRISTIQUES

Brasserie : Borsodi Sörgyar (InBev)
Situation : Budapest
Type : lager forte européenne
Robe : jaune d'or soutenu
Teneur en alcool : 6,5 % vol.
Température de service : 8 °C
Accompagnement : viandes blanches, poissons, en-cas

Borsodi Borostyan

Cette Hefeweizen de type allemand, limpide, d'un très bel aspect ambré, produit une mousse blanc cassé. Son arôme plutôt léger évoque le miel, alors que sa saveur mêle noix et orange. Le houblon ressort très fortement en finale. À maints égard, cette bière est plus proche d'une viennoise que d'une Hefeweizen.

Cette bière très plaisante en bouche est disponible en boîtes et en bouteilles, le second conditionnement étant nettement préférable. La brasserie Borsodi est le principal concurrent de Dreher sur le marché de la bière hongrois. Il est fort dommage que les bières hongroises ne soient jamais parvenues à quitter leur marché intérieur ; ce n'est cependant guère surprenant, la Hongrie ayant pour voisine la République tchèque, renommée pour la qualité très élevée de ses brasseries et de ses bières.

CARACTÉRISTIQUES

Brasserie : Borsodi Sörgyar (InBev)

Situation : Budapest

Type : Hefeweizen

Robe : ambrée

Teneur en alcool : 5,2 % vol.

Température de service : 8 °C

Accompagnement : desserts au chocolat

Pecsi Szalon

Cette bière un peu fade et pourtant très appréciée, de couleur d'or pâle, produit une mousse légère, évanescente, qui laisse une fine dentelle sur le verre. Légèrement sucrée, cette lager présente un arôme indéfinissable, légèrement âcre. Elle doit être bue avant d'avoir tiédi car elle perd alors rapidement son attrait initial. À vrai dire, les consommateurs hongrois lui trouvent pour qualité principale son prix, moins élevé que celui d'autres marques de bière.

La ville de Pecs, où est située la brasserie, possède des murailles intactes datant de 1400 environ. Ses mausolées du IVe siècle en font un haut lieu touristique. Le brassage de la bière à l'échelle industrielle est apparu à Pecs en 1848 à la Brasserie de la Ville, rebaptisée Pannonia en 1917.

CARACTÉRISTIQUES

Brasserie : Pecsi Sörfödze

Situation : Pecs

Type : lager

Robe : jaune d'or pâle

Teneur en alcool : 4,6 % vol.

Température de service : 6 °C

Accompagnement : salades, poissons, en-cas

CI-DESSUS

Varsovie, qui figure parmi les villes d'Europe les plus riches d'histoire et de culture, fut presque anéantie lors de la Deuxième Guerre mondiale. Les destructions emportèrent la plupart des brasseries de la ville, aussi les habitants de Varsovie durent-il attendre les années 1950 pour pouvoir de nouveau disposer aisément de bières locales.

Pologne

Bien que la Pologne ne soit pas particulièrement réputée pour la diversité et la qualité de ses bières, l'histoire de la brasserie y remonte au Moyen Âge. La production de bière à grande échelle ne s'y établit solidement qu'au XIXe siècle toutefois ; afin d'acquérir les compétences nécessaires, les brasseries polonaises se tournèrent vers la Grande-Bretagne. Outre des idées, l'industrie polonaise importa du matériel de brassage et des ales de type porter, qui suscitèrent un vif engouement.

AVANT CELA, si l'on en croit les comptes rendus historiques, les bières polonaises reflétaient apparemment les goûts des différents peuples qui, à un moment ou un autre, avaient revendiqué tout ou partie du territoire polonais. Diverses régions de Pologne furent annexées par la Prusse, la Russie et l'Autriche en 1772. Un petit État polonais subsista, à la merci de ces trois puissances. En 1795, à la suite d'une insurrection paysanne, cet État lui-même fut absorbé, ce qui incita de nombreux Polonais à quitter le pays. En 1807, Napoléon soutint la réapparition d'un État polonais, mais cet espoir ne résista pas à la défaite de la Grande Armée, en 1812.

L'existence d'un royaume polonais fut autorisée sous contrôle russe, mais il prit fin au lendemain d'une série de soulèvements dont l'écrasement fut suivi par l'annihilation totale de la Pologne en tant qu'unité politique. Il n'est donc pas étonnant que l'histoire de l'industrie de la bière polonaise soit quelque peu chaotique. Malgré cela, le secteur poursuivit son expansion au début du XXe siècle. Cette croissance ne se ralentit que sous l'effet de la crise économique des années 1920, alors que la Pologne était redevenue un État souverain.

Lors de l'invasion allemande, en septembre 1939, la Pologne comptait cent trente-sept brasseries, mais les dévastations infligées au pays durant la Deuxième Guerre mondiale furent telles qu'elles furent pratiquement toutes détruites. Il fallut au moins une décennie après 1945 pour voir revivre l'industrie de la bière polonaise. Malheureusement, l'unique survivante des premières bières polonaises, la Grodziskie, disparut dans les années 1990, jugée non rentable par la brasserie Lech.

STATISTIQUES

Production annuelle : 29 200 000 hectolitres

Consommation par an et par habitant : 75 litres

Principales brasseries : Tyskie, Bosman, Lech, Okocim, Warka, Zubr, Zwiec

Bières réputées : Lech Premium, Okocim O.K.

Bosman Full

Une lager forte, pleine de maturité et au goût affirmé. Cette bière est à consommer rapidement, avant qu'elle ne tiédisse. D'une couleur dorée, elle produit une mousse blanche abondante. Son arôme est malté et houblonné, avec une nuance de caramel. Sa saveur douce fait la part belle aux malts, le houblon étant présent dans la finale et l'arrière-goût.

La Bosman Full est l'une des deux lagers brassées par la société, désormais propriété de Carlsberg, l'autre étant la Bosman Special (6,6 % alc./vol.). En termes de saveur, elles ne se différencient guère. Bosman signifie « maître d'équipage » en polonais, ce qui traduit peut-être le riche passé portuaire de la ville de Szczecin (anciennement Stettin).

CARACTÉRISTIQUES

Brasserie : Bosman Browar Szczecin SA (Carlsberg)
Situation : Szczecin
Type : lager
Robe : jaune d'or pâle
Teneur en alcool : 5,7 % vol.
Température de service : 6-8 °C
Accompagnement : salade, pain et fromage

Kasztelan Jasne Pelne

Cette séduisante lager dorée donne une impressionnante mousse crémeuse. Son arôme est sec et léger, avec une douceur maltée sous-jacente. Sa consistance est à la fois douce et nette, son effervescence modérée et sa finale suave. La Kasztelan est une bonne lager pour les soirées, également à sa place pour accompagner un repas léger ou à l'apéritif.

La brasserie Kasztelan est implantée à Sierpc, à 125 km au nord-ouest de Varsovie. Elle produit quelque 615 000 hectolitres de bière par an, ce qui en fait l'une des plus importantes brasseries du centre de la Pologne. Cette société possède aussi une malterie.

CARACTÉRISTIQUES

Brasserie : Kasztelan Browar
Situation : Sierpc
Type : lager
Robe : dorée plutôt sombre
Teneur en alcool : 6,2 % vol.
Température de service : 6-8 °C
Accompagnement : viandes froides, salades, ou en apéritif

Lech Premium

Cette bière est parfois considérée comme l'équivalent polonais de la Heineken. Brassée en Pologne depuis 1956, cette bière de type pilsner est agréable à l'œil, avec sa riche couleur dorée et son épaisse mousse blanche. Contrairement à d'autres pilsners, elle conserve sa saveur longtemps après l'ouverture de la bouteille.

Dotée d'un arôme évoquant le blé, elle est plaisante en bouche, avec un léger goût de houblon. Elle présente toutefois une persistante douceur sous-jacente, ce qui n'est pas apprécié de tout le monde. D'une douceur exceptionnelle, elle présente une bonne saveur maltée, mais manque d'amertume. Certains critiques la trouvent trop gazeuse et un peu lourde, mais c'est une question de goût. Servie en apéritif, elle contribue effectivement à ouvrir l'appétit.

CARACTÉRISTIQUES

Brasserie : Kompania Piwowarska
Situation : Poznań
Type : pilsner
Robe : dorée
Teneur en alcool : 5,2 % vol.
Température de service : 6-8 °C
Accompagnement : à servir en apéritif

Okocim O.K.

L'Okocim O.K. est une bonne bière, délicate, qui tient ses qualités d'une recette incorporant les meilleures des variétés de houblon polonaises, un orge de grande qualité et une eau de montagne d'une grande douceur. La pureté de ces ingrédients se reflète dans son goût

Très rafraîchissante, cette bière plutôt douce réalise un équilibre parfait entre malt et houblon. L'eau pure des Tatras est l'ingrédient le plus important de l'Okocim O.K. ; elle lui confère une finale très pure et la fait apprécier de tous. La brasserie Okocim a réintroduit cette bière artisanale pour célébrer l'arrivée du nouveau millénaire, mais l'étiquette O.K. n'a pratiquement pas changé depuis sa création il y a quarante ans. Pour ce qui est de la bière elle-même, elle a contribué à définir la « pilsner de type polonais », distincte des autres pilsners européennes.

CARACTÉRISTIQUES

Brasserie : Browar Okocim SA (Carlsberg)
Situation : Brzesko
Type : lager
Robe : dorée
Teneur en alcool : 6,2 % vol.
Température de service : 6-8 °C
Accompagnement : viandes, saucisses

Okocim Palone

Cette bonne dunkel polonaise, de couleur brun rougeâtre très sombre, presque noire, produit une mousse persistante d'un blanc légèrement cassé. Ses arômes évoquent le caramel au beurre ainsi que l'orge et le blé grillés.

Au goût, on retrouve le caramel, l'orge et le blé, avec une intéressante nuance de baies rouges. La finale équilibre douceur maltée et amertume sèche et grillée, avec là encore un soupçon de fruits rouges. Autres produit populaire de la brasserie Okocim, la Mocne est une lager forte (7,8 % alc./vol.) à l'arôme de malt et de noix.

CARACTÉRISTIQUES

Brasserie : Browar Okocim SA (Carlsberg)
Situation : Brzesko
Type : dunkel
Robe : brun rougeâtre sombre
Teneur en alcool : 5,5 % vol.
Température de service : 10 °C
Accompagnement : ragoûts, tourtes à la viande

Okocim Porter

Cette porter telle que l'on en brasse traditionnellement sur les bords de la Baltique, d'un brun très foncé, produit une abondante mousse couleur de chocolat. Ses arômes sont de malts grillés, avec des nuances de chocolat, de café et de caramel, sans oublier un peu de houblon. Le goût évoque le grillé aussi, avec des notes de chocolat et de café ainsi qu'une légère verdeur houblonnée et une agréable douceur caramélisée.

Le corps est de structure moyenne, fort agréable. L'un des aspects les plus plaisants de cette bière réside dans son goût extrêmement onctueux ; la suavité du malt fait ressortir le caractère chocolaté. On distingue également quelques saveurs mineures, dont la prune et le raisin sec sont les plus apparents. Cette bière très satisfaisante présence une force qui ne s'impose pas exagérément.

CARACTÉRISTIQUES

Brasserie : Browar Okocim SA (Carlsberg)
Situation : Brzesko
Type : porter
Robe : brun foncé
Teneur en alcool : 8,3 % vol.
Température de service : 10 °C
Accompagnement : fromages forts, bœuf, viandes fumées, gibier, mets au gril

Strszelec Jasne Pelne

La Strszelec Jasne Pelne est une lager produite par la brasserie Strszelec dans la région de Malopolska, où l'on brasse la bière depuis 1142. La bière Strszelec est élaborée de la même façon depuis 1823, date à laquelle la brasserie fut créée.

Seuls les meilleurs malts et houblon de la région sont employés, et l'eau utilisée dans le processus de brassage provient de la source même qui servait aux brasseurs de Jedrzejów au XIIe siècle. En 2002, la société de brasserie Strszelec a fusionné avec Brok pour constituer la Browary Polskie Brok-Strszelec S.A., dont Royal Unibrew a fait l'acquisition au printemps 2005. La capacité de production annuelle de cette brasserie est d'environ 260 000 hectolitres.

CARACTÉRISTIQUES

Brasserie : Browary Polskie Brok-Strszelec

Situation : Cracovie

Type : lager

Robe : jaune pâle

Teneur en alcool : 5,5 % vol.

Température de service : 6-8 °C

Accompagnement : à servir en apéritif ou avec des en-cas

Tyskie Gronie

La Gronie est la dernière en date d'une longue lignée de bières brassées dans la ville polonaise de Tychy, où une industrie brassicole s'implanta au XVIIe siècle. Cette bière d'une pâle couleur dorée donne une épaisse mousse blanche extrêmement persistante.

L'arôme évoque le foin. De prime abord, cette bière ne semble guère différente de toute autre lager d'Europe orientale, mais en réalité sa saveur est très caractéristique, avec une richesse houblonnée aussi agréable qu'inattendue en finale. Les premiers documents faisant état de l'existence de cette brasserie datent de 1613 – elle était alors propriété de la famille Promnice. À la fin du XIXe siècle, la brasserie Tyskie figurait parmi les plus grosses et les plus modernes brasseries d'Europe, statut qu'elle a conservé à ce jour.

CARACTÉRISTIQUES

Brasserie : Tyskie Browary Ksiazece (KP-SABMiller)

Situation : Tychy

Type : pilsner

Robe : dorée, pâle

Teneur en alcool : 5,6 % vol.

Température de service : 8 °C

Accompagnement : salades au poulet ou aux fruits de mer, ou à l'apéritif

Warka Strong

Cette lager d'une belle couleur de miel doré, pleine de profondeur, produit un mousse crémeuse. Elle présente toute la limpidité de l'eau de source, ainsi qu'un corps parfait et un goût excellent. Son arôme suave évoque les céréales, et l'alcool est bien présent, tout comme le gaz carbonique.

La saveur à la fois poivrée et sucrée de malt est équilibrée par une amertume herbacée qui devient légèrement métallique dans la finale. Cette lager agréable est peut-être un peu sucrée pour certains palais. La tradition de brassage de Warka remonte au XVᵉ siècle ; en 1478, les brasseurs de Warka reçurent le privilège exclusif de fournir la cour royale de Varsovie.

CARACTÉRISTIQUES

Brasserie : Browary Warka (Heineken)
Situation : Warka
Type : lager
Robe : doré foncé
Teneur en alcool : 7 % vol.
Température de service : 8 °C
Accompagnement : à servir en apéritif ou avec une salade verte

Zubr Jasne Pelne

On traduit généralement « Jasne Pelne » par « bière forte et légère », ce qui fait référence à une blonde pâle et forte, d'au moins 10° Plato.

La plupart des bières polonaises entrent dans cette catégorie, qui comprend des bières de type pilsner mais aussi Export ou Spezial. Les moins fortes ressemblent aux lagers claires tchèques.

La lager Zubr, brassée à Bialystok dans l'est de la Pologne, est ainsi nommé d'après les bisons qui sillonnent encore la forêt de Bialowieza toute proche (*zubr* = bison). Cette lager typique donne une mousse blanc cassé. Sa saveur est douce et maltée, avec des notes de céréales et d'herbes. Le corps est de structure plutôt fine, et l'on remarque une légère amertume en finale.

CARACTÉRISTIQUES

Brasserie : Pivo Dojlidy Zubr
Situation : Bialystok
Type : lager
Robe : dorée
Teneur en alcool : 5,5 % vol.
Température de service : 6-8 °C
Accompagnement : à servir en apéritif

Zywiec Jasne Pelne

Une bonne lager sans histoires, avec une mousse moyennement épaisse qui se dissipe rapidement. L'arôme initial est de malt et de miel, et l'on note une étonnante diversité de saveurs, tant sucrées que salées, tant acidulées qu'amères.

L'alcool se distingue peut-être un peu rapidement en bouche, ce qui donne une impression de force un peu excessive au palais. Plutôt douce et rafraîchissante, avec un côté un peu sucré et peu d'amertume, c'est une lager de grande production assez typique. Aujourd'hui propriété de Heineken, la brasserie Zywiec appartint aux Habsbourg jusqu'au début de la Deuxième Guerre mondiale. Elle produit une gamme de bières conditionnées dans des boîtes en relief, ainsi que des variétés en bouteilles.

CARACTÉRISTIQUES

Brasserie : Browar Zywiec (Heineken)
Situation : Zywiec
Type : lager
Robe : dorée
Teneur en alcool : 5,6 % vol.
Température de service : 6-8 °C
Accompagnement : poulet, côtes d'agneau, poissons

Zywiec Porter

La Zywiec Porter est une bière sombre, très forte, brassée selon une recette traditionnelle datant de 1881. Infusée avec du malt de Munich et d'autres malts spéciaux qui lui confèrent sa couleur et ses accents de caramel, elle est élaborée avec des houblons aromatiques de la meilleure qualité. Le tout donne une combinaison de saveurs unique en son genre.

Cette bière donne une abondante et persistante mousse brune. Son goût évoque le café grillé et le caramel. Les critiques sont enthousiastes au sujet de cette porter, mais l'on n'en trouve pas deux pour s'accorder sur la combinaison des saveurs, qui comprennent aussi chocolat et fruits. Un goûteur l'a rapprochée des « barley wines », en ce qu'elle est maltée et épicée, avec un soupçon de cacao. La production de cette Porter a été transférée à la Bracki Bowar en 2004.

CARACTÉRISTIQUES

Brasserie : Bracki Browar Zamkowy (Zywiec Heineken)
Situation : Cieszyn
Type : porter
Robe : noire
Teneur en alcool : 9,5 % vol.
Température de service : 12 °C
Accompagnement : saucisses, pain de seigle

CI-DESSUS

L'Asie est réputée pour la qualité de ses lagers claires, de sorte que les exportations de bière en bouteilles et en boîtes à destination des États-Unis, de l'Amérique du Sud et de l'Europe ont connu une rapide expansion au cours de ces vingt dernières années. Si l'on raisonne en volume global, la Chine est le plus gros producteur de bière au monde, alors même que la consommation par personne y demeure relativement modeste.

Asie

Les marchés les plus importants de la bière d'Extrême-Orient sont le Japon et la Chine, qui se situent parmi les premiers consommateurs de bière du monde, alors que ni l'un ni l'autre n'est l'héritier d'une véritable tradition brassicole. La bière fut introduite en Chine par les Allemands et les Russes au début du XXe siècle ; le nombre des brasseries y approche aujourd'hui le millier, depuis les petites brasseries locales aux énormes installations industrielles étatisées.

L E JAPON EST LE PLUS GROS CONSOMMATEUR de bière d'Extrême-Orient (en termes de consommation par personne). La bière est arrivée au Japon un demi-siècle avant de pénétrer en Chine. Kirin, première brasserie commerciale du pays, fut créée en 1870 par un Américain. La première brasserie à capitaux nippons fut fondée en 1876. Après une phase de croissance rapide dans les années 1890, une consolidation majeure intervint dans le secteur en 1906. En 1908 fut mise en place une législation sur la taxation de la bière, qui imposait un niveau de production minimal de 180 000 litres par an, et signa l'arrêt de mort des petites brasseries ; l'industrie se trouva concentrée entre les mains de quelques firmes seulement. L'abolition de ces lois, en 1994, a suscité l'apparition de nombreuses micro-brasseries et autres bistrots-brasseries, dont les produits sont désignés sous le nom de *ji-biru* (« bières locales »). Nombre des nouveaux brasseurs de bière sont en fait des producteurs de saké établis de longue date.

Les traditions de brassage varient énormément dans le reste de l'Asie, même si en règle générale la consommation de bière demeure relativement faible par rapport à celle de la plupart des pays européens. Le legs de l'influence coloniale britannique est toujours sensible en Inde, où l'on note une préférence pour les stouts riches et sombres, ainsi bien sûr que pour la pale ale indienne. La majeure partie de la bière consommée en Inde est toutefois importée ; par ailleurs, dans certaines contrées du sous-continent indien, la production et la consommation d'alcool sont interdites. L'un des plus gros brasseurs d'Asie du Sud-Est est San Miguel, entreprise des Philippines qui dispose de sites de production dans toute la région. C'est aussi l'un des plus anciens, puisqu'il est plus que centenaire.

Ci-dessus

Affiche publicitaire pour la bière japonaise Asahi, exemple parfait du succès à l'exportation d'une bière asiatique sur les marchés mondiaux.

STATISTIQUES

Production annuelle : 396 638 000 hectolitres

Consommation par an et par habitant : 10 litres

Principales brasseries : Asahi, Asia Pacific Breweries, Boon Rawd Brewery Company Ltd, Cambrew Limited, Chunghua Beer Company Ltd, Hite Company Ltd, Kirin, PT Multi Bintang Indonesia, Tsingtao

Bières réputées : Angkhor, Asahi, Bir Bintang, Hite, Kingfisher, Kirin, Sapporo, Silver Sapporo, Singha, Tiger, Tsingtao

Kingfisher

La Kingfisher est une lager très populaire, bien qu'elle ne soit pas du goût de tout le monde. Elle produit une mousse légère et peu abondante, qui laisse une très fine dentelle dans le verre.

L'arôme, mélange agréable de céréales avec un léger fond de levure, participe au plaisir de boire cette bière glacée et dans un verre. La robe de la Kingfisher se situe entre le doré et le jaune. En bouche, la sensation est modérée, après une vivacité initiale. Produit en Inde par United Breweries, la Kingfisher est aussi brassée sous licence aux États-Unis et au Royaume-Uni.

CARACTÉRISTIQUES

Brasserie : United Breweries
Situation : Bangalore, Inde
Type : lager
Robe : jaune pâle
Teneur en alcool : 4,8 % vol.
Température de service : glacée
Accompagnement : currys

Bengal Tiger

Lager plutôt douce et sucrée, la Bengal Tiger n'en connaît pas moins une popularité croissante auprès de la clientèle des restaurants indiens en Europe.

Couleur de paille dorée, elle présente un léger arôme malté. Cette lager en bouteilles est produite par Mysore Breweries de Bangalore. À l'instar d'autres lagers indiennes en bouteilles, la Bengal Tiger doit, pour être pleinement appréciée, se servir glacée et se boire en accompagnement de mets orientaux relevés. De nombreux amateurs la jugent cependant trop fade.

CARACTÉRISTIQUES

Brasserie : Mysore Breweries
Situation : Mysore, Karnataka, Inde
Type : lager
Robe : paille dorée
Teneur en alcool : 5 % vol.
Température de service : glacée
Accompagnement : currys

Zhong Hua

La société de brasserie Chung Hua, tout comme Tsingtao, a été fondée par des colons allemands dans la province côtière du Zhejiang, dans l'est de la Chine (cette région était alors soumise à l'autorité coloniale allemande, tout comme Hong Kong était sous domination britannique).

Aujourd'hui, la région et la brasserie appartiennent aux Chinois. Moins connue hors de Chine que la Tsingtao, la bière Zhong Hua n'en est pas moins l'une des premières bières d'exportation chinoises. On la trouve surtout dans les régions où vivent d'importantes communautés chinoises, servie souvent dans les restaurants chinois. C'est une lager dorée, pâle, sans complexité, facile à boire, légère, avec un modeste caractère houblonné.

CARACTÉRISTIQUES

Brasserie : Chunghua Beer Company Ltd
Situation : Chunghua, province du Zhejian, Chine
Type : lager
Robe : blonde pâle
Teneur en alcool : 5 % vol.
Température de service : 8 °C
Accompagnement : plats simples à base de riz et de légumes

Tsingtao

Fondée en 1903 par des colons allemandes dans le port de Tsingtao (Qingdao), la Tsingtao fut l'une des premières brasseries commerciales de Chine. C'est aujourd'hui l'une des plus importantes.

Son produit phare, une lager dorée, est la bière la plus vendue en Chine et la plus connue à l'étranger. Introduite aux États-Unis en 1972, elle représente aujourd'hui les quatre cinquièmes des exportations de bières chinoises. Produite avec de l'eau de source des Laoshan ainsi que du malt et des levures importées du Canada et d'Australie, elle présente un arôme légèrement houblonné et une saveur équilibrée.

CARACTÉRISTIQUES

Brasserie : Tsingtao
Situation : Qingdao, province du Shandong, Chine
Type : lager
Robe : jaune pâle

Teneur en alcool : 4,8 % vol.
Température de service : 8 °C
Accompagnement : poissons à la vapeur ou pochés

Lion Stout

La brasserie Ceylon tient son nom de l'ancienne identité du Sri Lanka (Ceylan, en anglais Ceylon), où elle est implantée depuis 1881.

La brasserie originelle fut construite à Nuwara Eliya, à flanc de colline, parmi les plantations de thé, non loin de la ville sainte de Kandy, avec pour objectif de fournir des bières de type anglais aux planteurs et autres colons. Pour atteindre le site, il faut emprunter des routes étroites, sinueuses et pentues, ce qui cause maintes difficultés pour la livraison des ingrédients indispensables à la production de bière ; c'est pour cette raison qu'en 1998 la société propriétaire a bâti une nouvelle usine de brassage dans la capitale, Colombo.

Jusque dans les années 1960, la bière la plus populaire de la région était une pale ale indienne de type anglais. Ce type de bière n'étant plus en vogue, le produit principal de la brasserie est aujourd'hui une lager dorée, mais comme nombre des brasseries de la région Ceylon maintient la tradition de la stout à l'intention de ceux qui préfèrent une bière au goût plus affirmé. C'est l'un des meilleurs exemples de stout asiatique : son arôme est intense, fruité, avec une note de café ; en bouche, elle se signale par son corps dense, onctueux ainsi que par une saveur d'abord de malt riche, sombre, et sucré, pour devenir de plus en plus sèche et amère avec un caractère de café grillé et de chocolat amer. Si cette bière est désormais pasteurisée, elle est toujours mise en bouteilles sans être filtrée. Il est de bon ton au Sri Lanka de la boire avec un petit verre d'arrack, l'alcool local à base de noix de coco.

CARACTÉRISTIQUES

Brasserie : Ceylon / Lion Brewery Limited
Situation : Colombo, Sri Lanka
Type : stout tropicale
Robe : noire
Teneur en alcool : 8,2 % vol.
Température de service : 13 °C
Accompagnement : currys

Bir Bintang Pilsner

La Bir Bintang est une pilsner de type allemand, à la saveur bien équilibrée de malt et de houblon. Elle est produite par la plus grosse brasserie d'Indonésie, fondée en 1929 sous le nom de Nederlandsch Indische Bierbrouwerijen.

Cette compagnie, reprise par Heineken in 1936, se mit alors à brasser de la bière Heineken, mais la firme néerlandaise se retira de la région en 1957 et interdit l'emploi de son nom, de sorte que la bière fut rebaptisée Perusahaan Bir Bintang. Quand Heineken reprit son activité de brassage en Indonésie, en 1967, la bière fut relancée sous le nom de Bintang Baru. Elle porte depuis 2002 le nom de Bir Bintang. La brasserie produit aussi de la Guinness sous licence.

CARACTÉRISTIQUES

Brasserie : PT Multi Bintang Indonesia
Situation : Surabaya, Indonésie
Type : pilsner
Robe : jaune doré

Teneur en alcool : 4,8 % vol.
Température de service : 8 °C
Accompagnement : mets indonésiens épicés

Singha

Première brasserie en Thaïlande (la plus importante encore aujourd'hui), Boon Rawd fut fondée en 1933, par Phraya Bhirom Bhakdi, qui utilisa des procédés techniques allemands pour produire des bières de type pilsner.

Aujourd'hui, Boon Rawd produit de l'eau en bouteilles, du thé, du café et trois marques de bière : Singha, Leo et Thai Beer. La Singha est une lager maltée au corps léger mais équilibrée, avec un caractère herbacé dominé par le houblon. La Singha Gold Light, à la saveur légère et fraîche, est une version hypocalorique, à faible teneur en alcool. La Leo est une lager standard dorée légère, et la Thai Beer est un peu plus forte.

CARACTÉRISTIQUES

Brasserie : Boon Rawd Brewery Company Ltd
Situation : Bangkok, Thaïlande
Type : lager
Robe : jaune doré

Teneur en alcool : 6 % vol.
Température de service : 6-8 °C
Accompagnement : poissons et fruits de mer

 # Tiger

La Tiger est la bière la plus vendue à Singapour. Cette lager dorée pur malt est brassée avec du malt importé d'Europe et d'Australie, ainsi que du houblon importé d'Allemagne.

La souche de levure aussi est européenne, développée exclusivement pour cette brasserie par Heineken aux Pays-Bas. Tiger est la marque phare d'Asia Pacific Breweries, compagnie fondée en 1931 sous le nom de Malayan Breweries Limited dans le cadre d'une joint-venture réunissant Heineken et Fraser & Neave. Bien que la brasserie emploie des ingrédients importés, toutes ses bières sont brassées exclusivement sur les deux sites de Singapour et Kuala Lumpur, en Malaisie, contrairement à maintes autres bières asiatiques, brassées sous licence en Europe et aux États-Unis.

La Tiger n'en est pas moins l'une des bières asiatiques les plus connues en Occident, ce qui est en grande partie dû au fait qu'elle était très appréciée des troupes alliées stationnées en Extrême-Orient durant la Deuxième Guerre mondiale, et qu'elle fut donc introduite en Occident par les soldats qui en rapportaient des bouteilles. La bière Tiger est désormais exportée vers plus de cinquante pays de par le monde. L'écrivain anglais Anthony Burgess, qui séjourna en Extrême-Orient dans les années 1950, reprit pour intituler l'un de ses livres le slogan publicitaire de la Tiger, « *Time for a Tiger* ». Asia Pacific Breweries produit aussi une bière de saison à l'occasion du Nouvel An (la Tiger Classic, lager dorée à la douce saveur maltée), ainsi que plusieurs autres bières telles que l'Anchor (ou Anker) Pilsner.

CARACTÉRISTIQUES

Brasserie : Asia Pacific Breweries

Situation : Alexandra Point, Singapour

Type : lager

Robe : jaune paille clair

Teneur en alcool : 5 % vol.

Température de service : 6-8 °C

Accompagnement : mets asiatiques épicés

Angkor Beer

La plupart des bières consommées au Cambodge sont des produits d'importation, comme les Tiger, San Miguel et Heineken, mais le pays possède bel et bien sa bière nationale, baptisée Angkor, produite dans la cité portuaire de Sihanoukville par Cambrew, société créée en 1990.

Le nom de cette bière fait référence au majestueux temple d'Angkor Vat (représenté sur les étiquettes), édifié sous l'Empire khmer (IXᵉ-Xᵉ siècles). Il s'agit d'une lager dorée de type typiquement européen, au corps robuste, à la douce amertume, à l'arôme léger et houblonné.

La bière Angkor connaît une popularité croissante depuis quelques années. On la trouve de plus en plus couramment dans les bars spécialisés d'Europe et des États-Unis, les principaux marchés à l'exportation étant le Japon et le Canada. Elle est conditionnée sous différents formats (bouteilles de 32 et 64 cl, boîtes de 32 cl) et disponible aussi à la pression.

La gamme Cambrew comprend la Bayon Beer (du nom des statues du temple d'Angkor Vat), qui selon la publicité est avant tout destinée aux consommateurs asiatiques et présente un arôme doux et houblonné ainsi qu'un arrière-goût agréable. Cambrew produit aussi la Black Panther Stout, puissante bière titrant entre 8 % alc./vol. et 8,3 % alc./vol., à la savoureuse amertume.

La brasserie Cambrew, création française du milieu des années 1960, fut reprise et rénovée en 1992 par Cambrew. Elle-même fondée en 1990, Cambrew a connu au travers de ses trois marques une impressionnante croissance. En 2004, la production de sa brasserie représentait 500 000 hectolitres.

CARACTÉRISTIQUES

Brasserie : Cambrew Limited
Situation : Sihanoukville, Cambodge
Type : lager
Robe : jaune doré
Teneur en alcool : 5,2 % vol.
Température de service : 6-8 °C
Accompagnement : soupe de poisson au lait de coco

🇰🇷 Hite Beer

La bière est arrivée en Corée en 1933, lorsque fut fondée la Chosun Beer Company, firme étatique d'abord, privatisée en 1952.

Tout au long des années 1980, Hite élargit son répertoire : une version légère de sa bière fut proposée en 1982, une boisson maltée sans alcool en 1984. Depuis 1986, Hite brasse également des bières Carlsberg sous licence. En 1989, elle a créé la Super Dry. Malgré cette diversification, le produit phare demeure la Hite Beer, bière au goût vif élaborée selon un processus en trois étapes permettant de contrôler la température durant la fermentation.

CARACTÉRISTIQUES

Brasserie : Hite Company Ltd
Situation : Corée du Sud
Type : pilsner
Robe : jaune doré

Teneur en alcool : 4,5 % vol.
Température de service : 8-10 °C
Accompagnement : plats de poissons et de fruits de mer épicés

✴ San Miguel Dark

La San Miguel Dark est simplement une version plus sombre du produit phare de la San Miguel Corporation, la Pale Pilsen. Brassée avec des malts plus sombres, elle se présente comme une lager dans le style de Munich, à la saveur ronde et fruitée, aux accent de malt et de caramel au beurre, avec des nuances de café grillé et de chocolat amer.

Désignée dans son pays d'origine sous le nom de Cerveza Negra («Bière noire» en espagnol), elle y a la réputation d'être la bière des connaisseurs. La plupart des bières consommées en Asie sont claires, de sorte que la Dark Lager a la réputation d'être distinguée. San Miguel brasse aussi plusieurs autres bières moins connues loin de Manille. Ainsi la Red Horse Beer, première bière extra-forte produite aux Philippines, et la Golden Eagle Beer, une lager claire ambrée au corps onctueux et au délicat arôme houblonné.

CARACTÉRISTIQUES

Brasserie : San Miguel Corporation
Situation : Manille, Philippines
Type : lager sombre de Munich
Robe : brun clair ambré
Teneur en alcool : 5 % vol.
Température de service : 8-10 °C
Accompagnement : viandes en sauce riche et épicée

San Miguel Pale Pilsen

Après avoir obtenu la permission royale de se lancer dans l'activité de brasserie, La Fabrica de Cerveza de San Miguel fut fondée en 1890 dans le centre de Manille, dans des locaux contigus à la demeure coloniale du gouverneur général espagnol. L'inauguration de la brasserie devait coïncider avec la fête de l'archange San Miguel (saint Michel), et malgré quelque retard dû à la météo, la brasserie fut baptisée en l'honneur du saint.

Le produit phare de San Miguel, la San Miguel Pale Pilsen, est de loin la bière la plus vendue aux Philippines, où elle représente plus des neuf dixièmes du marché – ce qui en fait aussi l'une des trois premières bières d'Asie. Elle présente un arôme de pain et de malt avec des notes de levure, et bien qu'elle soit désignée comme une pilsner, elle possède un profil houblonné plutôt léger, avec juste une note florale de houblon dans l'arôme et une subtile amertume équilibrant la saveur dominée par le malt. La San Miguel Corporation, comme elle s'appelle désormais, a réalisé son expansion dans toute la région : elle possède plus de cent sites de brassage aux Philippines, en Asie du Sud-Est, en Chine et en Australie, ce qui en fait sans conteste le plus gros brasseur de la région. En 2002, San Miguel a noué un partenariat avec le japonais Kirin.

CARACTÉRISTIQUES

Brasserie : San Miguel Corporation

Situation : Manille, Philippines

Type : pilsner

Robe : jaune doré

Teneur en alcool : 5 % vol.

Température de service : 7-8 °C

Accompagnement : plats de poissons épicés

Asahi Super Dry

La plus importante brasserie japonaise, la brasserie Osaka, fondée en 1889, a lancé la première bière Asahi en 1892. En 1906, Asahi fusionna avec deux autres brasseries – la Japan Beer Brewery Ltd et la Sapporo Beer Company – pour constituer la Dai Nippon Breweries Company.

Cette société suivit une rapide expansion et construisit plusieurs usines de brassage régionales. Puis, en 1949, une loi de décentralisation économique contraignit le géant Dai Nippon à se scinder en deux firmes, dont Asahi était la plus petite – ce qu'elle demeura jusqu'à la fin des années 1980, quand fut lancée l'Asahi Super Dry. L'immense succès de cette bière – non seulement au Japon, mais dans le monde entier – propulsa Asahi d'une part de marché modeste de 10 % à près de 50 %, ce qui le plaça à la deuxième place des brasseurs nippons.

Le succès de l'Asahi Super Dry est dû à sa saveur douce et légère, formulée à la suite d'études de marché fort poussées. Cette douceur et cette légèreté sont obtenues par une maturation prolongée, qui lui permet de fermenter pleinement et lui apporte une teneur en alcool plus élevée. À cet égard, elle est comparable à une pilsner allemande classique, bien que son profil houblonné soit beaucoup plus discret, avec juste un soupçon de caractère houblonné amer et herbacé. Le résultat est une bière sèche et astringente, à la saveur délicate. Asahi brasse également plusieurs bières au caractère très intéressant, dont la Asahi Draft Beer Fujisan, brassée exclusivement avec de l'eau provenant des sources du mont Fuji, cependant que la Asahi Super Malt est une lager maltée faible en alcool comme en calories.

CARACTÉRISTIQUES

Brasserie : Asahi

Situation : Tokyo, Japon

Type : lager

Robe : jaune doré

Teneur en alcool : 5 % vol.

Température de service : 6-7 °C

Accompagnement : cuisine japonaise traditionnelle (sushis en particulier)

Asahi Black

Inspirée par la Schwarzbier (bière noire) allemande, la Asahi Black présente en fait une coloration plus brun rougeâtre que ne le suggère son nom, même si elle est effectivement très foncée.

Le riche arôme de cette bière évoque les malts sombres, fumés, caramélisés (Asahi évite d'utiliser de l'orge grillé dans sa recette) ; il comprend des notes de caramel et de café. En bouche, des caractéristiques similaires dominent, avec des nuances de caramel au beurre et de chocolat amer. Asahi brasse aussi une bière de couleur authentiquement noire, la Stout, lancée en 1935. Cette bière, comme les porters anglaises, comprend de l'orge grillé, ce qui lui apporte une saveur riche et amère évoquant le café. Elle est également remarquable par son exceptionnelle texture satinée ; forte de ses 8 % alc./vol., elle fait penser aux stouts irlandaises et britanniques.

Les Asahi Black et Stout ne sont que deux des très nombreuses bières au répertoire de la firme Asahi. La Asahi Edomae est une lager de type pilsner allemande ; la brasserie Asahi se spécialise dans ce type de bière, au travers notamment de ses Asahi Fujisan, Asahi Minori Zanmai et Asahi Honnama. Ses bières plus particulières comprennent la Asahi Point One, une lager à faible teneur en alcool. Asahi produit également une gamme de bières fruitées, parfumées à la pomme, au raisin et à la framboise.

Asahi est l'un des acteurs dominants sur le marché japonais, mais ses ventes à l'exportation vers l'Europe et les États-Unis sont également vigoureuses, grâce notamment à sa Super-Dry.

CARACTÉRISTIQUES

Brasserie : Asahi

Situation : Tokyo, Japon

Type : lager sombre

Robe : brun-rouge sombre

Teneur en alcool : 5 % vol.

Température de service :
8-10 °C

Accompagnement :
desserts à base de chocolat
et de fruits

Kirin Ichiban

« L'autre bière » de Kirin a été lancée en 1990 sous le nom d'Ichiban Shibori, qui se traduit par première pression.

Elle devait ce nom au fait qu'elle était uniquement brassée avec le premier moût (en règle générale, le malt est réutilisé pour un second brassage d'un moût plus faible que le premier et contenant plus de tanins amers. La Kirin Ichiban présentait donc une teneur en alcool plus élevée et une saveur plus douce, plus pure, ce qui la fit immédiatement apprécier des consommateurs de bière japonais. La Kirin Ichiban a également contribué à la réputation internationale de la brasserie. Depuis quelques années, la société Kirin a réalisé une expansion hors du Japon, par le biais notamment d'une prise de participation majoritaire dans le groupe néo-zélandais Lion Nathan en 1998, et d'investissement dans le groupe philippin San Miguel en 2001.

CARACTÉRISTIQUES

Brasserie : Kirin
Situation : Tokyo, Japon
Type : lager
Robe : jaune doré

Teneur en alcool : 5,5 % vol.
Température de service : 8-10 °C
Accompagnement : sushis, sashimis et tempuras

Kirin Beer

La Kirin Beer est une lager dorée de type pilsner, à laquelle les houblons Saaz et Hallertau apportent une rafraîchissante amertume florale. Une période de maturation en cave allant jusqu'à deux mois la dote d'un corps plus onctueux et plus léger ainsi que d'une saveur plus riche et plus pleine.

Au Japon, elle est embouteillée sans être pasteurisée ni filtrée, alors qu'à l'exportation elle est le plus souvent commercialisée dans sa version filtrée. Les bières Kirin sont également brassées sous licence aux États-Unis par Budweiser et en Europe par le brasseur anglais Charles Wells. La brasserie Kirin, initialement baptisée Spring Valley, fut fondée à Yokohama en 1869 : elle est donc l'une des plus anciennes brasseries commerciales du Japon. Si la Kirin Beer n'a cessé depuis 1888 d'être la bière la plus vendue au Japon, Kirin n'est devenu le plus gros brasseur du pays qu'en 1954 – mais n'a depuis jamais abandonné ce titre.

CARACTÉRISTIQUES

Brasserie : Kirin
Situation : Tokyo, Japon
Type : pilsner
Robe : jaune doré
Teneur en alcool : 4,9 % vol.
Température de service : 8 °C
Accompagnement : sushis, sashimis et tempuras

Hitachino Nest Lacto Sweet Stout

La brasserie Kiuchi est née en 1823 ; dans son activité d'origine, elle s'est consacrée à la production de saké, destinée à utiliser les excédents de riz collectés en guise d'impôts auprès des paysans locaux.

CARACTÉRISTIQUES

Brasserie : Kiuchi Brewery

Situation : Naka-gun, Ibaragi, Japon

Type : stout au lait (stout douce)

Robe : brun foncé, presque noire

Teneur en alcool : 3,9 % vol.

Température de service : 10-12 °C

Accompagnement : fruits de mer

Elle n'a commencé à brasser de la bière qu'en 1996, mais s'est rapidement bâti une réputation pour ses bières de grande qualité élaborées selon des styles traditionnels, ainsi que pour des bières au caractère purement japonais – dont la Lacto Sweet Stout est un exemple typique. Son arôme présente des notes de caramel et de chocolat, avec un soupçon d'âcreté lactique provenant de l'emploi de sucres dérivés du lait. Au palais, elle se signale par son corps de structure ferme, sa vive effervescence et son caractère amer de malt grillé, équilibré par une onctueuse suavité.

Hitachino Nest Red Rice Beer

Cette bière très particulière se distingue par un nez malté évoquant les céréales, avec de subtile notes florales et houblonnées et un caractère sous-jacent à base de levure et de fruits (cerise, orange, poire et pomme).

CARACTÉRISTIQUES

Brasserie : Kiuchi Brewery

Situation : Naka-gun, Ibaragi, Japon

Type : dubbel d'abbaye belge

Robe : orange ambré foncé

Teneur en alcool : 8,5 % vol.

Température de service : 8-10 °C

Accompagnement : brochettes de poulet grillé (yakitori)

La coloration orangée légèrement brumeuse provient non des malts utilisés, comme l'on pourrait s'y attendre, mais de l'emploi de riz rouge, qui procure aussi à cette bière un caractère vif, net, avec une nuance sucrée, comparable à celui du saké. On note aussi dans la saveur un soupçon d'amertume évoquant le houblon et les agrumes, cependant que la teneur en alcool lui donne une force épicée qui tend à assécher la bouche, avant une finale agréablement chaleureuse.

Hitachino Nest Weizen

Cette bière de froment dorée, naturellement trouble, de type allemand possède un arôme suave de levure, évoquant la banane et l'orange avec des nuances épicées de poivre noir, de clous de girofle et de coriandre.

Au palais, une rafraîchissante acidité de froment domine ; une touche fruitée et acidulée de citron devient évidente dans la finale. La gamme étendue des bières Kiuchi comprend aussi la Japanese Classic Ale à laquelle une maturation dans des fûts de cèdre apporte une saveur de résine nettement épicée, la Cascade Ale, pale ale de type anglais aux saveurs bien équilibrées de houblon et de malt, et une Eisbock de type allemand titrant pas moins de 9 % alc./vol.

CARACTÉRISTIQUES

Brasserie : Kiuchi Brewery	**Robe :** jaune paille trouble
Situation : Naka-gun, Ibaragi, Japon	**Teneur en alcool :** 5 % vol.
	Température de service : 8-10 °C
Type : bière de froment	**Accompagnement :** sushis

Sapporo Yebisu Stout Draft

La bière Yebisu a été brassée pour la première fois en 1890 par la Japan Brewing Company, fondée en 1887 à Tokyo par un groupe d'entrepreneurs locaux, selon une recette de lager dorée pur malt créée pour leur compte par un brasseur allemand.

La Japan Beer Company devint ultérieurement Kirin, puis une partie de Dai Nippon ; la marque Yebisu disparut, pour être ressuscitée en 1971 par Sapporo, qui en fit la première bière maltée de type allemand à être brassée dans le Japon de l'après-guerre. Le terme « Stout » qui figure dans son nom ne fait pas référence au style de bière, mais à la riche saveur maltée, comparable à celle d'une Dortmunder Export. La lager sombre dans le style de Munich produite par Sapporo est la Yebisu Black Beer.

CARACTÉRISTIQUES

Brasserie : Sapporo Breweries Ltd
Situation : Hokkaido, Japon
Type : dortmunder/export
Robe : jaune doré
Teneur en alcool : 5 % vol.
Température de service : 8-10 °C
Accompagnement : mets épicés tels que poulet aux nouilles pimenté

Silver Sapporo

Au Japon, la bière phare de la brasserie Sapporo est généralement vendue en bouteilles, sous le nom de Sapporo Black Label – en référence à son étiquette noire portant l'emblème à l'étoile argentée de la brasserie.

Ailleurs, la bière en bouteille est connue sous l'appellation Sapporo Premium, mais elle est aussi conditionnée dans d'élégantes boîtes argentées, sous les noms de Silver Sapporo ou Sapporo Draft. Où qu'elle soit commercialisée, il s'agit d'une lager dorée, légère et rafraîchissante, au doux arôme malté et à la saveur légèrement teintée d'amertume houblonnée. Elle a été lancée au Japon en 1977, mais l'histoire de la brasserie Sapporo remonte à 1876, date à laquelle Seibei Nakagawa, revenu d'Allemagne où il avait appris l'art du brassage, fut chargé par le gouvernement japonais de superviser la construction d'une brasserie à Hokkaido. Avant la fin de l'année la brasserie Kaitakushi commença à produire des bières de type bavarois.

L'entreprise fut rebaptisée Sapporo en 1886 ; vingt ans plus tard, elle intégra le groupe Dai Nippon, ses bières étant désormais brassées à Tokyo, mais elle retrouva son indépendance lors du démantèlement de la firme, en 1949. Elle prit alors le nom de Nippon Breweries Ltd, mais sous la pression populaire revint au nom de Sapporo, en 1956 – et se remit à brasser à Hokkaido.

CARACTÉRISTIQUES

Brasserie : Sapporo Breweries Ltd

Situation : Hokkaido, Japon

Type : lager

Robe : jaune doré

Teneur en alcool : 4,5 % vol.

Température de service : 6-8 °C

Accompagnement : plats de pâtes ou de riz légers

CI-DESSUS

La lager Foster's est sans aucun doute l'une des bières les plus connues du monde, ce avec le soutien d'une campagne publicitaire d'une redoutable efficacité.

Avec la Castlemaine XXXX , Foster's a apporté à l'Australie une présence sur le marché de la bière ; la Nouvelle-Zélande revendique elle aussi des parts

de marché croissantes, avec des bières « premium » de qualité telles que la Steinlager (produite par une brasserie de l'énorme Lion Nathan Group).

Australie

et Nouvelle-Zélande

  Le brassage apparut en Australie et en Nouvelle-Zélande à l'arrivée des colons européens, à la fin du XVIIIᵉ siècle – des documents de 1794 signalent cette activité en Australie. À cette date, John Boston produisit alors une bière en utilisant du maïs importé d'Inde (au lieu de l'orge) et les tiges et les feuilles de groseilles du Cap pour conférer de l'amertume.

OUTRE LA DIFFICULTÉ D'OBTENTION des ingrédients, les premiers brasseurs durent aussi faire face à un climat défavorable. En raison des effets de la chaleur sur la levure de fermentation haute utilisée pour produire les ales de type anglais, le brassage était une activité imprévisible, et même lorsque leurs tentatives étaient couronnées de succès, la bière ne se conservait pas longtemps.

À la fin du XIXᵉ siècle, l'introduction de la réfrigération par des pionniers du brassage tels que les frères Foster permit de remplacer presque totalement les ales par des lagers dorées de fermentation basse, qui demeurent le type de bière le plus apprécié. Dans le même temps, en Nouvelle-Zélande, où le climat était plus tempéré, il fut possible de brasser les ales sans difficulté : elles conservèrent leur popularité même après l'introduction des lagers.

Le marché australien est dominé par deux géants, Carlton and United Breweries (division de la multinationale Foster's Brewing Group), d'une part, et le groupe néo-zélandais Lion Nathan d'autre part. La bière est toujours extrêmement populaire, même si depuis le début des années 1980 elle connaît un déclin régulier en raison d'un engouement croissant pour le vin. En Nouvelle-Zélande, le secteur de la brasserie fut quelque peu freiné dans son développement par l'influence historique du mouvement antialcoolique. Lion Nathan se constitua en 1923, par la fusion de dix des plus grandes brasseries du pays, qui s'unirent ainsi pour survivre.

CI-DESSUS

Le vif succès rencontré par les bières australiennes à l'exportation repose en partie sur l'identité australienne en elle-même.

STATISTIQUES

Production annuelle : 20 300 000 hectolitres

Consommation par an et par habitant : 82 litres

Principales brasseries : Castlemaine Perkins, Foster's Brewing Group Ltd, Lion Breweries, Malt Shovel, Swan Brewery, Tooheys

Bières réputées : Castlemaine XXXX, Foster's, James Squire Original Amber Ale, Steinlager, Swan Draught, Tooheys New

Castlemaine XXXX

La Castlemaine XXXX est une lager maltée claire, brassée avec du houblon entier, pour une saveur amère et rafraîchissante. La brasserie Castlemaine a été fondée en 1859 à Castlemaine (Victoria) par les frères Nicholas et Edwin Fitzgerald.

En 1877, ils reprirent une distillerie en difficulté à Milton, dans les faubourgs de Brisbane, et entreprirent d'y brasser la Castlemaine XXX Sparkling Ale, puis la Castlemaine XXXX Sparkling Ale en 1894, mais la chaleur du Queensland fut cause de problèmes dans le processus de brassage. En 1920, on fit appel au brasseur autrichien Alois Wilhelm Leitner, qui mit au point une recette de fermentation basse plus légère, lancée sous le nom de XXXX Bitter Ale. Plus tard, Castlemaine fusionna avec la brasserie Perkins de Brisbane, puis en 1992 fit son entrée dans le groupe néo-zélandais Lion Nathan.

CARACTÉRISTIQUES

Brasserie : Castlemaine Perkins
Situation : Brisbane, Queensland, Australie
Type : lager
Robe : jaune pâle doré
Teneur en alcool : 4,8 % vol.
Température de service : 6-8 °C
Accompagnement : mets épicés tels que currys thaïs

James Squire Original Amber Ale

La brasserie Malt Shovel fut fondée en 1795 par James Squire, brasseur, tavernier et bandit de grand chemin condamné à la déportation en Australie.

La James Squire Original Amber Ale est une imitation des pale ales de type anglais élaborées par la première brasserie Malt Shovel. Elle est brassée avec un mélange de malts Crystal et caramel, qui lui confèrent une couleur cuivrée typique ainsi qu'une riche et douce saveur maltée évoquant la noix ; l'adjonction tardive de houblon Willamette apporte une finale d'une rafraîchissante amertume, avec des notes de pamplemousse. La brasserie produit aussi une pilsner très houblonnée à l'arôme très herbacé et floral qu'équilibre un suave arôme malté.

CARACTÉRISTIQUES

Brasserie : Malt Shovel
Situation : Sydney, Nouvelle-Galles du Sud, Australie
Type : pale ale anglaise
Robe : rouge cuivré
Teneur en alcool : 5 % vol.
Température de service : 10 °C
Accompagnement : agneau, bœuf ou gibier

Foster's Lager

La lager australienne originale présente un corps léger et un goût riche en malt, avec une légère présence de houblon en finale. Elle fut brassée pour la première fois en 1887 à Melbourne, par deux frères originaires de New York. Bien que la brasserie porte toujours leur nom, leur engagement dans la société ne dura que dix-huit mois. Après cette période, ils regagnèrent les États-Unis, non sans avoir introduit un procédé de réfrigération novateur qui permit le brassage, sous le climat australien brûlant, de lagers légères dans le style européen.

Foster's est aujourd'hui la plus connue des marques de bière australiennes, commercialisée dans plus de cent cinquante pays) à l'issue d'une phase d'expansion particulièrement vigoureuse tout au long des années 1980.

CARACTÉRISTIQUES

Brasserie : Foster's Brewing Group Ltd
Situation : Melbourne, Australie
Type : lager
Robe : jaune doré pâle
Teneur en alcool : 4,9 % vol.
Température de service : 5-7 °C
Accompagnement : salades, fruits de mer

Swan Draught

La première brasserie commerciale de Perth, fondée en 1837, avait pour nom Albion. La brasserie Swan vint plus tard, en 1857, créée par Frederick Sherwood, qui s'installa dans le secteur aujourd'hui appelé Sherwood Court.

Cette brasserie fut louée au capitaine John Ferguson et à William Mumme, dont la connaissance des styles de bière allemands fit énormément progresser la qualité des bières Swan. Puis Mumme devint le seul propriétaire de la brasserie ; en 1928, il fit aussi l'acquisition d'Albion, alors rebaptisée Emu. Actuellement, la brasserie Swan fait partie de l'énorme groupe néo-zélandais Lion Nathan. Sa bière phare, la Swan Draught (pression), est la lager la plus vendue en Australie-Occidentale. C'est une bière douce, facile à boire, au goût malté équilibré par une légère amertume provenant du houblon de Tasmanie.

CARACTÉRISTIQUES

Brasserie : Swan Brewery
Situation : Perth, Australie-Occidentale
Type : lager
Robe : jaune doré pâle
Teneur en alcool : 4,8 % vol.
Température de service : 6-8 °C
Accompagnement : saucisses au barbecue

Tooheys New

La Tooheys New est une lager claire sans complexité, à la saveur vive et nette. Produite depuis 1931 par la brasserie Tooheys, elle fut à l'origine lancée sous le nom de Tooheys Draught. Elle a changé de nom pour adopter celui de Tooheys New en 1998, mais demeure brassée selon la recette qui a toujours présidé à son élaboration.

Tooheys produit actuellement une gamme étendue de bières, dont deux lagers sombres appelées Amber et Red, une « ice beer » baptisée Blue Label et une pilsner houblonnée de type allemand. L'ajout le plus récent au répertoire de la brasserie est la Tooheys Maxim, une lager hypocalorique mais de belle force lancée en 2001.

CARACTÉRISTIQUES

Brasserie : Tooheys
Situation : Sydney, Australie
Type : lager
Robe : jaune doré pâle
Teneur en alcool : 4,6 % vol.
Température de service : 6-8 °C
Accompagnement : mets épicés tels que currys thaïs

Steinlager

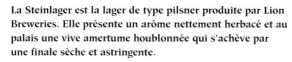

La Steinlager est la lager de type pilsner produite par Lion Breweries. Elle présente un arôme nettement herbacé et au palais une vive amertume houblonnée qui s'achève par une finale sèche et astringente.

Lion se constitua en 1923 lorsque dix des principales brasseries de Nouvelle-Zélande fusionnèrent pour tenter de résister à une législation défavorable. La nouvelle société prit le nom de New Zealand Breweries, puis fut rebaptisée Lion, en 1977, du nom de l'une de ses marques les plus dynamiques. Avant la fusion, les bières Lion étaient brassées par la Great Northern Brewery, fondée en 1860.

Lion Breweries est aujourd'hui une division du Lion Nathan Group, producteur majeur de vins et de bières en Nouvelle-Zélande comme en Australie.

CARACTÉRISTIQUES

Brasserie : Lion Breweries
Situation : Auckland, Nouvelle-Zélande
Type : pilsner
Robe : jaune doré pâle
Teneur en alcool : 5 % vol.
Température de service : 6-8 °C
Accompagnement : excellente en apéritif

Index

Codes pays

AR = Argentine
AT = Autriche
AU = Australie
BE = Belgique
CA = Canada
CH = Suisse
CN = Chine
CU = Cuba
CZ = République tchèque
DE = Allemagne
DK = Danemark
ES = Espagne
FI = Finlande

FR = France
GB = Angleterre
HU = Hongrie
ID = Indonésie
IE = Irlande
IN = Inde
IS = Islande
IT = Italie
JM = Jamaïque
JP = Japon
KH = Cambodge
KR = Corée du Sud
LK = Sri Lanka

LU = Luxembourg
MX = Mexique
NL = Pays-Bas
NO = Norvège
PH = Philippines
PL = Pologne
SC = Écosse
SE = Suède
SG = Singapour
SK = Slovaquie
TH = Thaïlande
US = États-Unis

Crédits photographiques

Amber Books : 15, 20 b, 21 b, 26 b, 27, 34 b, 44 b, 46 h, 82 h, 99 h, 101, 103, 173, 183b, 218, 225, 264 b, 265 h, 266, 267 h, 269 b, 273, 276 b, 277, 278, 279 h, 288, 289 b, 290 b, 296 b, 298, 299, 302 h, 314 h

Beerlabels.com : 166

Corbis : Endpapers, 6, 10, 13, 22, 42, 43, 50, 74, 84, 85, 90, 91, 96, 97, 104, 105, 108, 109, 122, 123, 162, 163, 178, 179, 186, 187, 234, 235, 248, 249, 260, 261, 294, 295, 310, 311

Getty Images : 60, 75, 118, 274, 280, 286

Heritage Image Partnership : 54, 69

Inbev : 126, 139, 174, 175, 284, 285 h

SAB Miller : 34 h, 238, 265 b, 270, 275, 281, 282 b, 283, 287, 289 h, 291 b, 292 b

Asia Pacific Breweries, 9, 300 ; Coors Brewing Company, 11, 29 b ; Molson Breweries, 12, 19 ; Oland Brewer/Interbrew, 14 h ; Amsterdam Brewing Company, 14 b ; Brick Brewing Co, 16 ; Creemore Springs, 17 h ; McAuslan Brewing, 18 ; Moosehead Breweries, 20 h ; Anchor Brewing Co, 24 ; August Schell Brewing Co, 25 b, 26 h ; Bridgeport Brewing Company, 28 h ; Brooklyn Brewery, 28 b ; Full Sail Brewing Co, 29 b ; Great Lakes Brewing Co, 30 ; Jacob

Leinenkugel Brewing Company, 31 b ; MacTarnahan's Brewing Company, 32 h ; North Coast Brewing Co, 35 ; Old Dominion Brewing Company, 36 h ; Pabst Brewing Company, 36 b ; Pensylvania Brewing Company, 37 h ; Pete's Brewing Company, 37 b ; Pike Pub and Brewery, 38 h ; Redhook Ale Brewery, 38 b ; Rogue Ales, 39 ; Sierra Nevada, 40 h ; Stone Brewing Company, 40 b ; Stoudt's Brewing Co, 41 h ; Victory Brewing Company, 41 b ; Especialidad Cerveceras, 44 h ; Egils Skallagrimsson Brewery, 51, 52 b ; Viking Brewery, 53 ; Hansa Bryggeri, 55, 58 b, 59 h ; Aass Bryggeri, 56, 57 h ; Baatbryggeriet AS, 58 h ; Mack's Olbryggeri, 59 b ; Jämtlands Bryggeri, 61, 63, 64 h ; Carlsberg Sverige, 62, 64 b ; Slottskällans Bryggeri, 65, 66 h ; Spendrups Bryggeri AB, 67 b ; Sinebrychoff, 68, 73 ; Finlandia Sahti Oy, 70 h ; Hollolan Hirvi/Kimmo Sipila, 70 b ; Hartwall (S&N), 71 ; Lammin Sahti Oy, 72 ; Albani Bryggerierne AS, 76 b ; Brockhouse, 77 ; Carlsberg Bryggerierne AS, 79, 82 b, 83 ; Belhaven Brewer Company, 92 ; Caledonian Brewery, 94 b ; Traquair House Brewery, 95 ; Bateman's, 98 b ; Fuller, Smith & Turner, 99 b ; George Gale & Co, 100 h ; Brasseries Kronenbourg (Scottish & Newcastle), 117 h ; Brasserie Simon, 119, 121 b ; Brasserie Bofferding, 120 h ; NV Brouwerijen Alken-Maes, 127 h ; Brouwerij Haacht NV, 137 b ; Alfa Brouwerij, 164 h ; Bavaria Brouwerij NV, 164 b, 165 h ; Grolsche Bierbrouwerij NV, 165 b ;

Altes Tramdepot Brauerei, 180 h ; Burgdorfer, 180 b ; Feldschlösschen Getränke AG, 181 h ; Brauerei Eichhof, 181 b, 182, 183 h ; BFM Brasserie des Franches-Montagnes, 185 h ; Biervision Monstein, 185 b ; Burgerbrau, 190 b ; Berliner Kindl Brauerei, 193 h ; Binding Brauerei, 193 b, 194 h ; Bitburger Brauerei, 195 ; DAB, 196, 197 h ; Brauerei P.J. Fruh, 203 h ; Heller-Brau, 205 ; Friesisches Bauhaus, 207 b ; Brauerei Pinkus Muller, 219 h ; Privat Weissbierbrauerei G. Schneider & Sohn, 224 ; Spaten-Franziskaner Bräu, 226, 227 ; Thurn und Taxis, 230 b ; Schloss Eggenberg, 250 ; Brauerei Fohrenburg, 251 ; Braucommune in Freistadt, 252 ; Brau Union Osterreich AG, 254, 255 b, 257 h, 259 h ; Stieglbrauerei zu Salzburg, 257 b ; Ottakringer Brauerei Harmer AG, 256 ; Brauerei Schwechat, 258 ; Brauerei Zwettl, 259 b ; Bernard Pivo, 262 h ; Bohemia Regent, 262 b ; Budweiser Budvar, NC, 263 ; Pivovar âerná Hora, 264 h ; Pilsner Urquell, 268 ; Dûm Piva (Pivovar U Medvikdu), 269 h ; Starobrno AS, 270 b ; Pivovar Staropramen (InBev), 271, 272 ; Heineken International, 276 h, 279 b, 292 h, 293 ; Brau Union Hungaria, 282 h ; Pécsi Sörfözde, 285 b ; Carlsberg-Okocim SA, 289 b, 290 h ; Malopolski Browar Strzelec SA, 291 h ; United Breweries, 296 h ; Cambrew, 301 ; San Miguel Corporation, 302 b ; Asahi, 305 ; Kuchi Brewery, 307, 308 h ; Sapporo Breweries, 308 b ; Malt Shovel, 312 b ; Swan Brewery, 313 b.